Para T...

Te quiero,

Historia
de un alma

Greenwich,
7 de mayo de 2011 —

Santa Teresita del Niño Jesús

Historia
de un alma

Editorial Claretiana

Teresita del Niño Jesús y de la Santa Faz, Santa
    Historia de un alma - 1a ed. 7a reimp. - Buenos Aires:
    Claretiana, 2009.
    320 p. ; 15x11 cm. (Clásicos de espiritualidad)

    ISBN 978-950-512-465-7

    1. Literatura Piadosa. I. Título
    CDD 242.646

Preparación de edición: *Liliana Ferreirós y Néstor Saporiti*
Adaptado de: *Santa Teresita Del Niño Jesús: Historia de un alma.*
                Burgos, Monte Carmelo, 1998, 5ta.edición.

Diseño de Tapa: *Equipo Editorial*

Impreso en la Argentina.
Printed in Argentina.

ISBN 978-950-512-465-7

© Editorial Claretiana, 2003

EDITORIAL CLARETIANA
Lima 1360 – C1138ACD Buenos Aires
República Argentina
Tels. 4305-9510/9597
email: editorial@editorialclaretiana.com.ar
www.editorialclaretiana.com.ar

INTRODUCCIÓN

¿Quién fue Santa Teresita del Niño Jesús?

Santa Teresita del Niño Jesús y de la Santa Faz, Patrona Universal de las Misiones, Patrona de Francia junto a Santa Juana de Arco, y Doctora de la Iglesia como Santa Teresa de Ávila (y también carmelita como ella), se llamaba en realidad *María Francisca Teresa Martin.*

Nació en Alençon, una ciudad ubicada al noroeste de Francia, el 2 de Enero de 1873. Su padre, Luis Martín, era joyero-relojero y su madre, Celia Guerin, se dedicaba a la costura. Última de nueve hermanos, Teresita tuvo una infancia feliz, muy parecida a la de la mayoría de las niñas de su época, que sin embargo se trocaría en dolor a los cuatro años y medio de edad, por la muerte de su madre.

La pérdida de la mamá movió al padre a vender la relojería y trasladarse con la familia a Lisieux donde sus hijas quedarían bajo el ciudado de la tía, la Sra. Guerin. Cuando Teresita tenía 9 años, su hermana Paulina ingresó al convento de las carmelitas y desde aquel día Teresita quiso seguirla. Cuando cumplió los 14, su otra hermana, María, se le adelantó pero, al año siguiente, ella decidió pedirle también autorización a su padre para entrar al Carmelo y él lo aprobó. Sin embargo, ni las religiosas ni el obispo serían de la misma idea y Teresita tuvo que esperar...

Nadie podía imaginar por entonces que sería capaz de pedirle al mismísimo papa León XIII el permiso tan deseado. Teresa, peregrina entre peregrinos en Roma para celebrar el jubileo sacerdotal de su santidad, no dejó pasar la ocasión y, de rodillas frente al Papa, sorprendió a todos preguntándole con humildad y convicción si podía ingresar al Carmelo a los quince años. León XIII, impactado por la presencia de ánimo de la niña, le respondió que así sería si esa era la voluntad de Dios y Teresa cruzó el umbral del monasterio en abril de 1888.

Dos años más tarde, en septiembre de 1890, hacía su profesión religiosa. Pero no muy lejos la esperaba un nuevo dolor: el padre enfermó severamente y quedó paralítico. Su hermana Celina lo cuidaría hasta la muerte y, una vez que hubo partido, ella también ingresaría al convento.

Cuando ya todas las hermanas crecían en el amor de Dios bajo el cielo del Carmelo, Teresita fue atacada por la tuberculosis, precisamente en momentos en que su mayor anhelo era viajar a Indochina en una misión. Los últimos 18 meses de su vida fueron tremendamente duros tanto física como espiritualmente.

En junio de 1897 empezarían a cobijarla las cuatro paredes de la enfermería del convento, de la que no volvería a salir. El 30 de septiembre de ese mismo año entregaba su vida a Dios.

Beatificada en 1923 y canonizada en 1925, Santa Teresita del Niño Jesús, esa pequeña monja carmelita representada con un crucifijo y un manojo de rosas en los brazos, no ha dejado de derramar desde entonces sobre la tierra "una lluvia de rosas", es decir un sinfín de gracias para todos aquellos que confían en su intercesión.

¿Cómo era el contexto espiritual en que vivió?

Santa Teresita vivió en el último cuarto del siglo XIX, recibiendo como herencia toda la efervescencia que vivió la política, la cultura y también la religión de esa época.

A comienzos de siglo, Europa conoció un período de cierta estabilidad política y social conocido con el nombre de "Restauración", posterior, precisamente, a un evento de particular importancia histórica como la Revolución francesa y el período napoleónico. Dicha revolución no fue sólo una guerra civil a nivel europeo, sino el nacimiento de una nueva mentalidad, el cuestionamiento de un orden establecido y la consiguiente transformación de estructuras, de pensamiento, de valores. Fue una provocación contra el pasado, de ahí que ese pasado sea "lo antiguo" y la Revolución la "novedad". Los cambios afectaron a todas las áreas del quehacer humano: lo político, social, cultural, religioso y, por supuesto, a la piedad y la espiritualidad.

Los veinticinco años de proceso revolucionario desestabilizador generaron cansancio, casi agotamiento, en el viejo continente. Por eso, con aciertos y desaciertos, se llevó a cabo la restauración política, al menos a nivel material, porque ya no se podía recuperar la mentalidad anterior a la Revolución. La nueva historia estaba en marcha.

La Iglesia, por su parte, intentó una restauración conservadora. El fruto de esta actitud más involutiva que renovadora fue el divorcio entre la fe y la razón, la ciencia y la religión, el éxodo masivo de intelectuales primero, del proletariado después, y de ello nació el anticlericalismo más radical. La Iglesia perdía credibilidad.

Esta mentalidad restauradora de la Iglesia se puede observar en ciertos fenómenos complejos que incidieron notablemente sobre la espiritualidad de todo el siglo:

a) En medio de intrigas, revoluciones y luchas de poder el pontificado recuperó los "Estados pontificios" (ancha franja de territorios en la Italia central en los que el Papa era soberano temporal además de espiritual) hasta perderlo definitivamente en forma violenta al realizarse la unidad de Italia en 1870. Los Papas tuvieron que llamar en su ayuda a las naciones católicas para vencer a los revolucionarios.

b) La lucha contra el liberalismo, fruto de la Revolución, defensora de la democracia, de las libertades fundamentales de asociación, de prensa, de conciencia y de culto también marcó negativamente al papado.

c) La falta de inserción en la realidad, el exceso de evasionismo, de intimismo y espiritualismo llevó a una disociación entre la "vida espiritual" y el contexto histórico, social, cultural y religioso. La falta de sentido profético, la tendencia a disociarse y a estar ausente de las grandes fuerzas espirituales y sociales que brotan creativamente en el mundo moderno la hicieron incapaz de asumirlas y evangelizarlas.

d) El romanticismo, movimiento cultural nacido como reacción al racionalismo del siglo XVIII actuó como movimiento restauracionista en la vida religiosa y espiritual de Europa. Los románticos soñaban con el pasado glorioso, con la Edad Media cristiana; defendían una religión subjetiva y llena de sentimiento, de afectividad; eran amantes del arte, de la estética y por lo mismo del culto grandioso.

Esta actitud de la Iglesia perduró a lo largo de todo el siglo. Sin embargo, la historia posterior a la Revolución no fue una mera "restauración" del pasado; algunas corrientes y movimientos llevaron adelante iniciativas que demuestran que también se dio una evolución. Si bien se acusa a los hombres del siglo XIX de pobreza creadora, de incultura, de falta de genios, debemos decir que es un siglo que reconstruye su historia, que no tiene tiempo de pensar, porque tiene que "hacer"; es decir, predominó la acción sobre el pensamiento. La riqueza que de allí se derivó es enorme.

Ante todo, el prestigio del papado salió fortalecido al ser perseguido durante la Revolución francesa, aumentando la devoción al Papa hasta el punto de definir como dogma, en el Concilio Vaticano I, su infalibilidad y primado.

Además, se da una cierta sensibilidad social que provocará el nacimiento de movimientos laicales de compromiso como la Acción católica, los hogares juveniles y las Conferencias de

San Vicente de Paul, así como un exuberante pulular de congregaciones religiosas masculinas y femeninas para responder a las necesidades de los tiempos. Esas Congregaciones, sobre todo las femeninas, rompen la estructura clásica de la clausura y se hacen "activas". Las necesidades que cubren son la enseñanza, la asistencia sanitaria, la atención a los ancianos, niños abandonados, huérfanos, jóvenes marginados. Es importante remarcar el creciente espíritu misionero que, sobre todo en la segunda mitad del siglo, da lugar a la fundación de congregaciones específicamente misioneras y a que muchas otras que no lo son se echen a la mar para responder al mandato de Jesús de ir hasta los confines de la tierra.

¿Cuál es el mensaje espiritual de Santa Teresita del Niño Jesús?

En medio de este bullir de actividades, compromiso social y espíritu misionero, la vida de Teresita del Niño Jesús pone de manifiesto la extraordinaria fecundidad de la vida contemplativa. De hecho ella ha sido proclamada patrona de las misiones, porque en el Carmelo –a través de la oración y el sacrificio– supo prestar a los apóstoles la energía para la acción promocionando el amor en el corazón de la Iglesia. De esta manera se hace eco del ferviente espíritu misionero que, como vimos, caracterizó a la Iglesia de su época.

A través de sus escritos descubrimos, por un lado, la influencia de un cierto estilo intimista, afectivo y a veces hasta edulcorado, claramente influenciado por el romanticismo de la época y su nivel social. Sin embargo, fruto de la acción de la gracia, ella supo canalizar esta espiritualidad –que en apariencias podría parecer sentimental y, por ende, más superficial– hacia una intimidad profunda con Dios. Y decimos profunda porque no se apoyó en gratificaciones o revelaciones particulares, sino en una fe despojada de cualquier signo sensible de la presencia del Amado, hasta el punto de llegar a dudar de su existencia.

También cabe destacar que en esta comunión personal con Jesús, con cierta frecuencia aparecen resabios de una espiritualidad centrada en el dolor como el valor redentor más importante, en lugar del amor. Aun así, a la hora de definir su vocación en la Iglesia, lo hace a través de la identificación con el valor más alto del mensaje evangélico: el amor como entrega total de sí misma a Dios y a los hermanos, que, incluye, sí, al sufrimiento como consecuencia inevitable. Es importante leer sus escritos a partir de esta clave: es el amor el que salva y no el sufrimiento por sí mismo. Por eso, en Teresita, también hay lugar para la alegría.

Precisamente, esta alegría es fruto de una actitud de abandono total en Dios, en la conciencia plena de sentirse amada por él. Ella introduce en la espiritualidad cristiana la "dinámica de la confianza" en Dios desde su experiencia de las "manos vacías". Es el camino de santidad fundado en la "infancia espiritual", que no tiene de sentimental e infantil más que el nombre y la cobertura literaria romántica, propia de una mujer joven del siglo XIX.

A través de esta actitud espiritual, en ella desaparecen los últimos brotes jansenistas que habían influido en la espiritualidad cristiana desde el siglo XVII. El jansenismo, entre otras afirmaciones, concebía que el hombre debía esforzarse por merecer su salvación. La espiritualidad teresiana, por el contrario, pone de relieve una dimensión esencial de la perfección cristiana ascético-mística: la gratuidad, el don de Dios, recibida libremente y por amor. Para quienes eligen su camino, Dios desciende al fondo de la nada humana para transformarla en el Todo.

Finalmente, queremos señalar que la obra es el resultado del ensamble de tres manuscritos escritos por obediencia a tres superioras diferentes y fue actualizado en algunas expresiones que podrían dificultar su comprensión. La lectura corrida del texto, al no tratarse, esta, de una obra de estudio, nos ayudará a recorrer su camino espiritual y, tal vez, nos entusiasme a hacer el mismo ejercicio en nuestra espiritualidad: releer con sensibilidad espiritual nuestra historia de vida personal para descubrir el paso de Dios, sentirnos más amados por él e impulsados, a su vez, a vivir un compromiso más fraterno y misionero

Capítulo I

Alençon
(1873-1877)

Enero de 1895

El cántico de las Misericordias del Señor

A ti, Madre querida, a ti que eres doblemente mi madre, quiero confiar la historia de mi alma... El día que me pediste que lo hiciera, pensé que eso malgastaría mi corazón al ocuparlo de sí mismo; pero después Jesús me hizo comprender que, obedeciendo con total sencillez, le agradaría. Además, sólo pretendo una cosa: comenzar a cantar lo que un día repetiré por toda la eternidad: «¡¡¡Las misericordias del Señor !!!»...

Antes de tomar la pluma, me he arrodillado ante la imagen de María (la que tantas pruebas nos ha dado de las predilecciones maternales de la Reina del cielo por nuestra familia), y le he pedido que guíe ella mi mano para que no escriba ni una línea que no sea de su agrado. Luego, abriendo el Evangelio, mis ojos se encontraron con estas palabras: «Después subió Jesús a la montaña y llamó a su lado a los que *quiso*. Ellos fueron hacia él...» (Marcos 3,13). He ahí el misterio de mi vocación, de mi vida entera, y, sobre todo, el misterio de los privilegios que Jesús ha querido dispensar a mi alma... Él no llama a los que son dignos, sino a los que él quiere, o, como dice san Pablo: «"Seré misericordioso con el que yo quiera, y me compadeceré del que quiera compadecerme." En consecuencia, todo depende no del querer o del esfuerzo del hombre, sino de la misericordia de Dios» (Romanos 9,15-16).

Durante mucho tiempo me pregunté por qué tenía Dios preferencias, por qué no recibían todas las almas las gracias por igual. Me extrañaba verlo derrochar favores extraordinarios a los santos que lo habían ofendido, como san Pablo o san Agustín, a los que forzaba, por así decirlo, a recibir sus gracias; y cuando leía la vida de aquellos santos a los que el Señor quiso acariciar desde la cuna hasta el sepulcro, retirando de su camino todos los obstáculos que pudieran impedirles elevarse hacia él y previniendo a esas almas con tales favores que no pudiesen empañar el brillo inmaculado de su vestidura bautismal, me preguntaba por qué los pobres salvajes, por ejemplo, morían en tan gran número sin haber oído ni tan siquiera pronunciar el nombre de Dios...

Jesús ha querido darme luz acerca de este misterio. Puso ante mis ojos el libro de la naturaleza y comprendí que todas las flores que él ha creado son hermosas, y que el esplendor de la rosa y la blancura del lirio no le quitan a la humilde violeta su perfume ni a la margarita su encantadora sencillez... Comprendí que si todas las flores quisieran ser rosas, la naturaleza perdería su gala primaveral y los campos ya no se verían esmaltados de florecillas...

Eso mismo sucede en el mundo de las almas, que es el jardín de Jesús. Él ha querido crear grandes santos, que pueden compararse a los lirios y a las rosas; pero ha creado también otros más pequeños, y éstos han de conformarse con ser margaritas o violetas destinadas a recrear los ojos de Dios cuando mira a sus pies. La perfección consiste en hacer su voluntad, en ser lo que él quiere que seamos...

Comprendí también que el amor de Nuestro Señor se revela lo mismo en el alma más sencilla que no opone resistencia alguna a su gracia, que en el alma más sublime. Y es que, siendo propio del amor el abajarse, si todas las almas se parecieran a las de los santos doctores que han iluminado a la Iglesia con la luz de su doctrina, parecería que Dios no tendría que abajarse demasiado al venir a sus corazones. Pero él ha creado al niño, que no sabe nada y que sólo deja oír débiles gemidos; y ha creado al pobre salvaje, que sólo tiene para guiarse la ley natural. ¡Y también a sus corazones quiere él descender! Estas son sus flores de los campos, cuya sencillez le fascina... Abajándose de tal modo, Dios muestra su infinita grandeza. Así como el sol ilumina a la vez a los cedros y a cada florecilla, como si sólo ella existiese en la tierra, del mismo modo se ocupa también Nuestro Señor de cada alma personalmente, como si no hubiera más que ella. Y así como en la naturaleza todas las estaciones están ordenadas de tal modo que en el momento preciso se abra hasta la más humilde margarita, de la misma manera todo está ordenado al bien de cada alma.

Seguramente, Madre querida, te estés preguntando extrañada adónde quiero ir a parar, pues hasta ahora nada he dicho todavía que se parezca a la historia de mi vida. Pero me has pedido que escribiera lo que me viniera al pensamiento, sin trabas de ninguna clase. Así que lo que voy a escribir no es mi vida propiamente dicha, sino mis pensamientos acerca de las gracias que Dios se ha dignado concederme.

Me encuentro en un momento de mi existencia en el que puedo echar una mirada hacia el pasado; mi alma ha madurado en el crisol de las pruebas exteriores e interiores. Ahora, como la flor fortalecida por la tormenta, levanto la cabeza y veo que en mí se hacen realidad las palabras del Salmo 22: «El Señor es mi pastor, nada me puede faltar: Él me hace descansar en verdes praderas, me conduce a las aguas tranquilas y repara mis fuerzas... Aunque cruce por oscuras quebradas, no temeré ningún mal, ¡porque tú estás conmigo!» Conmigo el Señor ha sido siempre bondadoso y compasivo..., lento para enojarse y rico en misericordia... (Salmo 102,8). Por eso, Madre, vengo feliz a cantar a tu lado las misericordias del Señor... Para ti sola voy a escribir la historia de la *florecita* cortada por Jesús. Por eso, te hablaré con confianza total, sin preocuparme ni del estilo ni de las numerosas digresiones que pueda hacer. Un corazón de madre comprende siempre a su hijo, aun cuando no sepa más que balbucir. Por eso, estoy segura de que voy a ser comprendida y hasta adivinada por ti, que modelaste mi corazón y que se lo ofreciste a Jesús...

Me parece que si una florecilla pudiera hablar, diría simplemente lo que Dios ha hecho por ella, sin tratar de ocultar los regalos que él le hizo. No diría, simulando ser humilde, que es fea y sin perfume, que el sol le ha robado su esplendor y que las tormentas quebraron su tallo, cuando está íntimamente convencida de todo lo contrario. La flor que va a contar su historia se alegra de poder proclamar las delicadezas totalmente gratuitas de Jesús. Reconoce que en ella no había nada capaz de atraer sus miradas divinas, y que sólo su misericordia ha obrado todo lo bueno que hay en ella...

Él la hizo nacer en una tierra santa e impregnada toda ella como de un *perfume virginal*. Él hizo que la precedieran ocho lirios deslumbrantes de blancura. Él, en su amor, quiso preservar a su florecita del aliento envenenado del mundo; y apenas empezaba a entreabrirse su corola, este divino Salvador la trasplantó a la montaña del Carmelo, donde los dos lirios que la habían rodeado de cariño y acunado dulcemente en la primavera de su vida expandían ya su suave perfume...

Siete años han pasado desde que la florecilla echó raíces en el jardín del Esposo de las vírgenes, y ahora tres lirios –contándola a ella– cimbren allí sus corolas perfumadas; un poco más lejos, otro lirio se está abriendo bajo la mirada de Jesús. Y los dos tallos benditos de los que brotaron estas flores están ya reunidos para siempre en la patria celestial... Allí se han encontrado con los otros cuatro lirios que no llegaron a abrir sus corolas en la tierra... ¡Ojalá Jesús tenga a bien no dejar por mucho tiempo en tierra extraña a las flores que aún quedan el destierro! ¡Ojalá que pronto el ramo de lirios se vea completo en el cielo!

Rodeada de amor

Acabo, Madre, de resumir en pocas palabras lo que Dios ha hecho por mí. Ahora voy a entrar en los detalles de mi vida de niña. Sé muy bien que, donde cualquier otro no veía más que un relato aburrido, tu *corazón de madre* encontrará verdaderas delicias... Además, los recuerdos que voy a evocar son también tuyos, pues a tu lado fue transcurriendo mi niñez y tengo la dicha de haber tenido unos padres incomparables que nos rodearon de los mismos cuidados y del mismo cariño. ¡Que ellos bendigan a la más pequeña de sus hijas y le ayuden a cantar las misericordias del Señor...!

En la historia de mi alma, hasta mi entrada en el Carmelo, distingo tres períodos bien definidos. El primero, a pesar de su corta duración, no es el menos fecundo en recuerdos. Se extiende desde el despertar de mi razón hasta la partida de nuestra madre querida para la patria del cielo.

Dios me concedió la gracia de despertar mi inteligencia en muy temprana edad y de que los recuerdos de mi infancia se grabasen tan profundamente en mi memoria, que me parece que las cosas que voy a contar ocurrieron ayer. Seguramente Jesús, en su amor, quería hacerme conocer a la madre incomparable que me había dado y su mano divina tenía prisa por coronar en el cielo...

Durante toda mi vida, Dios ha querido rodearme de amor. Mis primeros recuerdos están impregnados de las más tiernas sonrisas y caricias... Pero si él puso mucho amor a mi lado, también lo puso en mi corazón, creándolo cariñoso y sensible. Y así, quería mucho a papá y a mamá, y les demostraba de mil maneras mi cariño, pues era muy efusiva. Sólo que los medios que empleaba a veces eran raros, como lo demuestra este pasaje de una carta de mamá:

«La niña es un verdadero diablillo que viene a acariciarme deseándome la muerte: "¡Cómo me gustaría que te murieras, mamaíta...!" La retan, y me dice: "¡Pero si es para que vayas al cielo! ¿No dices que tenemos que morirnos para ir allá?" Y cuando está con estos arrebatos de amor, desea también la muerte a su padre.»

Y mira lo que el 25 de junio de 1874, cuando yo tenía apenas 18 meses, decía mamá de mí:

«Tu padre acaba de instalar un columpio. Celina está loca de contenta, ¡pero hay que ver columpiarse a la pequeña! Es de risa; se sostiene como una jovencita, no hay peligro de que suelte la cuerda, y cuando va demasiado despacio se pone a gritar. La sujetamos por delante con otra cuerda, pero a pesar de todo yo no me siento tranquila cuando la veo colgada allá arriba.

Últimamente me ocurrió una curiosa aventura con la pequeña. Tengo costumbre de ir a la Misa de cinco y media. Los primeros días, no me atrevía a dejarla sola; pero al ver que nunca se despertaba, me decidí a hacerlo. La acuesto en mi cama y arrimo la cuna de manera que sea imposible que se caiga. Pero un día me olvidé de acercar la cuna. Llego, y la pequeña ya no estaba en la cama. En ese mismo momento escuché un grito; miro y la veo sentada en una silla que había frente a la cabecera de mi cama, con la cabecita apoyada en el respaldo y durmiendo un mal sueño, pues estaba enfadada. No puedo explicarme cómo pudo caer sentada en aquella silla, pues estaba acostada.

Di gracias a Dios de que no le hubiera pasado nada; fue realmente providencial, pues debería haber caído rodando al suelo. El ángel de la guarda ha velado por ella, y las almas del purgatorio, a las que todos los días rezo una oración por la pequeña, la protegieron. Así me explico yo lo sucedido..., tú explícatelo como quieras...»

Al final de la carta mamá añadía:

«Ahora la niña ha venido a pasarme la manita por la cara y a darme un beso. Esta criatura no quiere dejarme ni un instante y no se aparta de mi lado. Le gusta mucho salir al jardín, pero si yo no estoy allí no quiere quedarse y se echa a llorar y no para de hacerlo hasta que me la traen...»

(Y éste es un pasaje de otra carta):

«Teresita me preguntaba el otro día si iría al cielo. Yo le dije que sí, si se portaba bien, y me contestó: "Ya sé, y si no soy buena, iré al infierno... Pero sé muy bien lo que haré en ese caso: me echaré a volar contigo, que estarás en el cielo, ¿y cómo hará Dios para agarrarme...? Tú me apretarás muy fuertemente entre tus brazos." Y leí en sus ojos que estaba firmemente convencida de que Dios no podría hacerle nada mientras estuviese en brazos de su madre...

María quiere mucho a su hermanita, y dice que es muy buena. No es extraño, pues esta criatura tiene miedo a darle el menor disgusto. Ayer quise darle una rosa, pues sé que le gustan mucho, pero se puso a suplicarme que no la cortase, porque María se lo había prohibido. Estaba excitadísima. No obstante, le di dos y no se atrevía a aparecer por casa. En vano le decía que las rosas eran mías: "No –decía ella–, son de María..."

«Es un niña que se emociona con gran facilidad. Cuando hace algún pequeño lío, todo el mundo tiene que saberlo. Ayer rasgó sin querer una esquinita del empapelado y se puso que daba lástima, había que decírselo enseguida a su padre. Cuando éste llegó, cuatro horas más tarde, ya nadie pensaba en lo sucedido, pero ella fue corriendo a decirle a María: "Avísale enseguida a papá que rasgué el papel". Y estaba allí como un criminal que espera su condena; pero tiene su teoría de que, si se acusa, la perdonarán más fácilmente.»

Quería mucho a mi *madrina*. Parecía que no, pero me fijaba mucho en todo lo que se hacía y se decía a mi alrededor, y me parece que juzgaba ya las cosas como ahora. Escuchaba muy atentamente lo que María enseñaba a Celina, para actuar yo como ella. Después que salió de la Visitación, para que me permitieran ingresar en su cuarto durante las clases que le daba a Celina, me portaba muy bien y hacía todo lo que me mandaba. Por eso, me colmaban de regalos, que, pese a su escaso valor, me hacían mucha ilusión.

Me sentía muy orgullosa de mis dos hermanas mayores, pero mi *ideal* de niña era Paulina... Cuando estaba empezando a hablar y mamá me preguntaba «¿En qué piensas?», la respuesta era invariable: «¡En Paulina...!» Otras veces pasaba mi dedito por el cristal de la ventana y decía: «Estoy escribiendo: ¡Paulina...!»

Oía decir con frecuencia que seguramente Paulina sería *religiosa*, y yo entonces, sin saber lo que era eso, pensaba: "*Yo también seré religiosa*". Es éste uno de mis primeros recuerdos, y desde entonces ya nunca cambié de intención... Fuiste tú, Madre querida, la persona que Jesús eligió para desposarme con él; tú no estabas entonces a mi lado, pero ya se había creado un lazo entre nuestras almas... Tú eras mi *ideal*, yo quería parecerme a ti, y tu ejemplo fue lo que me arrastró, desde los dos años de edad, hacia el Esposo de la vírgenes. ¡Cuántos hermosos pensamientos quisiera confiarte! Pero tengo que continuar con la historia de la florecilla, con su historia completa y general, pues si quisiera hablar detalladamente de sus relaciones con «Paulina», ¡tendría que dejar de lado todo lo demás...!

Mi querida Leonia ocupaba también un lugar importante en mi corazón. Me quería mucho. Por las tardes, cuando toda la familia salía a dar un paseo, era ella quien me cuidaba... Aún me parece estar escuchando las lindas tonadas que me cantaba para dormirme... Buscaba la forma de contentarme en todo; por eso, me habría dolido mucho darle algún disgusto. Me acuerdo muy bien de su primera comunión, sobre todo del momento en que me tomó entre sus brazos para hacerme entrar con ella en la casa rectoral. ¡Me parecía tan bonito ser llevada en brazos por una hermana mayor toda vestida de blanco como yo...! Por la noche, me acostaron temprano, pues yo era muy pequeña para quedarme al solemne banquete; pero aún estoy viendo a papá trayéndole, a los postres, a su reinecita unos trozos de torta...

Al día siguiente, o pocos días después, fuimos con mamá a casa de la compañerita de Leonia. Creo que fue ese día cuando nuestra mamaíta nos llevó detrás de una pared para hacernos beber un poco de vino después de la comida (que nos había servido la pobre señora de Dagorau), pues no quería dejar en mal lugar a la buena mujer pero tampoco quería que nos faltase nada... ¡Qué tierno es el corazón de una madre! ¡Y cómo expresa su ternura en mil detalles previsores en los que nadie pensaría...!

Ahora me falta hablar de mi querida Celina, la compañerita de mi infancia, pero son tantos los recuerdos, que no sé cuáles elegir. Voy a extraer algunos pasajes de las cartas que mamá te escribía a la Visitación, pero no voy a copiarlo todo, pues sería demasiado largo...

El 10 de julio de 1873 (año de mi nacimiento) te decía:

> «La nodriza trajo el jueves a Teresita. Se pasó todo el tiempo riendo. La que más le gustó fue la pequeña Celina. Se reía con ella a carcajadas. Se diría que ya tiene ganas de jugar, no tardará en hacerlo. Se sostiene sobre las piernecitas, más tiesa que una estaca. Creo que pronto empezará a andar y que tendrá buen carácter. Parece muy inteligente y tiene pinta de predestinada...»

Pero cuando mostré mi cariño a mi querida Celinita, fue sobre todo después de dejar a mi nodriza. Nos entendíamos muy bien; sólo que yo era mucho más vivaracha y mucho menos ingenua que ella. Aunque tenía tres años y medio menos, me parecía que éramos de la misma edad. Este pasaje de una carta de mamá te hará ver lo buena que era Celina y lo mala que era yo:

«Mi Celinita está decididamente inclinada a la virtud. Es ésta una inclinación profunda de su ser. Tiene un alma candorosa y siente horror al pecado. En cuanto al huroncillo, no sabemos lo que saldrá de él. ¡Es tan pequeño y tan atolondrado! Tiene una inteligencia superior a la de Celina, pero es mucho menos dulce, y, sobre todo, de una terquedad casi indomable. Cuando dice "no", no hay nada que la haga ceder; aunque la metiésemos un día entero en el cuarto donde guardamos los cosas que ya no se usan, dormiría allí antes que decir "sí"...

Sin embargo, tiene un corazón de oro, es muy cariñosa y sincera. Es curioso verla correr tras de mí para acusarse: –Mamá, empujé a Celina, pero sólo una vez, le pegué una vez, pero no lo volveré a hacer. (Y así en todo lo que hace). El jueves por la tarde, fuimos a dar un paseo hacia la estación, y se empeñó en entrar en la sala de espera para ir a buscar a Paulina. Corría delante con una alegría que daba gloria verla. Pero cuando vio que teníamos que volvernos sin subir al tren para ir a buscar a Paulina, se pasó todo el camino llorando.»

Esta última parte de la carta me recuerda la alegría que sentía al verte volver de la Visitación. Tú, Madre querida, me levantabas en brazos y María tomaba entre los suyos a Celina. Entonces yo te hacía mil caricias y me echaba hacia atrás para admirar tu larga trenza... Luego me dabas una tableta de chocolate que habías guardado durante tres meses. ¡Imagínate qué reliquia era eso para mí...!

Viaje a Le Mans

Me acuerdo también del viaje que hice a Le Mans. Era la primera vez que iba en tren. ¡Qué alegría verme viajar sola con mamá...! Sin embargo, ya no recuerdo por qué, me eché a llorar, y nuestra pobre mamaíta sólo pudo presentar a nuestra tía de Le Mans a un feo *bichito* todo enrojecido por las lágrimas que había derramado en el camino... No guardo ningún recuerdo de la visita al locutorio, a no ser del momento en que mi tía me pasó un ratoncito blanco y una cestita de cartulina llena de bombones, sobre los que *campeaban* dos preciosos anillos de azúcar, justamente del tamaño de mi dedo. Inmediatamente exclamé: «¡Qué bien! ¡Ya tengo un anillo para Celina!» Pero, ¡ay dolor!, tomo la cesta por el asa, doy la otra mano a mamá y nos vamos. A los pocos pasos, miro la cesta y veo casi todos los bombones desparramados por la calle, como si fueran las piedras de Pulgarcito... Miro más atentamente y veo que uno de los preciosos anillos había corrido la suerte fatal de los bombones... ¡Ya no tenía nada que llevar a Celina...! Entonces estalla mi dolor, pido volver sobre mis pasos, pero mamá no parece hacerme caso. ¡Aquello era demasiado! A mis *lágrimas* siguieron mis *gritos*... No podía comprender que mamá no compartiese mi dolor, y eso acrecentaba todavía más mi sufrimiento...

Mi carácter

Vuelvo ahora a las cartas en las que mamá te habla de Celina y de mí. Es el mejor medio que puedo emplear para darte a conocer mi carácter. He aquí un pasaje en el que mis defectos brillan en todo su esplendor:

«Celina está entretenida con la pequeña jugando a los dados, y pelean de vez en cuando. Celina cede para añadir una perla a su corona. Yo me veo obligada a reprender a esta pobre niña, que tiene unas rabietas terribles cuando las cosas no salen a su gusto y se revuelca por el suelo como una desesperada pensando que todo está perdido. Hay momentos en que es más fuerte que ella, y se le corta la respiración. Es una niña muy nerviosa. De todas maneras, es un encanto, y muy inteligente, y se acuerda de todo.»

¡Ya ves, Madre mía, qué lejos estaba yo de ser una niña sin defectos! Ni siquiera se podía decir de mí «que fuese buena cuando estaba dormida», pues de noche era todavía más revoltosa que de día. Mandaba a paseo todas las mantas, y (dormida y todo) me daba golpes contra el respaldo de mi camita; el dolor me despertaba, y entonces decía: «¡Mamá, me *golpeé...*!» Nuestra pobre mamaíta se veía obligada a levantarse y comprobaba que, en efecto, tenía chichones en la frente y me había *golpeado*. Me tapaba bien y volvía a acostarse; pero al cabo de un momento yo volvía a *golpearme*. De suerte que se vieron obligados a atarme en la cama. Todas las noches, la pequeña Celina venía a anudar las incontables cuerdas destinadas a evitar que el diablillo se *golpease* y despertara a su mamá. Esta medida dio buen resultado, y desde entonces ya fui buena mientras *dormía*...

Tenía también otro defecto (estando despierta), del que mamá no habla en sus cartas, que era un gran amor propio. No voy a darte más que dos ejemplos para no alargar demasiado mi narración. Un día me dijo mamá: «Teresita, si besas el suelo, te doy cinco céntimos». Cinco céntimos eran para mí toda una fortuna, y para ganarlos no tenía que bajar demasiado de mi *altura*, pues mi exigua estatura no me separaba muchos metros del suelo. Sin embargo, mi orgullo se rebeló a la sola idea de besar el *suelo*, y poniéndome muy tiesa le dije a mamá: –¡No, mamaíta, prefiero quedarme sin los cinco céntimos...!

En otra ocasión teníamos que ir a Grogny, a visitar a la señora de Monnier. Mamá le dijo a María que me pusiese mi precioso vestido azul celeste, adornado de encajes, pero que no me dejara los brazos al aire, para que el sol no me los tostase. Yo obedecí, con la indiferencia propia de las niñas de mi edad; pero interiormente pensaba que habría estado mucho más bonita con los bracitos al aire.

Con una forma de ser como la mía, si hubiera sido educada por unos padres sin virtud, o incluso si hubiese sido mimada por Luisa como Celina, habría salido muy mala, y tal vez hasta me habría perdido... Pero Jesús velaba por su pequeña prometida y quiso que todo redundase en su bien; incluso sus defectos, que, corregidos a tiempo, le sirvieron para crecer en la perfección...

Como tenía *amor propio* y también amor al bien, en cuanto empecé a pensar seriamente (y lo hice desde muy pequeña), bastaba que me dijeran que algo no estaba bien para que se me fuesen las ganas de hacérmelo repetir dos veces... Veo con agrado en las cartas de mamá que, a medida que iba creciendo, le daba mayores alegrías. Como no tenía más que buenos ejemplos a mi alrededor, quería seguirlos como la cosa más natural del mundo. Esto es lo que escribía en 1876:

«Hasta Teresa quiere ponerse a veces a hacer prácticas... Es una niña encantadora, más lista que el hambre, muy vivaracha, pero de corazón sensible. Celina y ella se quieren mucho. Se bastan solas para entretenerse. Todos los días, en cuanto acaban de comer, Celina va a buscar su gallo y atrapa al primer golpe la gallina de Teresa. Yo no consigo hacerlo, pero ella es tan hábil que la atrapa a la primera. Después se van las dos con sus animalitos a sentarse al amor de la lumbre, y así se entretienen un buen rato. (La gallina y el gallo me los había regalado Rosita, y yo le di el gallo a Celina.)

El otro día Celina durmió conmigo y Teresa se acostó en el segundo piso en la cama de Celina. Había pedido a Luisa que la bajase para vestirla, y cuando Luisa subió a buscarla encontró la cama vacía. Teresa había oído a Celina y había bajado con ella. Luisa le dijo: –¿O sea que no quieres bajar a vestirte? –No, Luisa, no, nosotras somos como las dos gallinitas que no pueden separarse. Y al decir esto, se abrazaban y se estrechaban la una contra la otra...

Luego, por la tarde, Luisa, Celina y Leonia se fueron al Círculo Católico y dejaron en casa a la pobre Teresa, que entendía perfectamente que ella era demasiado pequeña para ir, y decía: –¡Si por lo menos quisieran acostarme en la cama de Celina...! Pero no, no quisieron... Ella no dijo nada y se quedó sola con su lamparita. Al cuarto de hora estaba ya profundamente dormida...»

Otro día, mamá escribía también:

> «Celina y Teresa son inseparables, no es fácil ver a dos niñas que se quieran tanto. Cuando María viene a buscar a Celina para la clase, la pobre Teresa se queda hecha un mar de lágrimas. ¡Ay, qué va a ser de ella si se va su amiguita...! María se compadece y se la lleva también, y la pobre criatura se pasa dos o tres horas sentada en una silla. Le dan unas cuentas para que las ensarte o algún trapo para que cosa; no se atreve a rebullir y lanza con frecuencia profundos suspiros. Cuando se le desenhebra la aguja, intenta volver a enhebrarla, y es curioso verla cuando no lo consigue y sin atreverse a molestar a María. Pronto se ven dos gruesas lágrimas correr por sus mejillas... María la consuela inmediatamente y le vuelve a enhebrar la aguja, y el pobre angelito sonríe a través de sus lágrimas...»

Recuerdo, en efecto, que no podía vivir sin Celina, y que prefería levantarme de la mesa sin terminar el postre para irme tras ella. En cuanto se levantaba, me volvía en mi silla alta, pidiendo que me bajasen, y nos íbamos las dos juntas a jugar.

A veces nos íbamos con la hija del gobernador, lo cual me gustaba mucho a causa del parque y de los preciosos juguetes que nos enseñaba; pero más que nada iba allí por complacer a Celina, ya que prefería quedarme en nuestro jardincito *raspando las tapias*, pues quitábamos todas las brillantes lentejuelas que había en ellas y luego íbamos a vendérselas *a papá* que nos las compraba muy serio.

Los domingos, como yo era muy pequeña para ir a las funciones religiosas, mamá se quedaba a cuidarme. Yo me portaba muy bien y andaba de puntillas mientras duraba la misa. Pero en cuanto veía abrirse la puerta, se producía una explosión de alegría sin igual: me precipitaba al encuentro de mi preciosa hermanita, que llegaba *adornada como una capilla*..., y le decía: «¡Celina, dame enseguida pan bendito!» A veces no lo traía, porque había llegado demasiado tarde... ¡Qué hacer entonces? Yo no podía pasarme sin él, era *«mi misa»*... Pronto encontré la solución: «¿No tienes pan bendito? ¡Pues hazlo!» Dicho y hecho: Celina tomaba una silla, abría la alacena, acercaba el pan, cortaba una rebanada, y rezaba muy *seria* un *Ave María* sobre él. Luego me lo ofrecía, y yo, después de hacer con él la señal de la cruz, lo comía con *gran devoción*, encontrándole exactamente el mismo gusto que el del *pan bendito*...

Con frecuencia hacíamos juntas conferencias espirituales. He aquí un ejemplo que entresaco de las cartas de mamá:

> «Nuestras dos queridas pequeñas, Celina y Teresa, son ángeles de bendición, tienen una naturaleza verdaderamente angelical. Teresa constituye la alegría y la felicidad de María, y su gloria. Es increíble lo orgullosa que está de ella. La verdad es que tiene salidas de lo más sorprendentes para su edad y le da cien vueltas a Celina, que tiene el doble de años. El otro día decía Celina: "¿Cómo puede estar Dios en una hostia tan pequeña?" Y la pequeña contestó: "Pues no es tan extraño, porque Dios es todopoderoso". "¿Y qué quiere decir todopoderoso?" "¡Pues que hace todo lo que quiere"...»

Yo lo elijo todo

Un día, Leonia, creyéndose ya demasiado mayor para jugar a las muñecas, vino a nuestro encuentro con una cesta llena de vestiditos y de preciosos retazos para hacer más. Encima de todo venía acostada su muñeca. «Tomen, hermanitas –nos dijo–, *elijan*, se lo doy todo para ustedes.» Celina alargó la mano y tomó un mazo de orlas de colores que le gustaba. Tras un momento de reflexión, yo alargué a mi vez la mano, diciendo: *«¡Yo lo elijo todo!»*, y tomé la cesta sin más ceremonias. A los testigos de la escena la cosa les pereció muy justa, y ni a la misma Celina se le ocurrió quejarse (aunque la verdad es que juguetes no le faltaban, pues su padrino la colmaba de regalos, y Luisa encontraba la forma de agenciarle todo lo que deseaba).

Este insignificante episodio de mi infancia es el resumen de toda mi vida. Más tarde, cuando se ofreció ante mis ojos el horizonte de la perfección, comprendí que para ser *santa* había que sufrir mucho, buscar siempre lo más perfecto y olvidarse de sí misma. Comprendí que en la perfección había muchos grados, y que cada alma era libre de responder a las invitaciones del Señor y de hacer poco o mucho por él, en una palabra, de elegir entre los sacrificios que él nos pide. Entonces, como en los días de mi niñez, exclamé: «Dios mío, *yo lo elijo todo*. No quiero ser santa a medias, no me asusta sufrir por ti, sólo me asusta una cosa: conservar mi *voluntad*. Tómala, ¡pues *"yo elijo todo"* lo que tú quieres...!»

Pero tengo que cortar. No debo adelantarme todavía a hablarte de mi juventud, sino de aquel diablillo de cuatro años.

Recuerdo un sueño que debí tener por esta edad, y que se me grabó profundamente en la imaginación. Una noche soñé que salía a dar un paseo, yo sola, por el jardín. Al llegar al pie de la escalera que tenía que subir para llegar él, me paré, sobrecogida de espanto. Delante de mí, cerca del emparrado, había un bidón de cal y sobre el bidón estaban bailando dos *horribles diablitos* con una agilidad asombrosa a pesar de las planchas que llevaban en los pies. De repente, fijaron en mí sus ojos encendidos y luego, en ese mismo momento, como si estuvieran todavía más asustados que yo, saltaron del bidón al suelo y fueron a esconderse en la ropería, que estaba allí enfrente. Al ver que eran tan poco valientes, quise saber lo que iban a hacer y me acerqué a la ventana. Allí estaban los pobres diablitos, corriendo por encima de las mesas y sin saber qué hacer para huir de mi mirada; a veces se acercaban a la ventana observando nerviosos si yo seguía allí, y, al verme, volvían a correr como desesperados.

Seguramente este sueño no tiene nada de extraordinario. Sin embargo, creo que Dios ha querido que lo recuerde siempre para hacerme ver que un alma en estado de gracia no tiene nada que temer de los demonios, que son unos cobardes, capaces de huir ante la mirada de un niño...

Voy a copiar aquí otro pasaje que encuentro en las cartas de mamá. Nuestra pobre mamaíta presentía ya el final de su destierro:

«Las dos pequeñas no me preocupan. Están muy bien las dos, son naturalezas privilegiadas; sin duda alguna, serán buenas. María y tú podrán educarlas perfectamente. Celina no comete nunca la menor falta voluntaria. También la pequeña será buena; no diría una mentira ni por todo el oro del mundo. Tiene una agudeza como no la he visto en ninguna de ustedes».

«El otro día estaba en la tienda con Celina y con Luisa. Hablaba de sus prácticas y discutía animadamente con Celina. La señora le preguntó a Luisa: ¿Qué es lo que quiere decir? Cuando juega en el jardín, no se oye hablar más que de prácticas. La señora de Gaucherin se asoma a la ventana para tratar de entender qué significa esa discusión sobre las prácticas...»

«Esta criatura constituye nuestra felicidad. Será buena, se le ve ya el germen: no sabe hablar más que de Dios, y por nada del mundo dejaría de rezar sus oraciones. Me gustaría que la vieras contar cuentos, no he visto nunca cosa más graciosa. Encuentra ella solita la expresión y el tono apropiados, sobre todo cuando dice: "Niño de rubios cabellos, ¿dónde crees que está Dios?" Y cuando llega a aquello de "Allá arriba, en lo alto del cielo azul", dirige la mirada hacia lo alto con una expresión angelical. No nos cansamos de hacérselo repetir, ¡resulta tan hermoso! Hay algo tan celestial en su mirada, que uno se queda extasiado...»

Madre mía querida, ¡qué feliz era yo a esa edad! Empezaba ya a gozar de la vida, se me hacía atractiva la virtud y creo que me hallaba en las mismas disposiciones que hoy, con un gran dominio ya sobre mis actos.

¡Ay, qué rápidos pasaron los años soleados de mi niñez! Pero también ¡qué huella tan dulce dejaron en mi alma! Recuerdo ilusionada los días en que papá nos llevaba al *Pabellón*. Hasta los más pequeños detalles se me grabaron en el corazón...

Recuerdo, sobre todo, los paseos del domingo, en los que siempre nos acompañaba mamá... Aún siento en mi interior las profundas y *poéticas* impresiones que nacían en mi alma a la vista de los campos de trigo esmaltados de *acianos* y de flores silvestres. Me gustaban ya los *amplios horizontes*... El espacio y los gigantescos abetos, cuyas ramas tocaban el suelo, dejaban en mi alma una impresión parecida a la que siento hoy todavía a la vista de la naturaleza...

Con frecuencia, durante esos largos paseos, nos encontrábamos con algún pobre, y Teresita era siempre la encargada de llevarles la limosna, cosa que le encantaba. Pero a menudo también, pareciéndole a papá que el camino era demasiado largo para su reinecita, la llevaba a casa antes que a las demás (muy a su pesar); y entonces, para consolarla, Celina llenaba de margaritas su linda cestita y, a la vuelta, se las daba. Pero, ¡ay!, la pobre abuelita pensaba que su nieta tenía demasiadas y tomaba una buena parte de ellas para su Virgen... Esto no le gustaba a Teresita, pero se guardaba muy bien de decir nada, pues había adquirido la buena costumbre de no quejarse nunca. Incluso cuando le quitaban lo que era suyo o cuando la acusaban injustamente, prefería callarse y no excusarse, lo cual no era mérito suyo sino virtud natural... ¡Qué lástima que esta buena disposición se haya desvanecido...!

Sí, verdaderamente todo me sonreía en la tierra. Encontraba flores a cada paso que daba, y mi carácter alegre contribuía también a hacerme agradable la vida.

Pero un nuevo período se iba a abrir para mi alma. Tenía que pasar por el crisol de la prueba y sufrir desde mi infancia, para poder ofrecerme mucho antes a Jesús. Igual que las flores de la primavera comienzan a germinar bajo la nieve y se abren a los primeros rayos del sol, así también la florecita cuyos recuerdos estoy escribiendo tuvo que pasar por el invierno de la tribulación...

CAPÍTULO II

EN LOS BUISSONNETS
(1877-1881)

MUERTE DE MAMÁ

Todos los detalles de la enfermedad de nuestra querida madre siguen todavía vivos en mi corazón. Me acuerdo, sobre todo, de las últimas semanas que pasó en la tierra.

Celina y yo vivíamos como dos pobres desterradas. Todas las mañanas venía a buscarnos la señora de Leriche y pasábamos el día en su casa. Un día, no habíamos tenido tiempo de rezar nuestras oraciones antes de salir, y por el camino Celina me dijo muy bajito: –«¿Tenemos que decirle que no hemos rezado...?» –«Sí», le contesté, y entonces ella se lo dijo muy tímidamente a la señora de Leriche, que nos respondió: –«Bien, hijitas, ahora las harán». Y dejándonos solas en una habitación muy grande, se fue... Entonces Celina me miró y dijimos: «¡Ay, no es como con mamá...! Ella nos hacía rezar todos los días...»

Cuando jugábamos con las niñas, nos perseguía de continuo el recuerdo de nuestra madre querida. Una vez que a Celina le dieron un damasco, se inclinó hacia mí y me dijo muy bajito: «No lo comeremos, se lo daré a mamá». Pero,

¡ay!, nuestra pobre mamaíta estaba ya demasiado enferma para comer las frutas de la tierra. Ya sólo en el cielo podría saciarse con la gloria de Dios y beber con Jesús el vino misterioso del que él habló en la última cena cuando dijo que lo compartiría con nosotros en el reino de su Padre.

También la impresionante ceremonia de la unción de los enfermos se quedó grabada en mi alma. Aún veo el lugar donde yo estaba, al lado de Celina. Estábamos las cinco colocadas por orden de edad, y nuestro pobre papaíto estaba también allí sollozando...

El día de la muerte de mamá, o al día siguiente, me tomó en brazos, diciéndome: «Ve a besar por última vez a tu pobre mamaíta». Y yo, sin decir nada, acerqué mis labios a la frente de mi madre querida...

No recuerdo haber llorado mucho. No le hablaba a nadie de los profundos sentimientos que me embargaban... Miraba y escuchaba en silencio... Nadie tenía tiempo para ocuparse de mí, así que vi muchas cosas que hubieran querido ocultarme. En un determinado momento, me encontré frente a la tapa del ataúd... Estuve un largo rato contemplándolo. Nunca había visto ninguno. Sin embargo, comprendía... Era yo tan pequeña, que, a pesar de la baja estatura de mamá, tuve que *levantar* la cabeza para verlo entero, y me pareció muy *grande*... y muy *triste*...

Quince años más tarde, me encontré delante de otro ataúd, el de la madre Genoveva. Era del mismo tamaño que el de mamá, ¡y me pareció estar volviendo a los días de mi infancia...! Todos los recuerdos se agolparon en mi mente. Era la misma Teresita la que miraba; pero ahora había *crecido* y el ataúd le parecía *pequeño*: ya no necesitaba levantar la cabeza para verlo, tan sólo la levantaba para contemplar el *cielo*, que le parecía muy *alegre*, porque todas sus pruebas se habían terminado y el invierno de su alma había pasado para siempre... El día en que la Iglesia bendijo los restos mortales de nuestra mamaíta del cielo, Dios quiso darme otra madre en la tierra, y quiso que yo misma la eligiese libremente. Estábamos juntas las cinco, mirándonos entristecidas.

También Luisa estaba allí, y al vernos a Celina y a mí, dijo: «¡Pobrecitas, ya no tienen madre!» Entonces Celina se echó en brazos de María, diciendo: «¡Bueno, tú serás mi mamá!» Yo estaba acostumbrada a imitarla en todo; sin embargo, me volví hacia ti, Madre mía, y como si el futuro hubiera rasgado ya su velo, me eché en tus brazos, exclamando: «¡Pues mi mamá será Paulina!».

Como ya dije antes, a partir de esta época de mi vida entré en el segundo período de mi existencia, el más doloroso de los tres, sobre todo tras la entrada en el Carmelo de la que yo había escogido para que fuese mi segunda «mamá». Este período se extiende desde la edad de cuatro años y medio hasta la de catorce, época en la que recuperé mi carácter de la niñez, a la vez que entraba en lo serio de la vida.

Tengo que decirte, Madre, que, a partir de la muerte de mamá, mi temperamento feliz cambió por completo. Yo, tan vivaracha y efusiva, me hice tímida y callada y extremadamente sensible. Bastaba un mirada para que prorrumpiese en lágrimas; sólo estaba contenta cuando nadie se ocupaba de mí; no podía soportar la compañía de personas extrañas y sólo en la intimidad del hogar volvía a encontrar mi alegría. Sin embargo, seguía rodeada de la más delicada *ternura*. El corazón tan *tierno* de papá había añadido al amor que ya tenía un amor verdaderamente maternal... Y tú, Madre, y María ¿no eran para mí las más tiernas y desinteresadas de las madres...? No, si Dios no hubiese prodigado a su florecilla esos sus rayos bienhechores, nunca ella hubiera podido aclimatarse a la tierra, pues era todavía demasiado débil para soportar las lluvias y las tormentas, y necesitaba calor, el suave rocío y las brisas de primavera. Nunca le faltaron todas esas ayudas, Jesús hizo que las encontrase incluso bajo la nieve del sufrimiento.

Lisieux

No sentí la menor pena al dejar Alençon; a los niños les gustan los cambios, y vine contenta a Lisieux. Me acuerdo del viaje y de la llegada al anochecer a la casa de mi tía. Aún me parece estar viendo a Juana y a María esperándonos en la puerta... Me sentía muy feliz de tener unas primitas tan buenas. Las quería mucho, lo mismo que a mi tía y, sobre todo, a mi tío; sólo que él me daba miedo y no me hallaba tan a gusto en su casa como en los Buissonnets, donde mi vida sí que fue verdaderamente feliz...

Por la mañana, tú te acercabas a mí, preguntándome si había ofrecido ya mi corazón a Dios; luego me vestías, hablándome de él, y a continuación rezaba mis oraciones a tu lado.

Después venía la clase de lectura. La primera palabra que logré leer sola fue ésta: «cielos». Mi querida madrina se encargaba de las clases de escritura, y tú, Madre, de todas las demás. No tenía gran facilidad para aprender, pero sí buena memoria. El catecismo, y sobre todo la Historia Sagrada, eran mis asignaturas preferidas, las estudiaba con verdadero placer; en cambio la gramática me hizo derramar muchas lágrimas... ¿Te acuerdas del masculino y el femenino?

En cuanto terminaba la clase, subía al mirador para llevarle a papá mi condecoración y mis notas. ¡Qué feliz me sentía cuando podía decirle: «Tengo un 5 *sin excepción*, *Paulina* lo dijo la *primera*...!» Pues cuando te preguntaba yo si tenía 5 sin excepción y tú me contestabas que sí, era para mí como obtener un punto menos. También me dabas vales, y cuando había reunido un cierto número de ellos conseguía un recompensa y un día de asueto. Recuerdo que esos días se me hacían mucho más largos que los otros, cosa que a ti te agradaba pues era señal de que no me gustaba estar sin hacer nada.

Delicadezas de papá

Todas la tardes me iba a dar un paseíto con papá. Hacíamos juntos una visita al Santísimo Sacramento, visitando cada día una nueva iglesia. Fue así como entré por vez primera en la capilla del Carmelo. Papá me enseñó la reja del coro, diciéndome que al otro lado había religiosas. ¡Qué lejos estaba yo de imaginarme que nueve años más tarde iba a encontrarme yo entre ellas...!

Terminado el paseo (durante el cual papá me compraba siempre un regalito de cinco o diez céntimos), volvía a casa. Hacía entonces los deberes, y después me pasaba todo el resto del tiempo brincando en el jardín en torno a papá, pues *no sabía* jugar a las muñecas. Una cosa que me encantaba era preparar tisanas con semillas y cortezas de árbol que encontraba por el suelo; luego se las llevaba a papá en una linda tacita; nuestro pobre papaíto suspendía su trabajo y, sonriendo, hacía como que bebía, y antes de devolverme la taza me preguntaba (como a hurtadillas) si había que tirar el contenido; algunas veces yo le decía que sí, pero la mayoría de ellas volvía a llevarme mi preciosa tisana para que me sirviese para más veces...

Me gustaba cultivar mis florcitas en el jardín que papá me había regalado. Me entretenía levantando altarcitos en un hueco que había en medio de la tapia; cuando terminaba, corría a buscar a papá y arrastrándolo detrás de mí le decía que cerrara bien los ojos y que no los abriera hasta que yo se lo mandase. Él hacía todo lo que yo quería y se dejaba conducir ante mi jardincito. Entonces yo gritaba: «¡Papá, abre los ojos!» Él los abría y, por complacerme, se quedaba extasiado, admirando lo que a mí me parecía toda una obra de arte...

Si quisiera contar otras mil anécdotas de esta índole que se agolpan en mi memoria, nunca terminaría... ¿Cómo relatar todas las caricias que *«papá»* prodigaba a su reinecita? Hay cosas que siente el corazón y que ni la palabra ni siquiera el pensamiento pueden expresar...

¡Qué hermosos eran para mí los días en que mi rey querido me llevaba con él a pescar! ¡Me gustaban tanto el campo, las flores y los pájaros! A veces intentaba pescar con mi cañita. Pero prefería ir a sentarme *sola* en la hierba florida. Entonces mis pensamientos se hacían muy profundos, y sin saber lo que era meditar, mi alma se abismaba en una verdadera oración... Escuchaba los ruidos lejanos... El murmullo del viento y hasta la música difusa de los soldados, cuyo sonido llegaba hasta mí, me llenaban de dulce melancolía el corazón... La tierra me parecía un lugar de destierro y soñaba con el cielo...

La tarde pasaba rápidamente, y pronto había que volver a los Buissonnets. Pero antes de partir tomaba la merienda que había llevado en mi cestita. La *hermosa* rebanada de pan con mermelada que tú me habías preparado había cambiado de aspecto: en lugar de su vivo color, ya no veía más que un pálido color rosado, todo rancio y avinagrado... Entonces la tierra me parecía aún más triste, y comprendía que sólo en el cielo la alegría sería sin nubes...

Hablando de nubes, recuerdo que un día el hermoso cielo azul de la campaña se encapotó y que pronto se puso a rugir la tormenta. Los relámpagos hacían surcos en las nubes oscuras y vi caer un rayo a corta distancia. Lejos de asustarme, estaba encantada: ¡me parecía que Dios estaba muy cerca de mí...! Papá no parecía en absoluto tan contento como su reinecita; no porque tuviese miedo a la tormenta, sino porque la hierba y las grandes margaritas (más altas que yo) centelleaban de piedras preciosas y teníamos que atravesar varios prados antes de encontrar un camino; así que mi querido papaíto, para que los diamantes no mojasen a su hijita, se la puso sobre los hombros a pesar de su equipo de pesca.

Durante los paseos que daba con papá, a él le gustaba mandarme a llevar la limosna a los pobres con que nos encontrábamos. Un día, vimos a uno que se arrastraba penosamente sobre sus muletas. Me acerqué a él para darle una moneda; pero no sintiéndose tan pobre como para recibir una limosna, me miró sonriendo tristemente y rehusó tomar lo que le ofrecía. No puedo decir lo que sentí en mi corazón. Yo quería consolarlo, aliviarlo. Y, en vez de eso, pensé, lo había hecho sufrir. El pobre enfermo, sin duda, adivinó mi pensamiento, pues lo vi volverse y sonreírme. Papá acababa de comprarme un pastel y me entraron muchas ganas de dárselo, pero no me atreví. Sin embargo, quería darle algo que no me pudiera rechazar, pues sentía por él un afecto muy grande. Entonces recordé haber oído decir que el día de la primera comunión se alcanzaba todo lo que se pedía. Aquel pensamiento me consoló, y aunque todavía no tenía más que seis años, me dije para mí: «El día de mi primera comunión rezaré por *mi pobre*». Cinco años más tarde cumplí mi promesa, y espero que Dios habrá escuchado la oración que él mismo me había inspirado que le dirigiera por uno de sus miembros dolientes...

Amaba mucho a Dios y le ofrecía con frecuencia mi corazón, sirviéndome de la breve fórmula que mamá me había enseñado. Sin embargo, un día, o mejor una tarde del mes de mayo, cometí una falta que vale la pena contar aquí. Esta falta me ofreció una buena ocasión para humillarme y creo que he tenido de ella perfecta contrición.

Como era demasiado pequeña para ir al Mes de María, me quedaba en casa con Victoria y hacía con ella mis devociones ante *mi altarcito de María*, que yo arreglaba a mi manera. Era todo tan pequeño, candeleros y floreros, que dos *fósforos*, que hacían de velas, bastaban para alumbrarlo. En alguna que otra ocasión, Victoria me daba la sorpresa de regalarme dos cabitos de vela, pero raras veces. Una tarde, estaba todo preparado para ponernos a rezar, y le dije: «Victoria, ¿quieres comenzar el Acordaos? Voy a encender». Ella hizo ademán de empezar, pero no dijo nada y me miró riéndose. Yo, que veía que mis *preciosas cerillas* se consumían rápidamente, le supliqué que dijese la oración. Ella continuó callada. Entonces, levantándome, le dije a gritos que era mala y, saliendo de mi dulzura habitual, empecé a patalear con todas mis fuerzas... A la pobre Victoria se le quitaron las ganas de reír, me miró asombrada y me enseñó los cabos de vela que había traído...Y yo, después de haber derramado lágrimas de rabia, lloré lágrimas de sincero arrepentimiento, con el firme propósito de no volver a hacerlo nunca...

En otra ocasión me ocurrió una nueva aventura con Victoria, pero de ésta no tuve que arrepentirme, pues conservé perfectamente la calma. Yo quería un tintero, que estaba sobre la chimenea de la cocina. Como era muy pequeña para llegar a él, le pedí muy amablemente a Victoria que me lo diese, pero ella se negó, diciéndome que me subiese a una silla. Tomé una silla sin replicar, pero pensando que ella no había sido nada amable que digamos. Y queriendo hacérselo saber, busqué en mi cabecita el insulto que más me ofendía. Ella, cuando estaba enojada conmigo, solía llamarme «mocosa», lo cual me humillaba mucho. Así que, *antes de bajarme* de la *silla*, me volví hacia ella con gran *dignidad* y le dije:¡Victoria, eres una *mocosa*!» Y me escapé corriendo, dejándola que meditase las profundas palabras que acababa de dirigirle... El resultado no se hizo esperar, pues pronto la oí gritar: «¡Señorita María..., Teresa acaba de llamarme *mocosa*!» Vino María y me hizo pedirle perdón, pero lo hice sin contrición, pues me parecía que si Victoria no había querido estirar su largo brazo para hacerme un *pequeño favor*, merecía bien el título de *mocosa*...

Sin embargo, Victoria me quería mucho, y yo también a ella. Un día me sacó de un *gran aprieto*, en el que yo había caído por mi culpa. Victoria estaba planchando y tenía a su lado un recipiente con agua. Yo estaba mirándola, balanceándome (como de costumbre) en una silla. De repente, me falló la silla y caí, pero no al suelo, sino *¡¡¡adentro del recipiente...!!!* Estaba tocando la cabeza con los pies, y llenaba el *recipiente* como un pollito llena el huevo... La pobre Victoria me miraba enormemente sorprendida, pues nunca había visto cosa igual. Yo no veía la hora de salir de allí, pero me resultaba imposible; la prisión era tan justa que no podía hacer el menor movimiento. Con cierta dificultad, Victoria me salvó del *gran aprieto*; lo que no pudo salvar fue mi vestido y todo lo demás, y se vio obligada a cambiarme, pues estaba hecha una sopa.

Otra vez me caí en la chimenea. Por suerte el fuego no estaba encendido, y Victoria no tuvo más trabajo que el de levantarme y sacudirme la ceniza que me cubría de pies a cabeza. Todas estas aventuras me sucedían los miércoles, mientras tú y María estaban en el canto.

Primera confesión

Fue también un miércoles cuando vino a visitarnos el Sr. Ducellier. Cuando Victoria le dijo que no había nadie en casa, más que Teresita, entró a la *cocina* para verme, y estuvo mirando mis deberes. Me sentí muy orgullosa de recibir a mi confesor, pues había hecho poco antes de mi primera confesión.

¡Qué dulce recuerdo aquel...! ¡Con cuánto esmero me preparaste, Madre querida, diciéndome que no era a un hombre a quien iba a decir mis pecados, sino a Dios! Estaba profundamente convencida de ello, por lo que me confesé con gran espíritu de fe, y hasta te pregunté si no tendría que decirle al Sr. Ducellier que lo amaba con todo el corazón, ya que era a Dios a quien le iba a hablar en su persona...

Bien instruida acerca de todo lo que tenía que decir y hacer, entré al confesionario y me puse de rodillas; pero, al abrir la ventanilla, el Sr. Ducellier no vio a nadie: yo era tan pequeña que mi cabeza quedaba por debajo de la tabla de apoyar las manos. Entonces me mandó ponerme de pie. Obedecí en seguida, me levanté y, poniéndome exactamente frente a él para verlo bien, me confesé como una persona *mayor*, y recibí su bendición con *gran fervor*, pues tú me habías dicho que en esos momentos las lágrimas del *Niño Jesús* purificarían mi alma. Recuerdo que en la primera exhortación que me hizo me invitó, sobre todo, a que tener devoción a la Santísima Virgen, y yo prometí redoblar mi ternura hacia ella. Al salir del confesionario, me sentía tan contenta y ligera, que nunca había sentido tanta alegría en mi alma. Después volví a confesarme en todas las fiestas importantes, y cada vez que lo hacía era para mí una verdadera *fiesta*.

Fiestas y domingos en familia

¡Las *fiestas*...! ¡Cuántos recuerdos me trae esta palabra...! ¡Cómo me gustaban las *fiestas*...! Tú, Madre querida, sabías explicarme tan bien todos los misterios que en cada una de ellas se encerraban, que eran para mí auténticos días de cielo. Me gustaban, sobre todo, las procesiones del Santísimo. ¡Qué alegría arrojar flores al paso del Señor...! Pero en vez de dejarlas caer, yo las lanzaba lo más alto que podía, y cuando veía que mis hojas deshojadas tocaban la sagrada custodia, mi felicidad llegaba al colmo...

¡Las fiestas! Si bien las grandes eran raras, cada semana traía una muy entrañable para mí.: «el domingo». ¡Qué día el domingo...! Era la fiesta de Dios, la fiesta del *descanso*. Empezaba por quedarme en la cama más tiempo que los otros días; además, mamá Paulina mimaba a su hijita llevándole el chocolate a la cama, y después la vestía como a una reinecita...

La madrina venía a peinar los rizos de su *ahijada*, que no siempre era buena cuando le alisaban el pelo, pero luego se iba muy contenta a coger la mano de su rey, que ese día la besaba con mayor ternura aun que de ordinario.

Después toda la familia iba a misa. Durante todo el camino, y también en la iglesia, la reinecita de papá le daba la mano. Su sitio estaba junto al de él, y cuando teníamos que sentarnos para el sermón, había que encontrar también dos sillas, una junto a otra. Esto no resultaba muy difícil, pues todo el mundo parecía encontrar tan entrañable el ver a un anciano tan *venerable* con una *hija tan pequeña*, que la gente se apresuraba a cedernos el asiento. Mi tío, que ocupaba los bancos de los mayordomos, gozaba al vernos llegar y decía que yo era su rayito de sol...

No me preocupaba lo más mínimo que me mirasen. Escuchaba con mucha atención los sermones, aunque no entendía casi nada. El primero que entendí, y que me *impresionó profundamente*, fue uno sobre la pasión, predicado por el Sr. Ducellier, y después entendí ya todos los demás. Cuando el predicador hablaba de santa Teresa, papá se inclinaba y me decía muy bajito: «Escucha bien, reinecita, que está hablando de tu santa patrona». Y yo escuchaba bien, pero miraba más a papá que al predicador. ¡Me decía tantas cosas su hermoso rostro...! A veces sus ojos se llenaban de *lágrimas* que trataba en vano de contener. Tanto le gustaba a su alma abismarse en las verdades eternas, que parecía no pertenecer ya a esta tierra... Sin embargo, su carrera estaba aún muy lejos de terminar: tenían que pasar todavía largos años antes de que el hermoso cielo se abriera ante sus ojos extasiados y de que el Señor enjugara las lágrimas de su servidor fiel y cumplidor...

Pero vuelvo a mi jornada del domingo. Aquella alegre jornada, que pasaba con tanta rapidez, tenía también su fuerte tinte de *melancolía*. Recuerdo que mi felicidad era total hasta Completas. Durante esta Hora del Oficio, me ponía a pensar que el día de descanso se iba a terminar, que al día siguiente había que volver a empezar la vida normal, a trabajar, a estudiar las lecciones, y mi corazón sentía el peso del destierro de la tierra... y suspiraba por el descanso eterno del cielo, por el *domingo* sin ocaso de la *patria*...

Hasta los paseos que dábamos antes de volver a los Buissonnets dejaban en mi alma un sentimiento de tristeza. En ellos la familia ya no estaba completa, pues papá, por dar gusto a mi tío, le dejaba a María o a *Paulina* la tarde de los domingos. Sólo me sentía realmente contenta cuando me quedaba yo también. Prefería eso a que me invitasen a mí sola, pues así se fijaban menos en mí.

Mi mayor placer era oír hablar a mi tío, pero no me gustaba que me hiciese preguntas, y sentía mucho miedo cuando me ponía sobre *una* de sus rodillas y cantaba con voz de trueno la canción de Barba Azul...

Cuando papá venía a buscarnos, me ponía muy contenta. Al volver a casa, iba mirando las *estrellas*, que titilaban dulcemente, y esa visión me fascinaba... Había, sobre todo, un grupo de *perlas de oro* en las que me fijaba muy gozosa, pues me parecía que tenían forma de T (poco más o menos esta forma). Se lo enseñaba a papá, diciéndole que mi nombre estaba escrito en el cielo, y luego, no queriendo ver ya cosa alguna de esta tierra miserable, le pedía que me guiase él. Y entonces, sin mirar dónde ponía los pies, levantaba bien alta la cabeza y caminaba sin dejar de contemplar el cielo estrellado...

¿Y qué decir de las veladas de invierno, sobre todo de las de los domingos? ¡Cómo me gustaba sentarme con Celina, después de la *partida* de *damas*, en el regazo de papá...! Con su hermosa voz, cantaba tonadas que llenaban el alma de pensamientos profundos..., o bien, meciéndonos dulcemente, recitaba poesías impregnadas de verdades eternas.

Luego subíamos para rezar las oraciones en común, y la reinecita se ponía solita junto a su rey, y no tenía más que mirarlo para saber cómo rezan los santos...

Finalmente, íbamos todas, por orden de edad, a dar las buenas noches a papá y a recibir un beso. La *reina* iba, naturalmente, la última, y el *rey,* para besarla, la alzaba por los *codos,* y ella exclamaba bien alto: «Buenas noches, papá, hasta mañana, que duermas bien». Y todas las noches se repetía la escena...

Después mi mamaíta me levantaba en brazos y me llevaba hasta la cama de Celina, y yo entonces le decía: «Paulina, ¿he sido hoy bien buenecita...? ¿Vendrán los *angelitos a volar a mi alrededor*?» La respuesta era siempre sí, pues de otro modo me hubiera pasado toda la noche llorando... Después de besarme, al igual que mi querida madrina, *Paulina* volvía a bajar y la pobre Teresita se quedaba completamente sola en la oscuridad. Y por más que intentaba imaginarse a los angelitos volando a su alrededor, no tardaba en apoderarse de ella el terror; las tinieblas le daban miedo, pues desde su cama no alcanzaba a ver las estrellas que titilaban dulcemente...

Considero una auténtica gracia el que tú, Madre querida, me hayas acostumbrado a superar mis miedos. A veces me mandabas sola, por la noche, a buscar un objeto cualquiera en alguna habitación alejada. De no haber sido tan bien dirigida, me habría vuelto muy miedosa, mientras que ahora es difícil que me asuste por nada...

A veces me pregunto cómo pudiste educarme con tanto amor y delicadeza, y sin mimarme, pues la verdad es que no me dejabas pasar ni una sola imperfección. Nunca me reprendías sin motivo, pero tampoco te volvías nunca atrás de una decisión que hubieras tomado. Tan convencida estaba yo de esto, que no hubiera podido ni querido dar un paso si tú me lo habías prohibido. Hasta papá se veía obligado a someterse a tu voluntad. Sin el consentimiento de *Paulina*, yo no salía de paseo; y si cuando papá me pedía que fuese, yo respondía: «Paulina no quiere», entonces él iba a implorar gracia para mí. A veces Paulina, por complacerlo, decía que sí, pero Teresita leía en su cara que no lo decía de corazón y entonces se echaba a llorar y no había forma de consolarla hasta que *Paulina* decía que sí y la *besaba* de *corazón*.

Cuando Teresita caía enferma, como le sucedía todos los inviernos, es imposible decir con qué ternura maternal era cuidada. Paulina la acostaba en su propia cama (merced incomparable) y le daba todo lo que le apetecía. Un día, Paulina sacó de debajo de la almohada una *preciosa navajita suya* y se la regaló a su hijita, dejándola sumida en un arrobamiento imposible de describir. —«¡Paulina! —exclamó—, ¿así que me quieres tanto que te privas por mí de tu preciosa navajita que tiene una *estrella de nácar*...? Y si me quieres tanto, ¿sacrificarías también tu reloj para que no me muriera...?» —«No sólo sacrificaría mi reloj para que no te murieras, sino que lo sacrificaría ahora mismo por verte pronto curada.» Al oír esas palabras de *Paulina*, mi asombro y mi gratitud llegaron al colmo...

En verano, a veces tenía mareos, y Paulina me cuidaba con la misma ternura. Para distraerme –y éste era el mejor de los remedios–, me *paseaba* en *carretilla* alrededor del jardín; y luego, bajándome a mí, ponía en mi lugar una matita de margaritas y la *paseaba* con mucho *cuidado* hasta mi jardín, donde la colocaba con gran solemnidad...

Paulina era quien recibía todas mis confidencias íntimas y aclaraba todas mis dudas... En cierta ocasión, le manifesté mi extrañeza de que Dios no diera la misma gloria en el cielo a todos los elegidos y mi temor de que no todos fueran felices. Entonces Paulina me dijo que fuera a buscar el vaso grande de papá y que lo pusiera al lado de mi dedalito, y luego que los llenara los dos de agua. Entonces me preguntó cuál de los dos estaba más lleno. Yo le dije que estaba tan lleno el uno como el otro y que era imposible echar en ellos más agua de la que podían contener. Entonces mi Madre querida me hizo comprender que en el cielo Dios daría a sus elegidos tanta gloria como pudieran contener, y que de esa manera el último no tendría nada que envidiar al primero. Así, Madre querida, poniendo a mi alcance los más sublimes secretos, sabías tú dar a mi alma el alimento que necesitaba...

¡Con qué alegría veía yo llegar cada año la entrega de premios...! Entonces, como siempre, se hacía *justicia, y yo* no recibía más recompensas que las que había merecido. *Sola* y de pie en medio de la *noble asamblea*, escuchaba la sentencia, que era leída por el rey de Francia y Navarra. El corazón me latía muy fuerte al recibir los premios y la corona..., ¡era para mí como una imagen del juicio...! Inmediatamente después de la entrega, la reinecita se quitaba su vestido blanco, y se apresuraban a disfrazarla para que tomara parte en la *gran representación*...!

Visión profética

¡Qué alegres eran aquellas fiestas familiares...! ¡Y qué lejos estaba yo entonces, viendo a mi rey querido tan radiante, de presagiar las tribulaciones que iban a visitarlo...!

Un día, sin embargo, Dios me mostró, en una *visión* verdaderamente extraordinaria, la imagen *viva* de la prueba que él quería prepararnos de antemano, pues su cáliz se estaba ya llenando.

Papá se encontraba de viaje desde hacía varios días, y aún faltaban dos para su regreso. Serían las dos o las tres de la tarde, el sol brillaba con vivo resplandor y toda la naturaleza parecía estar de fiesta.

Yo estaba sola, asomada a la ventana de una buhardilla que daba a la huerta grande. Miraba al frente, con el alma ocupada en pensamientos risueños, cuando vi delante del lavadero, que se encontraba justamente allí enfrente, a un hombre vestido exactamente igual que papá, de la misma estatura y con la misma forma de andar; sólo que estaba *mucho más encorvado*... Tenía la *cabeza* cubierta con una especie de delantal de color indefinido, de suerte que no le puede ver la cara. Llevaba un sombrero parecido a los de papá. Lo vi avanzar con paso regular, bordeando mi jardincito... De pronto un sentimiento de pavor sobrenatural invadió mi alma; pero inmediatamente pensé que seguramente papá había regresado y que se ocultaba para darme una sorpresa. Entonces lo llamé a gritos, con voz trémula de emoción: «¡Papá, papá...!» Pero el misterioso personaje no pareció oírme y prosiguió su marcha regular sin siquiera volverse.

Siguiéndolo con la mirada, lo vi dirigirse hacia el bosquecito que cortaba en dos la avenida principal. Esperaba verlo reaparecer al otro lado de los grandes árboles, ¡pero la visión profética se había desvanecido...!

Todo esto no duró más que un instante, pero se grabó tan profundamente en mi corazón que aún hoy, quince años después..., conservo tan vivo su recuerdo como si la visión estuviese todavía delante de mis ojos... María estaba contigo, Madre mía, en una habitación que tenía comunicación con aquella en la que yo me encontraba. Y al oírme llamar a papá, tuvo una sensación de pavor y pensó, según me dijo después, que debía estar ocurriendo algo extraordinario. Disimulando su emoción corrió junto a mí, preguntándome qué me pasaba para estar llamando a papá que estaba en Alençon. Entonces le conté lo que acababa de ver. Para tranquilizarme, María me dijo que seguramente habría sido Victoria, que, para meterme miedo, se había cubierto la cabeza con el delantal.

Pero al preguntarle, Victoria aseguró que ella no había salido de la cocina. Además, yo estaba bien segura de haber visto a un hombre y de que ese hombre tenía todas las trazas de papá. Entonces fuimos las tres al otro lado del macizo de árboles, y al no encontrar la menor huella de que alguien hubiese pasado por allí, tú me dijiste que no pensara más en ello...

Pero no pensar más en ello era algo que no estaba en mi poder. Mi imaginación me representaba una y otra vez la escena misteriosa que había visto... Muchas veces también, intenté levantar el velo que me ocultaba su significado, pues en el fondo del corazón abrigaba la íntima convicción de que esta visión tenía un *sentido* que algún día se me iba a revelar...

Ese día se hizo esperar largo tiempo, pero catorce años más tarde Dios mismo rasgó ese velo misterioso. Estábamos en licencia sor María del Sagrado Corazón y yo, y hablábamos como siempre de cosas de la otra vida y de nuestros recuerdos de la infancia. Yo le recordé la visión que había tenido a la edad de seis a siete años, y de pronto, al contar los detalles de aquella extraña escena, comprendimos las dos a la vez lo que significaba... Era a papá a quien yo había visto, caminando encorvado por la edad... Era él, llevando en su rostro venerable y en su cabeza encanecida el signo de su prueba *gloriosa*... Así como la Faz adorable de Jesús estuvo velada durante su Pasión, así tenía que estar también velada la faz de su fiel servidor en los días de sus sufrimientos, para que en la patria celestial pudiera resplandecer junto a su Señor, el Verbo eterno... Y desde el seno de esa gloria inefable, nuestro querido padre, que reina ya en el cielo, nos ha alcanzado la gracia de comprender la visión que su reinecita había tenido a una edad en la que no era de temer que sufriera una ilusión. Desde el seno de la gloria, nos ha alcanzado el dulce consuelo de comprender que, diez años antes de nuestra gran tribulación, Dios quiso mostrárnosla ya, como un padre hace vislumbrar a sus hijos el porvenir glorioso que les tiene preparado y se complace en considerar por adelantado las riquezas incalculables que constituirán su herencia...

¿Pero por qué Dios me concedió precisamente a mí esta revelación? ¿Por qué mostró a una niña tan pequeña algo que ella no podía comprender, algo que, de haberlo comprendido, la hubiera hecho morir de dolor? ¿Por qué...? Es éste, sin duda, uno de esos misterios que comprenderemos en el cielo ¡y que será para nosotras causa de eterna admiración...!

¡Qué bueno es el Señor...! Él armoniza siempre sus pruebas con las fuerzas que nos da. Como acabo de decir, yo nunca hubiera podido soportar ni tan siquiera la idea de los amargos sufrimientos que me reservaba el porvenir... Era incapaz hasta de pensar, sin estremecerme, que papá *pudiese morir...*

Una vez, estaba subido a lo alto de una escalera, y como yo quedaba justamente debajo de él, me gritó: «Apártate, chiquitita, que si me caigo te voy a aplastar». Al oír eso, me sublevé interiormente, y, en vez de apartarme, me pegué más a la escalera, pensando: «Por lo menos, si papá se cae, no tendré el dolor de verlo morir, pues yo moriré con él».

Me es imposible decir lo mucho que quería a papá. Todo en él me causaba admiración. Cuando me explicaba sus ideas (como si yo fuese ya una jovencita), yo le decía ingenuamente que seguro que si decía todas esas cosas a los hombres importantes del gobierno, vendrían a buscarlo para hacerlo rey, y entonces Francia sería feliz como no lo había sido nunca... Pero en el fondo me alegraba (y me lo reprochaba a mí misma como si fuese un pensamiento egoísta) de que no hubiese nadie más que yo que *conociese bien* a papá, pues sabía que si llegara a ser rey de Francia, sería desdichado, porque ésta es la suerte de todos los monarcas; y, sobre todo, ya no sería mi rey, ¡un rey sólo para mí...!

Trouville

Tenía yo seis o siete años cuando papá nos llevó a Trouville. Nunca olvidaré la impresión que me causó el mar. No me cansaba de mirarlo. Su majestuosidad, el rugido de las olas, todo le hablaba a mi alma de la grandeza y del poder de Dios.

Recuerdo que, durante el paseo que dimos por la playa, un señor y una señora me miraban correr feliz junto a papá y, acercándose, le preguntaron si *era suya*, y dijeron que era una niña muy guapa. Papá les respondió que sí, pero me di cuenta de que les hizo señas de que no me dirigiesen elogios...

Era la primera vez que yo oía decir que era guapa, y me gustó, pues no creía serlo. Tú ponías gran cuidado, Madre querida, en alejar de mí todo lo que pudiese empañar mi inocencia, y sobre todo en no dejarme escuchar ninguna palabra por la que pudiese deslizarse la vanidad en mi corazón. Y como yo sólo hacía caso a tus palabras y a las de María, y ustedes nunca me habían dirigido un solo piropo, no di mayor importancia a las palabras y a las miradas de admiración de aquella señora.

Al atardecer, a esa hora en la que el sol parece querer bañarse en la inmensidad de las olas dejando tras de sí un *surco luminoso*, iba a sentarme, a solas con Paulina, en una roca... Y allí recordé el cuento conmovedor de «El surco de oro»...

Estuve contemplando durante mucho tiempo aquel surco luminoso, imagen de la gracia que ilumina el camino que debe recorrer la barquilla de airosa vela blanca... Allí, al lado de Paulina, hice el propósito de no alejar nunca mi alma de la mirada de Jesús, para que pueda navegar en paz hacia la patria del cielo...

Mi vida discurría serena y feliz. El cariño de que vivía rodeada en los *Buissonnets* me hacía, por decirlo así, crecer. Pero ya era, sin duda, lo suficientemente grande para empezar a luchar, para empezar a conocer el mundo y las miserias de que está lleno...

Capítulo III

Años dolorosos
(1881-1883)

Alumna en la Abadía

Tenía yo ocho años y medio cuando Leonia salió del internado y yo ocupé su lugar en la Abadía.

He oído decir muchas veces que el tiempo pasado en el internado es el mejor y el más feliz de la vida. Para mí no lo fue. Los cinco años que pasé en él fueron los más tristes de toda mi vida. Si no hubiera tenido a mi lado a mi querida Celina, no habría aguantado allí ni un mes sin caer enferma... La pobre florecita había sido acostumbrada a hundir sus frágiles raíces en una *tierra selecta*, hecha expresamente para ella. Por eso se le hizo muy duro verse en medio de flores de toda especie, que tenían a menudo raíces muy poco delicadas, y obligada a encontrar en una *tierra ordinaria* la savia que necesitaba para vivir...

Tú me habías educado tan bien, Madre querida, que cuando llegué al internado era la más adelantada de las niñas de mi edad. Me pusieron en una clase en la que todas las alumnas eran mayores que yo.

Una de ellas, de 13 a 14 años de edad, era poco inteligente, pero sabía imponerse a las alumnas, e incluso a las

61

profesoras. Al verme tan joven, casi siempre la primera de la clase y querida por todas las religiosas, se ve que sintió envidia –muy comprensible en una pensionista– y me hizo pagar de mil maneras mis pequeños éxitos...

Dado mi natural tímido y delicado, no sabía defenderme, y me contentaba con sufrir en silencio, sin quejarme *ni siquiera a ti* de lo que sufría. Pero no tenía la suficiente virtud para sobreponerme a esas miserias de la vida y mi pobre corazoncito sufría mucho...

Gracias a Dios, todas las tardes volvía al hogar paterno, y allí se expansionaba mi corazón. Saltaba al regazo de mi rey, diciéndole las notas que me habían dado, y sus besos me hacían olvidar todas las penas...

¡Con qué alegría anuncié el resultado de mi *primera composición* (una composición sobre la *Historia Sagrada*)! Sólo me faltó un punto para llegar al máximo, por no haber sabido el nombre del padre de Moisés. Era, por lo tanto, la primera de la clase y traía un hermosa condecoración de plata.

Como premio, papá me regaló una *preciosa monedita* de veinte céntimos que eché en una caja destinada a recibir casi todos los jueves una nueva moneda, siempre del mismo *valor*... (De esta caja sacaba yo dinero en determinadas fiestas solemnes, cuando quería dar de mi bolsillo una limosna para la colecta de la Propagación de la Fe u otras obras parecidas.) *Paulina*, encantada con el triunfo de su pequeña alumna, le regaló un aro muy bonito, para animarla a seguir siendo tan estudiosa.

Buena necesidad tenía la pobre niña de estas alegrías de la familia. Sin ellas, la vida del internado habría sido demasiado dura para ella.

Días de vacaciones

Los jueves por la tarde nos daban asueto. Pero no era como los asuetos de *Paulina*, y no los pasaba con papá en el mirador... Tenía que jugar, no con mi *Celina*, cosa que me gustaba mucho cuando estábamos las *dos solas*, sino con mis primitas y con las pequeñas Maudelonde. Era para mí un verdadero martirio, y como no sabía jugar como las demás niñas, no era una compañera agradable. Sin embargo, hacía todo lo posible por imitar a las otras, sin conseguirlo, y me aburría enormemente, sobre todo cuando había que pasarse toda la tarde *bailando cuadrillas*. Lo único que me gustaba era ir al *jardín de la estrella*. Allí era la primera en todo: como recogía flores en cantidad y sabía encontrar las más bonitas, despertaba la envidia de mis compañeras...

Otra cosa que también me gustaba era quedarme sola con María, lo cual sólo ocurría por casualidad: como entonces no tenía a Celina Maudelonde que la arrastrase a *juegos corrientes,* me dejaba elegir a mí, y yo elegía alguno totalmente nuevo. María y Teresa se convertían en *ermitañas*, que no tenían más que una pobre cabaña, un pequeño campo de trigo y unas pocas legumbres que cultivar. Su vida transcurría en continua contemplación; o sea, una de las ermitañas reemplazaba a la otra en la oración cuando había que ocuparse de la vida activa. Todo se hacía con tal armonía, con tal silencio y con un estilo tan religioso, que resultaba perfecto. Cuando nuestra tía venía a buscarnos para ir a dar un paseo, continuábamos el juego también en la calle. Las dos ermitañas rezaban juntas el rosario, sirviéndose de los dedos para no exhibir su devoción ante un público indiscreto. Pero un día, la más joven de las ermitañas se olvidó: le habían dado un pastel para la merienda, y ella, antes de comerlo, hizo una gran señal de la cruz, lo que hizo reír a todos los profanos del siglo...

María y yo nos entendíamos a la perfección. Hasta tal punto teníamos los mismos gustos, que una vez nuestra *unión de voluntades* se pasó de la raya. Volviendo una tarde de la Abadía, yo le dije a María: «Guíame, voy a cerrar los ojos». «Yo también quiero cerrarlos», me respondió. Dicho y hecho. Cada una hizo su *propia voluntad* sin *discutir...* Ibamos por la vereda, por lo que no teníamos por qué temer a los coches. Tras un delicioso paseo de varios minutos, y de saborear el placer de caminar a ciegas, las dos pequeñas atolondradas cayeron sobre unas cajas colocadas a la puerta de una tienda, o, mejor dicho, las tiraron al suelo. El tendero salió, todo furioso, a recoger su mercancía. Las dos ciegas voluntarias se levantaron ellas solas y escaparon *a todo correr*, con los ojos *bien* abiertos y perseguidas por los justos reproches de Juana, que estaba tan enojada como el tendero...

En consecuencia, como castigo, decidió separarnos, y desde aquel día María y Celina fueron juntas, mientras que yo iba con Juana. Eso puso fin a nuestra excesiva *unión de voluntades* y no les vino mal a las mayores, que nunca estaban de acuerdo y se pasaban todo el camino discutiendo. De esa manera, la paz fue completa.

Primera Comunión de Celina

Aún no he dicho nada de mi íntima relación con Celina. Si fuera a contarlo todo, nunca acabaría...

En Lisieux se cambiaron los papeles: Celina se convirtió en un travieso diablillo y Teresa ya no era más que una niñita muy buena, pero excesivamente *llorona*... Eso no era obstáculo para que Celina y Teresa se quisiesen cada día más. A veces había entre ellas pequeñas discusiones, pero no era nada serio, y en el fondo estaban siempre de acuerdo.

Puedo decir que nunca mi querida hermanita me dio el menor *disgusto*, sino que fue para mí como un rayo de sol, una fuente continua de alegría y de consuelo... ¿Quién podrá decir con qué intrepidez me defendía en la Abadía cuando alguien me acusaba...? Se preocupaba tanto por mi salud, que a veces me cansaba. De lo que no me cansaba era de *verla jugar*. Ponía en fila a toda la tropa de nuestras muñecas y les daba clase como una maestra consumada; sólo que tenía mucho cuidado de que las suyas se portasen siempre bien, mientras que a las mías las echaba a menudo de clase por su mala conducta...

Me contaba todas las cosas nuevas que aprendía en clase, lo cual me divertía mucho, y la tenía por un pozo de ciencia.

Me había dado el título de «hijita de Celina», y así, cuando se enojaba conmigo, su mejor muestra de que estaba enojada era decirme: «¡Ya no eres mi hijita, se acabó, me *acordaré por toda la vida*...!» Entonces yo no tenía más remedio que echarme a llorar como una Magdalena, suplicándole que me volviese a admitir como su hijita. Inmediatamente me besaba y me prometía que ya no se volvería a *acordar* de *nada*... Y para consolarme, tomaba una de sus muñecas y le decía: «Cariño, besa a tu tía». Una vez, la muñeca tenía tanto apuro por besarme tiernamente, que me metió sus dos bracitos por *la nariz*... Celina, que no lo había hecho adrede, me miraba estupefacta, viendo a la muñeca colgándome de la nariz. La *tía* no tardó mucho en rechazar las efusiones demasiado tiernas de su *sobrina*, y se echó a reír con todas las ganas ante tan singular aventura.

Lo más divertido era vernos comprar las dos a la vez, en la tienda, los aguinaldos. Nos escondíamos cuidadosamente la una de la otra. Con sólo 50 céntimos teníamos que comprar, por lo menos, cinco o seis objetos diferentes, y la cuestión era quién compraría las cosas más bonitas. Encantadas con nuestras compras, esperábamos con impaciencia el primer día del año para poder ofrecernos una a otra nuestros *magníficos regalos*. La primera que se despertaba se apresuraba a felicitar a la otra el año nuevo. Luego nos entregábamos los *aguinaldos* y las dos nos quedábamos extasiadas ante los *tesoros* que la otra había conseguido con 50 céntimos...

Esos regalitos nos causaban casi tanto placer como los *ricos aguinaldos* de mi tío.

Por lo demás, eso no era más que el principio de nuestras alegrías. Aquel día nos vestíamos a toda prisa y estábamos al acecho para saltar al cuello de papá. En cuanto salía de su habitación, toda la casa se llenaba de gritos de alegría y nuestro papaíto se mostraba feliz de vernos tan contentas...

Los aguinaldos que María y Paulina daban a sus hijitas no eran de gran valor, pero les causaban también *una gran alegría*... Y es que en esa edad aún no estábamos *embotadas*; nuestra alma, en toda su lozanía, se abría como una flor, feliz de recibir el rocío de la mañana... Un mismo soplo mecía nuestras corolas, y lo que hacía gozar o sufrir a una hacía gozar o sufrir a la vez a la otra.

Sí, nuestras alegrías eran comunes. Lo comprobé muy bien el día de la primera comunión de mi querida Celina. Yo no iba aún a la Abadía, pues sólo tenía siete años; pero conservo en mi corazón el dulcísimo recuerdo de la preparación que tú, Madre querida, le hiciste hacer a Celina. Todas las tardes la sentabas en tu regazo y le hablabas del acto tan importante que iba a realizar. Yo escuchaba, ávida de prepararme también, pero muy frecuentemente me decías que me fuera porque era todavía demasiado pequeña. Entonces me ponía muy triste y pensaba que cuatro años no eran demasiados para prepararse a recibir a Dios...

Una tarde, te oí decir que a partir de la Primera Comunión había que empezar una nueva vida. En ese mismo momento decidí no esperar a ese día, sino comenzarla al mismo tiempo que Celina...

Nunca supe cuánto la quería como durante su retiro de tres días. Era la primera vez en mi vida que estaba lejos de ella y que no me acostaba en su cama... El primer día me olvidé de que no iba a volver, y guardé un manojito de cerezas, que papá me había comprado, para comerlo con ella; cuando vi que no llegaba, sentí mucha pena. Papá me consoló diciéndome que al día siguiente me llevaría a la Abadía para ver a mi Celina y que podría darle otro manojo de cerezas...

El día de la Primera Comunión de Celina me dejó una impresión parecida a la de la mía. Al despertarme por la mañana, yo sola en aquella cama tan grande, me sentí *inundada de alegría*. «¡Es hoy...! Ha llegado el gran día...» No me cansaba de repetir estas palabras. Me parecía que era yo la que iba a hacer la Primera Comunión. Creo que ese día recibí grandes gracias, y lo considero como uno de los más *hermosos* de mi vida...

Paulina en el Carmelo

He vuelto un poco atrás para evocar este delicioso y dulce recuerdo. Ahora quiero hablarte de la dolorosa prueba que vino a destrozar el corazón de Teresita cuando Jesús le arrebató a su querida *mamá*, a su *Paulina* ¡a la que tan tiernamente quería...!

Un día, yo había dicho a Paulina que me gustaría ser solitaria, irme con ella a un desierto lejano. Ella me contestó que ése era también su deseo y que esperaría a que yo fuese mayor para irnos. La verdad es que aquello no lo dijo en serio, pero Teresita sí lo había tomado en serio. Por eso, ¿cuál no sería su dolor al oír un día hablar a su querida Paulina con María de su próxima entrada en el Carmelo...?

Yo no sabía lo que era el Carmelo, pero comprendí que Paulina iba a dejarme para entrar en un convento, comprendí que no me *esperaría* y que iba a perder a mi segunda *madre*... ¿Cómo podré expresar la angustia de mi corazón...? En un instante comprendí lo que era la vida. Hasta entonces no me había parecido tan triste, pero entonces se me apareció en todo su realismo, y vi que no era más que un puro sufrimiento y una continua separación. Lloré lágrimas muy amargas, pues aún no comprendía la *alegría* del sacrificio. Era *débil*, tan *débil*, que considero una gracia muy grande el haber podido soportar una prueba como aquella, que parecía muy superior a mis fuerzas... Si me hubiese ido enterando poco a poco de la partida de mi Paulina querida, tal vez no hubiera sufrido tanto; pero al saberlo de repente, fue como si me hubieran clavado una espada en el corazón.

Siempre recordaré, Madre querida, con qué ternura me consolaste... Luego me explicaste la vida del Carmelo, que me pareció muy hermosa. Evocando en mi interior todo lo que me habías dicho, comprendí que el Carmelo era el *desierto* adonde Dios quería que yo fuese también a esconderme... Lo comprendí con tanta evidencia, que no quedó la menor duda en mi corazón. No era un sueño de niña que se deja entusiasmar fácilmente, sino la *certeza* de una llamada de Dios: quería ir al Carmelo, no por *Paulina*, sino sólo por *Jesús*... Pensé muchas cosas que las palabras no pueden traducir, pero que dejaron una gran paz en mi alma.

Al día siguiente, confié mi secreto a Paulina, quien, viendo en mis deseos la voluntad del cielo, me dijo que pronto iría con ella a ver a la madre priora del Carmelo y que tendríamos que decirle lo que Dios me hacía sentir...

Se eligió un domingo para esta solemne visita, y mi apuro fue grande cuando supe que María G. debería acompañarme, por ser yo aún demasiado pequeña para ver a las carmelitas. Sin embargo, yo tenía que encontrar la forma de quedarme a solas con la priora, y he aquí lo que se me ocurrió. Le dije a María que, ya que teníamos el privilegio de ver a la madre priora, debíamos ser muy amables y educadas con ella, y que por eso debíamos confiarle nuestros *secretos*; así que cada una tendría que salir un momento, y dejar a la otra a solas con la Madre. María creyó lo que le decía, y, a pesar de su repugnancia a confiar *secretos que no tenía*, nos quedamos a solas, una después de otra, con la madre María de Gonzaga.

Después de escuchar mis *importantes confidencias*, la Madre creyó en mi vocación, pero me dijo que no recibían postulantes de *nueve años*, y que tendría que esperar hasta los dieciséis... Yo me resigné, a pesar de mis vivos deseos de entrar cuanto antes y de hacer la primera comunión el día de la toma de hábito de Paulina...

Ese día me echaron piropos por segunda vez. Sor Teresa de San Agustín, que había bajado a verme, no se cansaba de llamarme guapa. Yo no pensaba venir al Carmelo para recibir alabanzas; así que, después de la visita, no cesaba de repetirle a Dios que yo quería ser carmelita *sólo por él*.

Durante las pocas semanas que mi querida Paulina permaneció todavía en el mundo, procuré aprovecharme bien de ella. Todos los días, Celina y yo le comprábamos un pastel y bombones, pensando que ya pronto no volvería a comerlos. Estábamos continuamente a su lado, sin dejarle ni un minuto de descanso.

Por fin, llegó el *2 de octubre*, día de lágrimas y de bendiciones, en que Jesús cortó la primera de su flores, destinada a ser la madre de las que pocos años después irían a reunirse con ella.

Aún me parece estar viendo el lugar donde recibí el último beso de *Paulina*. Luego, mi tía nos llevó a todas a

Misa, mientras papá subía a la montaña del Carmelo para ofrecer su *primer sacrificio*...

Toda la familia lloraba, de modo que, al vernos entrar en la iglesia, la gente nos miraba extrañada. A mí me daba igual, y no por eso dejé de llorar. Creo que, si el mundo entero se hubiera derrumbado a mi alrededor, no me habría dado cuenta. Miraba al hermoso cielo azul, y me maravillaba de que el sol pudiese seguir brillando con tanto resplandor mientras mi alma estaba inundada de tristeza...

Tal vez, Madre querida, te parezca que exagero la pena que sentí... Comprendo muy bien que no debiera haber sido tan grande, pues tenía la esperanza de volver a encontrarte en el Carmelo, pero mi alma estaba lejos de estar *madura* y tenía que pasar por muchos crisoles antes de alcanzar la meta que tanto deseaba...

El 2 de octubre era el día fijado para volver a la Abadía, y no tuve más remedio que ir, a pesar de mi tristeza...

Por la tarde, nuestra tía vino a buscarnos para ir al Carmelo, y vi a mi *Paulina querida* detrás de las rejas... ¡Ay, cuánto he sufrido en ese locutorio del Carmelo...!

Como estoy escribiendo la historia de mi alma, debo decírselo todo a mi Madre querida, y confieso que los sufrimientos que precedieron a su entrada no fueron nada en comparación con los que vinieron después...

Todos los jueves, íbamos en *familia* al Carmelo. Y yo, que estaba acostumbrada a hablar con *Paulina* de corazón a corazón, apenas si conseguía dos o tres minutos al final de la visita, que, por supuesto, me pasaba llorando, y luego me iba con el corazón desgarrado... No comprendía que si tú dirigías preferentemente la palabra a Juana y María, en vez de hablar con tus hijitas, era por delicadeza hacia nuestra tía... No lo comprendía, y pensaba en lo más hondo del corazón: «¡¡¡He perdido a Paulina!!!»

Extraña enfermedad

Es asombroso ver cómo se desarrolló mi espíritu en medio del sufrimiento. Se desarrolló de tal manera, que no tardé en caer enferma.

La enfermedad que me aquejó provenía, ciertamente, del demonio. Furioso por tu entrada en el Carmelo, quiso vengarse en mí del daño que nuestra familia iba a causarle en el futuro. Pero lo que él no sabía era que la amorosa Reina del cielo velaba por su frágil florecilla, que ella le *sonreía* desde lo alto de su trono y que se aprestaba a calmar la tempestad en el mismo momento en que su flor iba a quebrarse sin remedio...

Hacia finales de año, me sobrevino un continuo dolor de cabeza, pero que se podía aguantar bien. Podía seguir estudiando, y nadie se preocupó por mí. Esto duró hasta el día de Pascua de 1883.

Papá había ido a París con María y Leonia, y nuestra tía nos llevó a su casa a Celina y a mí. Una tarde, nuestro tío me llevó con él y empezó a hablarme de mamá y de recuerdos pasados con tal bondad, que me emocionó profundamente y me hizo llorar. Entonces me dijo que era demasiado sensible y que necesitaba mucho distraerme, y que mi tía y él habían decidido tratar de hacérnoslo pasar bien durante las vacaciones de Pascua. Esa tarde teníamos que ir al Círculo Católico; pero viendo que estaba demasiado cansada, mi tía me hizo acostar. Al desnudarme, me entró un extraño temblor. Creyendo que tenía frío, mi tía me envolvió entre mantas y me puso botellas calientes, pero nada pudo reducir mi agitación, que duró casi toda la noche. Al volver mi tío del Círculo Católico con mis primas y Celina, se quedo muy sorprendido al encontrarme en aquel estado, que juzgó muy grave, pero no quiso decirlo por no asustar a mi tía. Al día siguiente, fue a buscar al doctor Notta, el cual coincidió con mi tío en que tenía una enfermedad muy grave, que nunca había padecido una niña tan joven como yo.

Todos estaban consternados. Mi tía tuvo que dejarme en su casa y me cuidó con una solicitud verdaderamente *maternal*.

Cuando papá volvió de París con mis hermanas mayores, Amada los recibió con una cara tan triste, que María creyó que me había muerto... Pero esta enfermedad no era de muerte, sino, como la de Lázaro, para que Dios fuera glorificado...

Y así lo fue, en efecto, por la admirable resignación de mi pobre *papaíto*, que creyó que «su hijita se iba a volver loca o que se iba a morir».

¡Lo fue también por la de *María*...! ¡Cuánto sufrió por causa mía...! ¡Y qué agradecida le estoy por los cuidados que tan desinteresadamente me prodigó...! Su corazón le dictaba lo que yo necesitaba, y, verdaderamente, un *corazón de madre* es mucho más sabio que el de un médico y sabe adivinar lo que conviene para la enfermedad de su hijo...

La pobre María tuvo que venir a instalarse en casa de mi tío, pues era imposible trasladarme por entonces a los Buissonnets.

Entretanto, se acercaba la toma de hábito de Paulina. Delante de mí evitaban hablar de ello, pues sabían la pena que sentía por no poder ir; pero yo hablaba de ello con frecuencia, diciendo que para entonces ya estaría lo bastante bien para ir a ver a mi Paulina querida.

Y en efecto, Dios no quiso negarme ese consuelo, o, mejor, quiso consolar a su querida *prometida*, que tanto había sufrido con la enfermedad de su hijita... He observado que Jesús no quiere probar a su hijas en el día de sus esponsales; esta fiesta debe ser una fiesta sin nubes, un anticipo de las alegrías del paraíso. ¿No lo ha demostrado ya cinco veces...?

Pude, pues, *abrazar* a mi Madre querida, *sentarme* en su regazo y colmarla de caricias... Pude contemplarla radiante con su blanco vestido de desposada... ¡Sí, fue un *hermoso día*, en medio de mi oscura prueba! Pero aquel día pasó veloz... Pronto hube de subir al coche que me llevó muy lejos de Paulina..., muy lejos de mi Carmelo querido.

Al llegar a los Buissonnets, me hicieron acostar a mi pesar, pues aseguraban que estaba totalmente curada y que ya no necesitaba más cuidados. ¡Pero, ay, sólo estaba todavía en los comienzos de mi prueba...! Al día siguiente, volví a estar igual que antes, y la enfermedad se agravó tanto, que, según los cálculos humanos, no tenía remedio...

No sé cómo describir una enfermedad tan extraña. Hoy estoy convencida de que fue obra del demonio, pero durante mucho tiempo después de mi curación creí que había fingido estar enferma, y eso fue para mi alma un verdadero *martirio*.

Se lo dije así a María, que me tranquilizó lo mejor que pudo con su bondad habitual. Lo dije en la confesión, y también mi confesor intentó tranquilizarme, diciéndome que no era posible que hubiese simulado estar enferma hasta el punto que yo lo había estado. Dios, que, sin duda, quería purificarme, y sobre todo *humillarme*, me dejó en este *martirio íntimo* hasta mi entrada en el Carmelo, donde el Padre de nuestras almas barrió como con la mano todas mis dudas, y desde entonces quedé totalmente tranquila.

No es extraño que temiese haber fingido estar enferma sin estarlo de verdad, pues decía y hacía cosas que no pensaba. Parecía estar en un continuo delirio, diciendo palabras que no tenían sentido, y sin embargo estoy segura de que no perdí *ni un solo instante el uso de la razón*... Con frecuencia me quedaba como desmayada, sin hacer el menor movimiento; en esos momentos, me habría dejado hacer todo lo que hubieran querido, incluso matarme; sin embargo, oía todo lo que se decía a mi alrededor, y todavía me acuerdo de todo. En una ocasión me aconteció estar mucho tiempo sin poder abrir los ojos, y abrirlos un instante al encontrarme sola...

Pienso que el demonio había recibido un poder exterior sobre mí, pero que no podía acercarse a mi alma ni a mi espíritu, a no ser para inspirarme grandísimos terrores a ciertas cosas, por ejemplo a las medicinas sencillísimas que intentaban en vano hacerme tomar...

Pero si Dios permitía al demonio acercarse a mí, me enviaba también ángeles visibles...

María no se separaba de mi cama, cuidándome y consolándome con la ternura de una madre. Nunca me demostró el más ligero enojo, y eso que yo le daba mucho trabajo, pues no soportaba que se alejase de mi lado. Sin embargo, tenía necesariamente que ir a comer con papá, pero yo no cesaba de llamarla durante todo el tiempo que no estaba. Victoria, que se quedaba a mi cuidado, a veces no tenía más remedio que ir a buscar a mi querida «mamá», como yo la llamaba... Si María quería salir, tenía que ser para ir a Misa o para ver a *Paulina*; sólo entonces yo no decía nada...

Nuestros tíos eran también muy buenos conmigo. Mi querida tiíta venía *todos los días* a verme y me traía mil golosinas.

También fueron a visitarme otras personas amigas de la familia; pero yo pedí a María que les dijese que no quería recibir visitas. No me gustaba «ver a la gente sentada alrededor de mi cama como *ristras de cebollas* y mirándome como a un bicho raro». La única visita que me gustaba era la de nuestros tíos.

Me sería imposible decir cuánto creció mi cariño hacia ellos a partir de esta enfermedad. Comprendí como nunca que ellos no eran para nosotros unos parientes cualquiera. ¡Qué razón tenía nuestro papaíto cuando nos repetía tantas veces estas palabras que acabo de escribir! Más tarde él mismo supo por experiencia que no se había equivocado, y seguro que ahora protege y bendice a quienes le prodigaron tan generosos cuidados... Yo todavía estoy en el destierro, y no sabiendo cómo demostrarles mi gratitud, sólo tengo una manera de aligerar mi corazón: ¡rezar por estos familiares tan queridos que fueron y que siguen siendo tan buenos conmigo!

También Leonia era muy buena conmigo, y hacía todo lo posible por distraerme. Yo, a veces, la hacía sufrir, pues se daba perfectamente cuenta de que María era insustituible a mi lado...

¿Y mi Celina querida? ¿Qué no hizo por su Teresa...? Los domingos, en vez de salir de paseo, venía a encerrarse horas enteras con una pobre niña que parecía idiota. Verdaderamente, se necesitaba mucho amor para no huir de mí... ¡Hermanitas queridas, cuánto las hice sufrir...! Nadie los hizo *sufrir* tanto como yo, y nadie recibió nunca tanto amor como el que ustedes me prodigaron... Gracias a Dios, tendré el cielo para resarcirme. Mi Esposo es enormemente rico, y yo meteré la mano en sus tesoros de amor para poder devolverles centuplicado todo lo que sufrieron por causa mía...

Mi mayor consuelo mientras estuve enferma era recibir carta de *Paulina*. La leía y la releía hasta sabérmela de memoria... Un día, Madre querida, me mandaste un reloj de arena y una de mis muñecas vestida de carmelita. Es imposible decir la alegría que sentí... A mi tío no le gustó. Decía que, en vez de hacerme pensar en el Carmelo, habría que alejarlo de mi mente. Yo, por el contrario, pensaba que la esperanza de ser un día carmelita era lo único que me hacía vivir...

Me encantaba trabajar para Paulina. Le hacía pequeños trabajos en cartulina, y mi ocupación preferida era hacer coronas de margaritas y de miosotis para la Santísima Virgen.

Estábamos en el mes de mayo. Toda la naturaleza se vestía de flores y respiraba alegría. Sólo la «florecita» languidecía y parecía marchita para siempre...

La sonrisa de la Virgen

Sin embargo, tenía un sol cerca de ella. Ese sol era la *estatua milagrosa* de la Santísima Virgen, que le había hablado por dos veces a mamá, y la florecita volvía muchas, muchas veces su corola hacia aquel astro bendito...

Un día vi que papá entraba en la habitación de María, donde yo estaba acostada, y, dándole varias monedas de oro con expresión muy triste, le dijo que escribiera a París y encargase unas misas a Nuestra Señora de las Victorias para que le curase a su pobre hijita. ¡Cómo me emocionó ver la fe y el amor de mi querido rey! Hubiera deseado poder decirle que estaba curada, ¡pero le había dado ya tantas alegrías falsas! No eran mis deseos los que podían hacer ese *milagro*, pues la verdad es que para curarme se necesitaba un milagro...

Se necesitaba un *milagro*, y fue Nuestra Señora de las Victorias quien lo hizo.

Un domingo (durante el novenario de misas), María salió al jardín, dejándome con Leonia, que estaba leyendo al lado de la ventana.

Al cabo de unos minutos, me puse a llamar muy bajito: «Mamá... mamá». Leonia, acostumbrada a oírme llamar siempre así, no hizo caso. Aquello duró un largo rato. Entonces llamé más fuerte, y, por fin, volvió María. La vi perfectamente entrar, pero no podía decir que la reconociera, y seguí llamando, cada vez más fuerte: «Mamá...» *Sufría mucho* con aquella lucha violenta e inexplicable, y María sufría quizás todavía más que yo. Tras intentar inútilmente hacerme ver que estaba allí a mi lado, se puso de rodillas junto a mi cama con Leonia y Celina. Luego, volviéndose hacia la Santísima Virgen e invocándola con el fervor de una *madre* que pide la vida de su hija, *María* alcanzó lo que deseaba...

También la pobre Teresita, al no encontrar ninguna ayuda en la tierra, se había vuelto hacia su Madre del cielo, suplicándole con toda su alma que tuviese por fin piedad de ella...

De repente, la Santísima Virgen me pareció *hermosa*, tan *hermosa*, que yo nunca había visto nada tan bello. Su rostro respiraba una bondad y una ternura inefables. Pero lo que me caló hasta el fondo del alma fue la «encantadora sonrisa de la Santísima Virgen».

En aquel momento, todas mis penas se disiparon. Dos gruesas lágrimas brotaron de mis párpados y se deslizaron silenciosamente por mis mejillas, pero eran lágrimas de pura alegría... ¡La Santísima Virgen, pensé, me ha sonreído! ¡Qué feliz soy...! Sí, pero no se lo diré nunca a nadie, porque entonces *desaparecería mi felicidad.*

Bajé los ojos sin esfuerzo y vi a María que me miraba con amor. Se la veía emocionada, y parecía sospechar la merced que la Santísima Virgen me había concedido... Precisamente a ella y a sus súplicas fervientes debía yo la gracia de la *sonrisa* de la Reina de los cielos. Al ver mi mirada fija en la Santísima Virgen, pensó: «¡Teresa está curada!» Sí, la florecita iba a renacer a la vida. El *rayo* luminoso que la había reanimado no iba ya a interrumpir sus favores. No actuó de golpe, sino que lentamente, suavemente fue levantando a su flor y la fortaleció de tal suerte que cinco años más tarde abría sus pétalos en la montaña del Carmelo.

Como he dicho, María había adivinado que la Santísima Virgen me había concedido alguna gracia secreta. Así que, cuando me quedé a solas con ella, me preguntó qué había visto. No pude resistirme a sus tiernas e insistentes preguntas; y sorprendida de ver que mi secreto había sido descubierto sin que yo lo revelara, se lo confié enteramente a mi querida María...

Pero, ¡ay!, como lo había imaginado, mi dicha iba a desaparecer y a convertirse en amargura... El recuerdo de aquella gracia inefable que había recibido fue para mí, durante cuatro años, un verdadero *sufrimiento del alma*. Sólo volvería a encontrar mi dicha a los pies de Nuestra Señora de las Victorias, y entonces la recibí *en toda su plenitud*... Más adelante volveré a hablar de esta segunda gracia de la Santísima Virgen. Ahora quiero contarte, Madre mía, cómo mi dicha se convirtió en tristeza.

María, después de escuchar el ingenuo y sincero relato de «mi gracia», me pidió permiso para contarlo en el Carmelo, y no podía decirle que no....

En mi primera visita a ese Carmelo querido me sentí inundada de gozo al ver a mi *Paulina* vestida con el hábito de la Virgen. Fue un momento muy dulce para las dos... Teníamos tantas cosas que decirnos, que a mí no me salía nada, me ahogaba de emoción...

La madre María de Gonzaga también estaba allí y me daba mil muestras de cariño. Vi también a otras hermanas, y delante de ellas me preguntaron por la gracia que había recibido, y me preguntó si la Santísima Virgen llevaba al Niño Jesús, y si había mucha luz, etc.

Todas estas preguntas me turbaron y me hicieron sufrir. Yo no podía decir más que una cosa: «La Santísima Virgen me había parecido *muy hermosa...*, y la había visto *sonreírme*.» Lo único que me había impresionado era su rostro.

Por eso, al ver que las carmelitas se imaginaban otra cosa muy distinta (mis sufrimientos del alma respecto a mi enfermedad ya habían comenzado), me imaginé que *había mentido...*

Seguramente, si hubiera guardado mi secreto, habría conservado también mi felicidad. Pero la Santísima Virgen permitió este tormento para bien de mi alma. Sin él, tal vez hubiera tenido algún pensamiento de vanidad, mientras que, tocándome en suerte la *humillación*, no podía mirarme a mí misma sin un sentimiento de *profundo horror...*

¡Sólo en el cielo podré decir cuánto sufrí...!

CAPÍTULO IV

PRIMERA COMUNIÓN
EN EL COLEGIO
(1883-1886)

Al hablar de las visitas a las carmelitas, me viene a la memoria la primera, que tuvo lugar poco después de la entrada de *Paulina*. Me olvidé de hablar de ella más arriba, pero hay un detalle que no quiero omitir.

La mañana del día en que debía ir al locutorio, reflexionando sola en la cama (pues era allí donde hacía yo mis meditaciones más profundas y donde, a diferencia de la esposa del Cantar de los Cantares, encontraba yo siempre a mi Amado), me preguntaba cómo me llamaría en el Carmelo. Sabía que había ya en él una sor Teresa de Jesús; sin embargo, no podían quitarme mi bonito nombre de Teresa. De pronto, pensé en el *Niño Jesús*, a quien tanto quería, y me dije: «¡Cómo me gustaría llamarme Teresa del Niño Jesús!»

En el locutorio no dije nada del sueño que había tenido completamente despierta. Pero al preguntar la madre *María de Gonzaga* a las hermanas qué nombre me pondrían, se le ocurrió darme el nombre que yo había *soñado*... Me alegré enormemente, y aquella feliz coincidencia de pensamientos me pareció una delicadeza de mi Amado, el Niño Jesús.

Estampas y lecturas

Me he olvidado también de algunos pequeños detalles de ni niñez de antes de tu entrada en el Carmelo. No te he hablado de mi amor a las estampas y a la lectura... Y, sin embargo, a las preciosas estampas que tú me dabas como premio debo una de las más dulces alegrías y de las más fuertes impresiones que me han incitado a la práctica de la virtud... Me pasaba las horas muertas mirándolas. Por ejemplo, la «*florecita* del divino Prisionero» era tan sugestiva, que me quedaba ensimismada mirándola. Al ver que el nombre de *Paulina* estaba escrito al pie de la florecita, me hubiera gustado que el de Teresa estuviera también allí, y me ofrecía a Jesús para ser su *florecita*...

No sabía jugar, pero me gustaba mucho la lectura, y me hubiera pasado la vida leyendo. Afortunadamente tenía unos *ángeles* de la tierra que me elegían unos libros que, a la vez que me distraían, alimentaban mi espíritu y mi corazón. Además, no podía dedicar a la lectura más que un determinado tiempo, lo cual era para mí motivo de grandes sacrificios, pues muchas veces tenía que interrumpirla en lo más interesante de un pasaje...

Esta afición a la lectura duró hasta mi entrada en el Carmelo. Me sería imposible decir el número de libros que pasaron por mis manos; pero nunca permitió Dios que leyera ni uno solo que pudiera hacerme daño. Es cierto que, al leer ciertos relatos caballerescos, no siempre percibía en un primer momento la *realidad* de la *vida*; pero pronto Dios me daba a entender que la verdadera gloria es la que ha de durar para siempre y que para alcanzarla no es necesario hacer obras deslumbrantes, sino esconderse y practicar la virtud de manera que la mano izquierda no sepa lo que hace la derecha...

Así, al leer los relatos de las hazañas patrióticas de las heroínas francesas, y en especial las de la *venerable* Juana de Arco, me venían grandes deseos de imitarlas. Me parecía sentir en mi interior el mismo ardor que las había animado a ellas y la misma inspiración celestial.

Por entonces recibí una gracia que siempre he considerado como una de las más grandes de mi vida, ya que en esa edad no recibía las *luces* de que ahora me veo inundada. Pensé que había nacido para la *gloria*, y, buscando la forma de alcanzarla, Dios me inspiró los sentimientos que acabo de escribir. Me hizo también comprender que mi *gloria* no brillaría ante los ojos de los mortales, sino que consistiría en ¡¡¡llegar a ser una gran *santa*...!!!

Este deseo podría parecer temerario, si se tiene en cuenta lo débil e imperfecta que yo era, y que aún soy después de siete años vividos en religión. No obstante, sigo teniendo la misma confianza audaz de llegar a ser una gran santa, pues no me apoyo en mis méritos —que no tengo *ninguno*—, sino en Aquel que es la Virtud y la Santidad mismas. Sólo él, contentándose con mis débiles esfuerzos, me elevará hasta él y, cubriéndome con sus méritos infinitos, me hará *santa*.

Yo no pensaba entonces que para llegar a la santidad había que sufrir mucho. Dios no tardó en mostrármelo, enviándome las pruebas que he contado antes...

Ahora he de reanudar mi relato en el punto en que lo había dejado.

Tres meses después de mi curación, papá nos llevó de viaje a Alençon. Era la primera vez que regresaba allí, y fue muy grande mi alegría al volver a ver los parajes en los que había transcurrido ni niñez, y sobre todo al poder rezar sobre la tumba de mamá y pedirle que me protegiera siempre...

Dios me concedió la gracia de no conocer el mundo, a no ser para despreciarlo y alejarme de él. Podría decir que durante mi estancia en Alençon fue cuando hice mi *presentación en sociedad*. Todo era alegría y felicidad en torno a mí. Me veía festejada, mimada, admirada. En una palabra, durante quince días mi vida sólo se vio sembrada de flores... Y confieso que aquella vida tenía sus encantos para mí. La Sabiduría tiene mucha razón cuando dice: «El hechizo de las bagatelas del mundo seduce hasta a las mentes sin malicia». A los diez años, el corazón se deja fácilmente deslumbrar. Por eso considero como una gracia muy grande el no haberme quedado en Alençon. Los amigos que teníamos allí eran demasiado mundanos y compaginaban demasiado las alegrías de la tierra con el servicio de Dios. No pensaban lo bastante en la *muerte*, y sin embargo la muerte ha venido a visitar a un gran número de personas a las que yo conocí, ¡¡¡jóvenes, ricas y felices!!! Me gusta volver con el pensamiento a los lugares *en-*

cantadores donde vivieron, preguntarme dónde están, qué les queda hoy de los castillos y los parques donde las vi disfrutar de las comodidades de la vida... Y veo que todo es vanidad y aflicción de espíritu bajo el sol..., y que el *único bien* que vale la pena es amar a Dios con todo el corazón y ser *pobres* de espíritu aquí en la tierra...

Tal vez Jesús quiso mostrarme el mundo antes de hacerme la *primera visita*, para que eligiera más libremente el camino que iba a prometerle seguir.

Primera Comunión

La época de mi Primera Comunión ha quedado grabada en mi corazón como un recuerdo sin nubes. Creo que no podía estar mejor preparada de lo que lo estuve, y mis sufrimientos del alma desaparecieron durante casi un año. Jesús quería darme a gustar la alegría más plena posible en este valle de lágrimas...

¿Recuerdas, Madre querida, el precioso librito que me preparaste tres meses antes de mi Primera Comunión...? Aquel librito me ayudó a disponer metódica y rápidamente mi corazón; pues si bien es cierto que ya lo venía preparando desde hacía mucho tiempo, era necesario darle un nuevo impulso, llenarlo de flores nuevas para que Jesús pudiese descansar a gusto en él...

Todos los días hacía un gran número de prácticas, que eran otras tantas *flores*. Decía también un número todavía mayor de jaculatorias, que tú me habías escrito para cada día en el librito, y esos actos de amor eran los *capullos* de las flores...

Todas las semanas tú me escribías una linda cartita, que me llenaba el alma de pensamientos profundos y me ayudaba a practicar la virtud. Aquella carta era un consuelo para tu pobre hijita, que hacía un *sacrificio tan grande* al aceptar que no fueras tú quien la preparara cada tarde en tu regazo, como lo habías hecho con Celina....

María reemplazó a Paulina. Me sentaba en su regazo y allí escuchaba *con avidez* lo que me decía. Creo que todo su corazón, tan *grande* y tan *generoso*, se volcaba en el mío. Como los grandes guerreros enseñan a sus hijos el oficio de las armas, así me hablaba ella de las *luchas* de la vida y de la palma que se entregará a los vencedores... María me hablaba también de las riquezas inmortales que podemos atesorar fácilmente cada día, y de la desgracia que sería pasar junto a ellas sin querer tomarse la molestia de extender la mano para asirlas. Luego me enseñaba la forma de ser *santa* por la fidelidad en las cosas más pequeñas. Me dio la hojita «El renunciamiento», que yo meditaba con auténtico placer...

¡Y qué elocuente que era mi querida madrina! Me hubiera gustado no ser yo la única que escuchase sus profundas enseñanzas. Me *llegaban* tan *a lo hondo*, que, en mi ingenuidad, pensaba que hasta los más grandes pecadores se habrían conmovido como yo, y que, abandonando sus riquezas perecederas, sólo querrían ganar ya las del cielo...

Hasta entonces, nadie me había enseñado todavía la forma de hacer oración, a pesar de que tenía muchas ganas. Pero María pensaba que era ya bastante piadosa, y no me dejaba hacer más que mis oraciones. Un día, una de las profesoras de la Abadía me preguntó qué hacía los días libres cuando estaba sola. Yo le contesté que me metía en un espacio vacío que había detrás de mi cama y que podía cerrar fácilmente con la cortina, y que allí «*pensaba*» –¿Y en qué piensas?, me dijo. –Pienso, en Dios, en la vida..., en la eternidad, bueno, *pienso*... La religiosa se rió mucho de mí. Más tarde, le gustaba recordarme aquel tiempo en que yo *pensaba*, y me preguntaba si todavía seguía *pensando*... Ahora comprendo que, sin saberlo, hacía oración y que ya Dios me instruía en lo secreto.

Los tres meses de preparación pasaron rápidamente, y pronto tuve que entrar en ejercicios, y para ello hacerme pensionista interna y dormir en la Abadía.

Me resulta imposible expresar el dulce recuerdo que me dejaron estos ejercicios. Verdaderamente, si había sufrido mucho en el internado, la dicha inefable de aquellos pocos días pasados a la espera de Jesús me compensó abundantemente... No creo que se puedan saborear estas alegrías en otra parte que en las comunidades religiosas.

Como éramos pocas niñas, era fácil ocuparse de cada una en particular, y nuestras profesoras nos prodigaron en esos días unos cuidados verdaderamente maternales. De mí se ocupaban aún más que de las otras. Todas las noches, la primera profesora venía con su linternita a darme un beso en la cama y me demostraba un gran cariño. Una noche, ganada por su bondad, le dije que iba a confiarle un secreto; y sacando misteriosamente mi precioso *librito* de debajo de la almohada, se lo enseñé con los ojos resplandecientes de alegría...

Por la mañana, me resultaba muy divertido ver a todas las alumnas levantarse apenas nos despertaban, y hacer lo que hacían todas. Pero yo no estaba acostumbrada a arreglarme sola, y María no estaba allí para *rizarme* el pelo. Así que tenía que ir tímidamente a presentar mi peine a la profesora encargada del cuarto de tocador, la cual se reía al ver a una jovencita de once años que no sabía arreglarse por sí sola; pero me peinaba, aunque no con la delicadeza de María; sin embargo, no me atrevía a *chillar*, como hacía todos los días bajo la *delicada* mano de mi *madrina*...

Durante estos ejercicios pude comprobar que era una niña mimada y rodeada de cariño como pocas en el mundo, sobre todo entre las niñas huérfanas de madre... Todos los días, María y Leonia venían a verme con papá, que me colmaba de caricias. Así que no sufrí por estar lejos de la familia y no hubo nada que oscureciese el hermoso cielo de mis ejercicios.

Escuchaba con mucha atención las pláticas que nos daba el Sr. abate Domin, y hasta escribía un resumen de las mismas. En cuanto a mis propios *pensamientos*, no quise escribir ninguno, segura de que me acordaría bien de ellos, como así fue...

Me gustaba mucho ir con las religiosas a todos los oficios. Llamaba la atención entre mis compañeras por un *gran crucifijo* que me había regalado Leonia y que llevaba puesto en el cinturón como los misioneros. Aquel crucifijo despertaba la envidia de las religiosas, que pensaban que, al llevarlo, yo quería imitar a mi *hermana la carmelita*...

¡Y sí, hacia ella volaban mis pensamientos! Yo sabía que *mi Paulina* estaba de ejercicios como yo, no para que Jesús se entregase a ella, sino para entregarse ella a Jesús, y aquella soledad, pasada en la espera, me resultaba por eso doblemente grata...

Recuerdo que una mañana me habían llevado a la enfermería porque tosía mucho (desde mi enfermedad, las profesoras se preocupaban mucho por mi salud: por un ligero dolor de cabeza, o si me veían más pálida que de costumbre, me mandaban ya a tomar el aire o a descansar en la enfermería). Vi entrar a mi *Celina* querida; había conseguido permiso para verme, a pesar de estar en ejercicios, para regalarme una estampa que me gustó mucho; era «La florecita del Divino Prisionero». ¡Cómo me gustó recibir este recuerdo de manos de *Celina*...! ¡Cuántos sentimientos de amor no me ha inspirado...!

La víspera del gran día recibí por segunda vez la absolución. La confesión general me dejó una gran paz en el alma, y Dios no permitió que viniera a turbarla ni la más ligera nube.

Por la tarde pedí perdón a *toda la familia*, que fue a verme, pero sólo pude hablar el lenguaje de las lágrimas, pues estaba demasiado emocionada... Paulina no estaba allí, pero sabía que estaba muy cerca de mí con el corazón. Me había mandado con María una *preciosa estampa* que no me cansaba de admirar y de hacer admirar a todo el mundo...

Había escrito al P. Pichon para encomendarme a sus oraciones, y diciéndole también que pronto sería carmelita y que entonces él sería mi director espiritual. (Y así ocurrió efectivamente cuatro años más tarde, pues en el Carmelo pude abrirle mi alma...). María me entregó una carta *suya*. ¡Realmente, era feliz...! Todas las alegrías me llegaban juntas.

Lo que más me gustó de su carta fue esta frase: «¡Mañana celebraré el santo sacrificio por ti y por Paulina!» El 8 de mayo Paulina y Teresa quedaron más unidas que nunca, pues Jesús parecía fundirlas en una, inundándolas de sus gracias...

Finamente llegó el más hermoso de los días. ¡Qué inefables recuerdos han dejado en mi alma hasta los *más pequeños detalles* de esta jornada de cielo...! El gozoso despertar de la aurora, los besos *respetuosos* y tiernos de las profesoras y de las compañeras mayores... La gran sala repleta de *copos de nieve*, con los que nos iban vistiendo a las niñas una tras otra. Y sobre todo, la entrada en la capilla y el precioso canto *matinal* «¡Oh altar sagrado, que rodean los ángeles!»

Pero no quiero entrar en detalles. Hay cosas que si se exponen al aire pierden su perfume, y hay *sentimientos* del *alma* que no pueden traducirse al lenguaje de la tierra sin que pierdan su sentido íntimo y celestial. Son como aquella «piedra blanca que se dará al vencedor, en la que hay escrito un nombre nuevo que *sólo conoce* el que la recibe».

¡Qué dulce fue el primer beso de Jesús a mi alma...! Fue un beso de *amor*. Me sentía amada, y decía a mi vez: «Te amo y me entrego a ti para siempre».

No hubo preguntas, ni luchas, ni sacrificios. Desde hacía mucho tiempo, Jesús y la pobre Teresita se habían *mirado* y se habían comprendido... Aquel día no fue ya una *mirada*, sino una *fusión*. Ya no eran *dos*: Teresa había desaparecido como la gota de agua que se pierde en medio del océano. Sólo quedaba Jesús, él era el dueño, el rey. ¿No le había pedido Teresa que le quitara su *libertad*, pues su *libertad* le daba miedo? ¡Se sentía tan débil, tan frágil, que quería unirse para siempre a la Fuerza divina...!

Su alegría era demasiado grande y demasiado profunda para poder contenerla. Pronto la inundaron lágrimas deliciosas, con gran asombro de sus compañeras, que más tarde comentaban entre ellas: «–¿Por qué lloraba? ¿Habría algo que la atormentaba? –No, sería porque no tenía a su madre a su lado, o a su hermana la carmelita a la que tanto quiere». No comprendían que, cuando toda la alegría del cielo baja a un corazón, este corazón *desterrado* no puede soportarlo sin deshacerse en lágrimas...

No, el día de mi Primera Comunión, no me entristecía la ausencia de mamá: ¿no estaba el cielo dentro de mi alma, y no ocupaba en él un lugar mi mamá desde hacía mucho tiempo? Entonces, al recibir la visita de Jesús, recibía también la de mi madre querida, que me bendecía y se alegraba de mi felicidad...

Y no lloraba tampoco la ausencia de Paulina. Qué duda cabe de que me habría encantado verla a mi lado, pero hacía mucho tiempo que había aceptado ese sacrificio. Aquel día, sólo la alegría llenaba mi corazón; y yo me unía a mi Paulina, que se estaba entregando de manera irrevocable a Quien tan amorosamente se entregaba a mí...

Por la tarde, fui yo la encargada de pronunciar el acto de consagración a la Santísima Virgen. Era justo que yo, que había sido privada tan joven de la madre de la tierra, hablase en nombre de mis compañeras a mi Madre del cielo.

Puse toda mi alma al *hablarle* y al consagrarme a ella, como una niña que se arroja en los brazos de su Madre y le pide que vele por ella. Y creo que la Santísima Virgen debió de mirar a su florecita y *sonreírle*. ¿No la había curado ella con su *sonrisa visible*...? ¿No había ella depositado en el cáliz de su florecita a su Jesús, la Flor de los campos y el Lirio de los valles...?

Al atardecer de aquel hermoso día, volví a encontrarme con mi familia de la tierra. Ya por la mañana, después de Misa, había abrazado a *papá* y a todos mis queridos parientes. Pero ahora fue la verdadera reunión. Papá, tomando de la mano a su reinecita, se dirigió al *Carmelo*... Allí vi a mi *Paulina* convertida en esposa de Cristo. La vi con su velo, blanco como el mío, y con su corona de rosas... ¡Fue una alegría sin amarguras! ¡Esperaba reunirme pronto con ella, y esperar juntas el *cielo*!

No fui insensible a la fiesta de familia que tuvo lugar en aquel atardecer de mi primera comunión. El precioso reloj que me regaló mi rey me gustó muchísimo. Pero mi alegría era serena, y nada vino a turbar mi paz interior.

María me acostó con ella la noche que siguió a aquel hermoso día, pues a los días más radiantes les sigue la oscuridad, y sólo el día de la primera, de la única, de la eterna comunión del cielo será un día sin ocaso...

El día siguiente a mi Primera Comunión fue también un día hermoso, pero estuvo teñido de melancolía. Ni el precioso vestido que María me había comprado, ni todos los regalos que había recibido me llenaban el corazón. Sólo Jesús podía saciarme. Ansiaba el momento de poder recibirlo por segunda vez.

Aproximadamente un mes después de mi Primera Comunión, fui a confesarme para la fiesta de la Ascensión, y me atreví a pedir permiso para comulgar. Contra toda esperanza, el Sr. abate me lo concedió, y tuve la dicha de arrodillarme a la Sagrada Mesa entre papá y María. ¡Qué dulce recuerdo he conservado de esta segunda visita de Jesús! De nuevo corrieron las lágrimas con inefable dulzura. Me repetía a mí misma sin cesar estas palabras de san Pablo: «Ya no vivo yo, ¡es Jesús quien vive en mí...!»

A partir de esta comunión, se fue haciendo cada vez mayor mi deseo de recibir al Señor. Obtuve permiso para comulgar en todas las fiestas importantes. La víspera de estos días felices, María me sentaba por la tarde sobre sus rodillas y me preparaba como lo había hecho para mi Primera Comunión. Recuerdo que una vez me habló del sufrimiento, diciéndome que probablemente yo no transitaría por ese camino, sino que Dios me llevaría siempre en sus brazos como un niño...

Al día siguiente, después de comulgar, me volvieron a la memoria las palabras de María. Y sentí nacer en mi corazón un *gran deseo de sufrir*, y, al mismo tiempo, la íntima convicción de que Jesús me tenía reservado un gran número de cruces. Y me sentí inundada de tan *grandes* consuelos, que los considero como una de las *mayores* gracias de mi vida.

El sufrimiento se convirtió en mi sueño dorado. Tenía un hechizo que me fascinaba, aun sin acabar de conocerlo. Hasta entonces, había sufrido sin *amar* el sufrimiento; a partir de ese día, sentí por él un verdadero amor.

Sentía también el deseo de no amar más que a Dios y de no hallar alegría fuera de él. Con frecuencia, durante las comuniones, le repetía estas palabras de la Imitación: «¡Oh, Jesús, *dulzura* infinita, cámbiame en *amargura* todos los consuelos de la tierra...!» Esta oración brotaba de mis labios sin esfuerzo y sin dificultad alguna. Me parecía repetirla, no por propia voluntad, sino como una niña que repite las palabras que le inspira un amigo...

Más adelante te diré, Madre querida, cómo tuvo a bien Jesús hacer realidad mi deseo y cómo sólo él fue siempre mi dulzura inefable. Si te hablase de ello ahora, tendría que anticipar el relato de mis años de juventud, y aún me quedan por contar muchos detalles de mi vida de niña.

Confirmación

Poco después de mi Primera Comunión entré de nuevo en ejercicios espirituales para la Confirmación. Me preparé con gran esmero para recibir la visita del Espíritu Santo. No entendía cómo no se cuidaba mucho la recepción de este sacramento de amor. Normalmente, para la Confirmación sólo se hacía un día de retiro. Pero como Monseñor no pudo venir para el día fijado, tuve el consuelo de pasar dos días sumida en profundas reflexiones. Para distraernos, la profesora nos llevó al Monte Casino, donde recogí a manos llenas *margaritas gigantes* para la fiesta del Corpus.

¡Qué gozo sentía en el alma! Al igual que los apóstoles, esperaba jubilosa la visita del Espíritu Santo... Me alegraba al pensar que pronto sería una cristiana perfecta, y, sobre todo, que iba a llevar eternamente marcada en la frente la cruz misteriosa que traza el obispo al administrar este sacramento...

Por fin, llegó el momento feliz. No sentí ningún viento impetuoso al descender el Espíritu Santo, sino más bien aquella *brisa tenue* cuyo susurro escuchó Elías en el monte Horeb...

Aquel día recibí la fortaleza para *sufrir,* ya que pronto iba a comenzar el martirio de mi alma...

Mi Leonia querida fue la madrina, y estaba tan emocionada, que no dejó de llorar durante toda la ceremonia. Recibió conmigo la sagrada comunión, pues aquel día feliz tuve la dicha de volver a unirme a Jesús.

Psadas estas fiestas deliciosas e inolvidables, mi vida volvió a la *normalidad;* es decir, tuve que reanudar la vida de pensionista, que tan penosa me resultaba.

Aquellos días que rodearon mi primera comunión, me gustaba convivir con las niñas de mi edad, todas ellas llenas de buena voluntad y decididas, como yo, a tomar en serio la práctica de la virtud. Pero ahora tenía que volver a ponerme en contacto con alumnas muy diferentes, disipadas, que no querían guardar el reglamneto, y eso me hacía muy desdichada.

Yo era de carácter alegre, pero no sabía jugar a los juegos de las niñas de mi edad. Muchas veces, en el recreo, me apoyaba en un árbol y desde allí contemplaba el *espectáculo* sumida en profundas reflexiones.

Había inventado un juego que me gustaba mucho. Consistía en enterrar a los pobres pajaritos que encontrábamos muertos bajo los árboles. Muchas alumnas se animaron a ayudarme, de forma que nuestro cementerio quedó muy bonito, todo plantado de árboles y flores proporcionados al tamaño de nuestros pajaritos.

También me gustaba contar historietas que yo misma inventaba a medida que me iban viniendo a la imaginación. Entonces mis compañeras me rodeaban presurosas, y a veces algunas de las mayores se unían al grupo de las oyentes. Una misma historia solía durar varios días, pues me gustaba hacerla cada vez más interesante a medida que iba viendo en los rostros de mis compañeras la impresión que producía. Pero la profesora no tardó en prohibirme ese oficio de *orador*, pues quería vernos jugar y *correr*, en lugar de *discurrir*...

Retenía con facilidad el sentido de lo que estudiaba, pero me costaba trabajo aprender de memoria. Por eso, el año que precedió a mi primera comunión, pedía permiso casi todos los días para estudiar el catecismo durante el recreo. Mi esfuerzos se vieron coronados por el éxito, y fui siempre la primera. Si, por casualidad, perdía ese puesto por una *sola palabra que hubiera olvidado*, mi dolor se exteriorizaba en lágrimas amargas que el Sr. abate Domin no sabía cómo calmar... Estaba muy contento de mí (excepto cuando lloraba) y me llamaba su *doctorcito*, debido a mi nombre de Teresa.

Una vez, la alumna que me seguía no supo hacer a su compañera la pregunta del catecismo. El Sr. abate preguntó en vano a toda la fila de alumnas, hasta llegar a mí, y entonces dijo que quería ver si merecía el primer puesto. Yo, en mi *profunda humildad*, no deseaba otra cosa, y, levantándome, muy segura de mí misma, contesté a lo que se me preguntaba sin cometer ni un solo error, con gran asombro de toda la clase...

Mi interés por el catecismo continuó, después de mi primera comunión, hasta que salí del internado. Me iba muy bien en los estudios y era casi siempre la primera. En lo que más descollaba era en historia y en redacción. Todas mis profesoras me tenían por una alumna muy inteligente. Pero no sucedía lo mismo en casa de mi tío, donde pasaba por ser una pequeña ignorante, buena y dulce, sí, pero poco capaz y torpe...

No me extraña esa opinión que mis tíos tenían de mí, y que sin duda aún siguen teniendo, pues apenas hablaba y era muy tímida, y cuando escribía, mi *letra* de *gato* y mi ortografía, que no es más que normalita, no eran para *entusiasmar* a nadie...

Verdad es que las pequeñas labores de costura, de bordado y otras por el estilo se me daban bien y a gusto de mis profesoras. Pero la manera *torpe* y desmañada de sujetar la *labor* justificaba la opinión poco favorable que tenían de mí.

Todo esto lo considero como una gracia, pues Dios, que quería mi corazón sólo para él, escuchaba ya mi súplica, «cambiándome en amargura todos los consuelos de la tierra». Y, por cierto, que tenía una gran necesidad de ello, pues no era precisamente insensible a los elogios. Con bastante frecuencia alababan delante de mí la inteligencia de las demás, pero nunca la mía, por lo que llegué a la conclusión de que no era inteligente, y me resigné a no serlo...

Mi corazón sensible y cariñoso se hubiera entregado fácilmente si hubiera encontrado un corazón capaz de comprenderlo.

Intenté trabar amistad con algunas niñas de mi edad, sobre todo con dos de ellas. Yo las quería, y también ellas me querían a mí en la medida en que *podían*. Pero, ¡¡¡ay, qué *raquítico* y *voluble* es el corazón de las criaturas...!!! Pronto comprobé que mi amor no era correspondido. Una de mis amigas tuvo que irse a su casa, y regresó pocos meses después. Durante su ausencia, yo la *había recordado* y había guardado cuidadosamente un pequeña sortija que me había regalado. Al ver de nuevo a mi compañera, me alegré mucho, pero, ¡ay!, sólo logré de ella una mirada indiferente... Mi amor no era comprendido. Lo sentí mucho, y no quise *mendigar* un cariño que me negaban. Pero Dios me ha dado un corazón tan fiel, que cuando ama a alguien limpiamente, lo ama para siempre; por eso, seguí rezando por mi compañera y aún la sigo queriendo...

Al ver que Celina se había *encariñado* de una de nuestras profesoras, yo quise imitarla; pero como no sabía ganarme la simpatía de las criaturas, no pude conseguirlo.

¡Feliz ignorancia, que me ha librado de tantos males...! ¡Cómo le agradezco a Jesús que no me haya hecho encontrar más que «amargura en las amistades de la tierra»! Con un corazón como el mío, me habría dejado atrapar y cortar las alas, y entonces ¿cómo hubiera podido «volar y hallar reposo»? ¿Cómo va a poder unirse íntimamente a Dios un corazón entregado al afecto de las criaturas?... Pienso que es imposible. Aunque no he llegado a beber de la copa emponzoñada del amor demasiado ardiente de las criaturas, sé que no me equivoco. ¡He visto a tantas almas volar como pobres mariposas y quemarse las alas, seducidas por esta *luz engañosa*, y luego volver a la verdadera, a la dulce luz del *amor*, que les daba nuevas alas, más brillantes y más ligeras, para poder volar hacia Jesús, ese Fuego divino «que arde sin consumirse»!

¡Sí, lo sé! Jesús me veía demasiado débil para exponerme a la tentación. Tal vez me hubiera dejado quemar toda entera por esa *luz engañosa*, si la hubiera visto brillar ante mis ojos... Pero no fue así. Yo sólo he encontrado amargura donde otras almas más fuertes encuentran alegría y se desprenden de ella por fidelidad.

No tengo, pues, ningún mérito por no haberme entregado al amor de las criaturas, ya que sólo la misericordia de Dios me preservó de hacerlo... Reconozco que, sin Él, habría podido caer tan bajo como santa María Magdalena, y las profundas palabras de Nuestro Señor a Simón resuenan con gran dulzura en mi alma... Lo sé muy bien: «Al que poco se le perdona, poco ama». Pero sé también que a mí Jesús me ha *perdonado mucho más* que a *santa María Magdalena*, pues me ha perdonado *por adelantado*, impidiéndome caer.

¡Cómo me gustaría saber explicar lo que pienso...! Voy a poner un ejemplo.

Supongamos que el hijo de un doctor muy competente encuentra en su camino una piedra que lo hace caer, y que en la caída se rompe un miembro. Su padre acude enseguida, lo levanta con amor y cura sus heridas, valiéndose para ello de todos los recursos de su ciencia; y pronto su hijo, completamente curado, le demuestra su gratitud. ¡Qué duda cabe de que a ese hijo le sobran motivos para amar a su padre!

Pero voy a hacer otra suposición. El padre, sabiendo que en el camino de su hijo hay una piedra, se apresura a ir antes que él y la retira (sin que nadie lo vea). Ciertamente que el hijo, objeto de la ternura previsora de su padre, si desconoce la desgracia de la que lo ha librado su padre, no le manifestará su gratitud y lo *amará menos* que si lo hubiese curado... Pero si llega a saber el peligro del que acaba de librarse, ¿no lo *amará todavía mucho más?*

Pues bien, yo soy esa hija, objeto del amor previsor de un *Padre* que no ha enviado a su Verbo a rescatar a los *justos* sino a los *pecadores.* Él quiere que yo lo *ame* porque me ha *perdonado,* no mucho, sino *todo.* No ha esperado a que yo lo *ame mucho,* como santa María Magdalena, sino que ha querido que yo sepa hasta qué punto él me ha amado a mí, con un amor de admirable prevención, para que ahora yo lo ame a él ¡con *locura...!*

He oído decir que no se ha encontrado todavía un alma pura que haya amado más que un alma arrepentida. ¡Cómo me gustaría desmentir esas palabras...!

Enfermedad de los escrúpulos

Veo que me he alejado mucho del tema, así que me apresuro a volver a él.

El año que siguió a mi Primera Comunión transcurrió, casi todo él, sin pruebas interiores para mi alma. Pero durante el retiro para la segunda comunión me vi asaltada por la terrible enfermedad de los escrúpulos... Hay que pasar por ese martirio para saber lo que es. ¡Imposible decir lo que sufrí durante un año y *medio...!* Todos mis pensamientos y mis acciones, aun los más sencillos, se me convertían en motivo de turbación. La única forma de recobrar la paz era contárselo a María, lo cual me costaba mucho, pues me creía obligada a decirle hasta los pensamientos extravagantes que tenía acerca de ella misma. En cuanto soltaba mi carga, disfrutaba por un momento de paz; pero esa paz pasaba como un relámpago, y enseguida volvía a comenzar mi martirio.

¡Cuánta paciencia tuvo que tener mi querida María para escucharme sin dar nunca muestras de cansancio...!

Apenas volvía de la Abadía, ya se ponía a rizarme el pelo para el día siguiente (pues, para dar gusto a papá, la reinecita llevaba todos los días el pelo rizado, con gran admiración de sus compañeras, y especialmente de las profesoras, que no veían a niñas tan bien atendidas por sus padres). Durante la sesión, yo no dejaba de llorar, contando todos mis escrúpulos.

Al terminar el año, Celina terminó sus estudios y regresó a casa. Y la pobre Teresa, que tuvo que volver sola al colegio, no tardó en caer enferma. El único atractivo que la retenía en el internado era vivir con su inseparable Celina; sin ella, «su hijita» ya no podía seguir allí...

Señora de Papinau

Salí, pues, de la Abadía a la edad de 13 años, y continué mi educación recibiendo varias clases a la semana en casa de la «Sra. de Papinau». Era una persona muy buena, y *muy culta*, pero con ciertos aires de solterona. Vivía con su madre, y era una maravilla ver las buenas migas que hacían las tres (pues la *gata* era también de la *familia*, y yo tenía que soportar que ronronease sobre mis cuadernos, e incluso admirar su linda figura).

Tenía la ventaja de vivir en la intimidad de la familia. Como los Buissonnets quedaban demasiado lejos para las piernas ya un poco viejas de mi profesora, había pedido que fuera yo a su casa para las clases.

Cuando llegaba, normalmente no encontraba más que a la anciana señora de Cochain, que me miraba «con sus grandes ojos claros» y luego llamaba con voz serena y juiciosa: «¡Señora de Papinau..., la se...ñorita Te...resa está aquí...!» Su hija le contestaba inmediatamente, con voz *infantil*: «Ya voy, mamá». Y luego empezaba la clase.

Estas clases tenían también la ventaja (además de la instrucción que en ellas recibía) de hacerme conocer el mundo... ¡Quién lo hubiera creído...! En aquella sala, amueblada a la antigua, yo asistía con frecuencia, rodeada de libros y de cuadernos, a visitas de toda índole: sacerdotes, señoras, señoritas, etc. La señora de Cochain llevaba la batuta de la conversación todo lo que podía, para que su hija pudiera darme la clase; pero esos días no aprendía apenas nada: con la nariz encima del libro, escuchaba todo lo que decían, e incluso lo que más me valiera no haber escuchado, pues la vanidad se desliza muy fácilmente en el corazón... Una señora decía que yo tenía un pelo precioso; otra, al despedirse, creyendo que yo no la oía, preguntaba quién era aquella muchacha tan bonita. Y esas palabras, tanto más halagadoras cuanto que no se decían delante de mí, dejaban en mi alma una sensación de placer que me demostraba a las claras lo llena de amor propio que yo estaba.

¡Qué lástima me dan las almas que se pierden...! Es tan fácil extraviarse por los senderos floridos del mundo... Ciertamente, para un alma un tanto elevada, la dulzura que él ofrece va mezclada de amargura, y el vacío *inmenso* de los *deseos* nunca podrá llenarse con las alabanzas de un instante...

Pero si mi corazón no se hubiese *elevado hacia Dios desde su primer despertar*, si el mundo me hubiese sonreído desde mi entrada en la vida, ¿qué habría sido de mí...?

¡Madre querida, con cuánta gratitud canto las misericordias del Señor...! ¿No me retiró él del mundo, según las palabras de la Sabiduría, «antes de que la malicia pervirtiera mi conciencia y de que la perfidia sedujera mi alma...»?

También la Santísima Virgen velaba por su florecita, y no queriendo que se marchitase al contacto con las cosas de la tierra, se la llevó a *su montaña* antes de que se abriese su corola... Mientras esperaba la llegada de ese momento feliz, Teresita iba creciendo en el amor a su Madre del cielo, y para demostrarle ese amor hizo *algo* que le *costó mucho* y que voy a contar en pocas palabras a pesar de su *extensión*.

Hija de María

Casi inmediatamente después de mi entrada en la Abadía, ingresé en la Congregación de los Santos Ángeles. Me gustaban mucho los ejercicios de devoción que en ella se prescribían, pues sentía una especial inclinación a invocar a los bienaventurados espíritus celestiales, y en particular al que Dios me dio para que fuera el compañero de mi destierro.

Poco tiempo después de mi primera comunión, la banda de aspirante a las Hijas de María sustituyó a la de los Santos Ángeles, pero abandoné la Abadía sin haber sido recibida en esa congregación de la Santísima Virgen. Como salí antes de terminar los estudios, no se me permitía entrar en ella como antigua alumna. Confieso que ese privilegio no me atraía demasiado; pero pensando que todas mis hermanas habían sido «hijas de María», no quería ser menos hija que ellas de mi Madre del cielo, y fui muy humildemente (a pesar de lo mucho que costaba) a pedir permiso para ingresar en la congregación de la Santísima Virgen, en la Abadía. La primera profesora no quiso negármelo, pero me puso como condición que tenía que venir al colegio dos días a la semana, por la tarde, para demostrar que era digna de ser admitida.

Este permiso, lejos de agradarme, me costó enormemente. Yo no tenía, como las demás alumnas, una *profesora amiga* con quien poder ir a pasar el tiempo. Así es que me conformaba con ir a saludar a la profesora, y luego trabajaba en silencio hasta que terminaba la clase de labores. Nadie se fijaba en mí. Así que subía a la tribuna de la capilla y me estaba allí delante del Santísimo hasta que papá venía a buscarme.

Este era mi único consuelo. ¿No era acaso Jesús mi *único amigo...?* No sabía hablar con nadie más que con él. Las conversaciones con las criaturas, incluso las conversaciones piadosas, me cansaban el alma... Sentía que vale más hablar con Dios que hablar de Dios, ¡pues se suele mezclar tanto amor propio en las conversaciones espirituales...!

¡Sólo por la Santísima Virgen iba a la Abadía...!

A veces me sentía sola, muy sola. Como en los días de mi vida de internado, cuando me paseaba triste y enferma por el enorme patio, no me cansaba de repetir estas palabras, que hacían renacer siempre la paz y la fuerza en mi corazón: «La vida es tu navío, no tu morada». Cuando era pequeñita, estas palabras me levantaban la moral. Y todavía hoy, a pesar de los años, que hacen que desaparezcan tantos sentimientos de piedad infantil, la imagen del navío sigue cautivando mi alma y la ayuda a soportar el destierro... ¿No dice la Sabiduría que la vida es «como nave que surca las aguas agitadas sin dejar rastro alguno de su travesía...?»

Cuando pienso en estas cosas, mi alma se abisma en el infinito y me parece estar tocando ya las riberas eternas... Me parece estar ya recibiendo el abrazo de Jesús... Creo ver a mi Madre del cielo salirme al encuentro con papá..., con mamá... y con los cuatro angelitos... Creo estar gozando, por fin, para siempre de la verdadera, de la única vida de familia...

Nuevas separaciones

Pero antes de ver a la familia reunida en el *hogar paterno* del cielo, tenía que sufrir aún muchas separaciones.

El mismo año en que fui recibida como hija de la Santísima Virgen, ésta me arrebató a mi querida María, el único sostén de mi alma... María era quien me guiaba, quien me consolaba, quien me ayudaba a practicar la virtud, ella era mi único oráculo. Es cierto que Paulina ocupaba un lugar privilegiado en mi corazón, pero Paulina estaba lejos, muy lejos de mí... Me había costado un verdadero martirio acostumbrarme a vivir sin ella, a ver interpuestos entre ella y yo unos muros infranqueables, pero al fin había acabado por aceptar la triste realidad: había perdido a Paulina, casi como si se hubiera muerto. Ella me seguía queriendo, sí, y rezaba por mí; pero a mis ojos, *mi Paulina* querida se había convertido en una santa que ya no sabía de las cosas de la tierra, y las miserias de su pobre Teresa, si las conociera, le extrañarían y la llevarían a no quererla tanto... Además, aunque hubiera querido confiarle mis secretos, como en los Buissonnets, no hubiera podido hacerlo, pues las visitas en el locutorio eran sólo para María. Celina y yo no teníamos permiso para entrar más que al *final,* y justo el tiempo para que se nos oprimiese el corazón...

Por eso, no tenía en realidad más que a María, que me era, por así decirlo, indispensable. Sólo a ella le contaba mis escrúpulos; y la obedecía tan ciegamente, que mi confesor nunca llegó a conocer mi vergonzosa enfermedad: yo sólo le decía el número de pecados que María me permitía confesar, ni uno más. Así que podría haber pasado por el alma menos escrupulosa del mundo, a pesar de serlo en sumo grado.

María sabía, pues, todo lo que pasaba en mi alma y conocía también mis deseos del Carmelo; y yo la quería tanto, que no podía vivir sin ella. Todos los años, nuestra tía nos invitaba a ir, turnándonos, a su casa de Trouville. A mí me gustaba mucho ir, pero con María; cuando no la tenía a mi lado, me aburría mucho.

Una vez, sin embargo, me lo pasé bien en Trouville. Fue el año en que papá realizó el viaje a Constantinopla. Para distraernos un poco (pues estábamos muy tristes porque papá estaba tan lejos), María nos mandó a Celina y a mí a pasar quince días en la playa. Yo me divertí mucho, porque tenía conmigo a Celina. Nuestra tía nos daba todos los gustos posibles: paseos en burro, pesca de agujas, etc.

Yo era todavía muy niña, a pesar de mis doce años y medio. Me acuerdo de la alegría que sentí cuando me puse las preciosas cintas azules que mi tía me regaló para el pelo; y también recuerdo que me confesé en Trouville de esa complacencia infantil, que me parecía pecado...

Una noche, tuve una experiencia que me abrió mucho los ojo.. María (Guérin), que casi siempre estaba enferma, *lloriqueaba* con frecuencia, y entonces mi tía la mimaba y le prodigaba los nombres más tiernos, sin que por eso mi querida primita dejase de lloriquear y de quejarse de que le dolía la cabeza. Yo, que tenía también casi todos los días dolor de cabeza, y no me quejaba, quise una noche imitar a María y me puse a lloriquear echada en un sillón, en un rincón de la sala. Enseguida Juana y mi tía vinieron solícitas a mi lado, preguntándome qué tenía. Yo les contesté, como María: «Me duele la cabeza». Pero al parecer eso de quejarme no me resultaba, pues no pude convencerlas de que fuese el dolor de cabeza lo que me hacía llorar. En lugar de mimarme, me hablaron como a una persona mayor y Juana me reprochó el que no tuviera confianza con mi tía, pues pensaba que lo que yo tenía era un problema de conciencia... En fin, salí sin más daño que el haber trabajado inútilmente y muy decidida a no volver a imitar nunca a los demás, y comprendí la fábula de «El *asno* y el *perrito*». Yo era como el asno, que, viendo las caricias que le hacían al perrito, fue a poner su pesada pata sobre la mesa para recibir también él su ración de besos. Pero, ¡ay!, si no recibí palos, como el pobre animal, recibí realmente el pago que me merecía, y la lección me curó para toda la vida del deseo de atraer sobre mí la atención de los demás. ¡El único intento que hice para ello me costó demasiado caro...!

Al año siguiente, que fue el de la partida de mi querida madrina, nuestra tía me volvió a invitar, pero en esta ocasión a mí sola, y me encontré tan perdida y tan fuera de lugar, que al cabo de dos o tres días caí enferma y tuvieron que llevarme de vuelta a Lisieux. La enfermedad, que temían que fuese grave, no era más que nostalgia de los Buissonnets, y apenas puse los pies en ellos me curé...

Bien, pues a esa niña iba Dios a arrebatarle el único apoyo que la ataba a la vida...

En cuanto supe la decisión de María, tomé la resolución de no volver a apegar mi corazón a nada en la tierra...

Después de salir del internado, me había instalado en el cuarto de pintura de *Paulina* y lo había arreglado a mi gusto. Era una verdadera leonera, una mezcla de objetos de piedad y curiosidades, un jardín y una pajarera...

Así, por ejemplo, en el fondo destacaba sobre la pared una *gran cruz* de madera negra, sin Cristo, y unos dibujos que me gustaban. En otra pared, una cesta adornada con muselina y con cintas de color rosa con hierbas finas y flores. Finalmente, en la otra pared, campeaba el retrato de *Paulina* a los diez años. Y bajo este retrato tenía una mesa sobre la que estaba colocada una *gran jaula* en la que había encerrados un gran número de pájaros cuyo gorjeo melodioso aturdía a los visitantes, pero no a su amita, que los quería mucho...

Tenía también el «mueblecito blanco», repleto de mis libros de texto, cuadernos, etc.; y sobre este mueble tenía colocada una estatua de la Santísima Virgen con floreros siempre llenos de flores naturales y con candeleros; y, todo alrededor, una gran cantidad de imagencitas de santos y santas, cestitas de conchas, cajas de cartulina, etc. Por último, delante de la ventana, mi jardín *colgante*, en el que cuidaba macetas (con las flores más raras que lograba encontrar). Tenía también, en el interior de «mi museo», una jardinera, en la que ponía mi planta favorita...

Frente a la ventana, estaba colocada la mesa, cubierta con un tapete verde, y sobre el tapete, en el medio, tenía puesto un *reloj de arena*, una imagencita de san José, un portarrelojes, cestas de flores, un tintero, etc... Algunas sillas rotas y la preciosa cuna de muñecas de Paulina completaban mi ajuar.

Realmente, esta pobre buhardilla era un mundo para mí, y, como el Sr. de Maistre, también yo podría componer un libro titulado «Paseo alrededor de mi cuarto». En esta habitación me gustaba pasarme horas enteras, estudiando y meditando ante el hermoso panorama que se abría ante mis ojos...

Al conocer la partida de María, mi *cuarto* perdió para mí todo su encanto. No quería separarme ni un solo instante de la hermana querida que pronto iba a levantar el vuelo... ¡Cuántos actos de paciencia le hice practicar! *Cada vez* que pasaba ante la puerta de su habitación, llamaba hasta que me abría y la besaba con toda el alma; quería hacer provisión de besos para todo el tiempo que iba a verme privada de ellos.

Un mes antes de su entrada en el Carmelo, papá nos llevó a Alençon, pero este viaje estuvo muy lejos de parecerse al primero: todo fue para mí tristeza y amargura. Imposible decir cuántas lágrimas lloré sobre la tumba de mamá porque me había olvidado de llevar un ramillete de acianos que había recogido para ella.

Verdaderamente, en *todo* encontraba motivos para sufrir. Todo lo contrario que ahora, pues Dios me concede la gracia de no abatirme por nada pasajero. Cuando me acuerdo del pasado, mi alma desborda de gratitud al ver los favores que he recibido del cielo. Se ha operado en mí tal cambio, que estoy desconocida... Verdad es que deseaba alcanzar la gracia «de tener un dominio absoluto sobre mis acciones, de ser su dueña y no su esclava». Estas palabras de la Imitación me llegaban muy a lo hondo, pero, por así decirlo, tenía que comprar con mis deseos esta gracia inestimable. No era todavía más que una niña que no parecía tener otra voluntad que la de los demás, lo cual hacía decir a la gente de Alençon que era débil de carácter...

Fue durante este viaje cuando Leonia entró a prueba en las clarisas. A mí me dolió su *extraña* entrada, pues la quería mucho y no pude darle un abrazo antes de que se fuera.

Nunca olvidaré la bondad y la confusión de nuestro pobre papaíto cuando vino a comunicarnos que Leonia vestía ya el hábito de clarisa... A él, igual que a nosotras, le parecía una cosa muy rara, pero no quería decir nada al ver lo disgustada que estaba María. Nos llevó al convento y allí sentí una *congoja* como nunca la había sentido a la vista de un monasterio. Me produjo el efecto contrario al del Carmelo, donde todo me dilataba el alma... Tampoco me entusiasmó más la vista de las religiosas, y no sentí la menor tentación de quedarme con ellas.

No obstante, nuestra pobre Leonia estaba muy guapa con su nuevo traje. Nos dijo que la miráramos bien *a los ojos*, pues ya no volveríamos a verlos (las clarisas no se dejan ver más que con los ojos bajos). Pero Dios se conformó con dos meses de sacrificio, y Leonia volvió a enseñarnos *sus ojos* azules, muy a menudo bañados en lágrimas...

Al dejar Alençon, yo pensé que Leonia se quedaría con las clarisas, por lo que me alejé de la *triste* calle de la *Media Luna* con el corazón muy apenado. Ya no quedábamos más que tres, y pronto nuestra querida María nos iba también a dejar...

¡El 15 de octubre fue el día de la separación! De la alegre y numerosa familia de los Buissonnets ya sólo quedaban las dos últimas hijas... Las palomas habían huido del nido paterno, y las que aún quedaban hubiesen querido volar tras ellas, pero sus alas eran aún demasiado débiles para que pudieran levantar el vuelo...

Dios, que quería llamar hacia sí a la más pequeña y más débil de todas, se apresuró a hacerle crecer las alas. Él, que se complace en mostrar su bondad y su poder sirviéndose de los instrumentos menos dignos, quiso llamarme a mí antes que a Celina, que sin duda merecía más que yo este favor. Pero Jesús conocía muy bien mi debilidad, y por eso me escondió a mí primero en las cavernas de la roca.

Cuando María entró en el Carmelo, yo era todavía muy escrupulosa. Como ya no podía confiarme a ella, me volví hacia el cielo. Me dirigí a los cuatro angelitos que me habían precedido allá arriba, pues pensé que aquellas almas inocentes, que nunca habían conocido ni las turbaciones ni los miedos, deberían tener compasión de su pobre hermanita que estaba sufriendo en la tierra.

Les hablé con la sencillez de un niño, haciéndoles notar que, al ser la última de la familia, siempre había sido la más querida y la más colmada de ternuras por mis hermanas, y que si ellos hubieran permanecido en la tierra me habrían dado también sin duda alguna pruebas de cariño... Su partida para el cielo no me parecía una razón suficiente para que me olvidasen; al contrario, ya que se hallaban en situación de disponer de los tesoros divinos, debían tomar de ellos la *paz* para mí y mostrarme así que también en el cielo se sabe amar...

La respuesta no se hizo esperar. Pronto la paz vino a inundar mi alma con sus olas deliciosas, y comprendí que si era amada en la tierra, también lo era en el cielo...

A partir de aquel momento, fue creciendo mi devoción hacia mis hermanitos y hermanitas, y me gusta conversar a menudo con ellos y hablarles de las tristezas del destierro... y de mi deseo de ir pronto a reunirme con ellos en la patria...

CAPÍTULO V

Después de la gracia
de la Navidad
(1886-1887)

Si el cielo me colmaba de gracias, no era porque yo lo mereciese, pues era aún muy imperfecta. Es cierto que tenía un gran deseo de practicar la virtud, pero lo hacía de una manera muy peregrina. He aquí un ejemplo.

Como era la más pequeña, no estaba acostumbrada a arreglármelas yo sola. Celina arreglaba la habitación donde dormíamos las dos juntas, y yo no hacía ni la menor labor de la casa. Después de la entrada de María en el Carmelo, a veces, por agradar a Dios, intentaba hacer la cama, o bien, cuando Celina no estaba, le metía por la noche sus macetas de flores. Como he dicho, hacía esas cosas *únicamente por Dios*, y por tanto no tenía por qué esperar el *agradecimiento* de las criaturas. Pero sucedía todo lo contrario: si Celina tenía la desgracia de no parecer feliz y sorprendida por mis pequeños servicios, yo no estaba contenta y se lo hacía saber con mis lágrimas...

Debido a mi extremada sensibilidad, era verdaderamente insoportable. Si, por ejemplo, sucedía que hacía sufrir involuntariamente un poquito a un ser querido, en vez de sobreponerme y no *llorar, lloraba* como una Magdalena, lo cual aumentaba mi falta en lugar de atenuarla, y cuando comenzaba a consolarme de lo sucedido, *lloraba* por *haber llorado*. Todos los razonamientos eran inútiles, y no lograba corregirme de tan feo defecto.

No sé cómo podía ilusionarme con la idea de entrar en el Carmelo estando todavía, como estaba, en *los pañales* de la *infancia*...

Era necesario que Dios hiciera un pequeño milagro para hacerme *crecer* en un momento, y ese milagro lo hizo el día inolvidable de Navidad. En esa *noche* luminosa que esclarece las delicias de la Santísima Trinidad, Jesús, el dulce *niñito* recién nacido, cambió la noche de mi alma en torrentes de luz... En esta *noche*, en la que él se hizo *débil* y doliente por mi amor, me hizo a mí *fuerte* y valerosa; me revistió de sus armas, y desde aquella noche bendita ya no conocí la derrota en ningún combate, sino que, al contrario, fui de victoria en victoria y comencé, por así decirlo, «una carrera de gigante».

Se secó la fuente de mis lágrimas y, en adelante, ya no volvió a abrirse sino muy raras veces y con gran dificultad, lo cual justificó estas palabras que un día me habían dicho: «Lloras tanto en la niñez, que más tarde no tendrás ya lágrimas que derramar...»

Fue el 25 de diciembre de 1886 cuando recibí la gracia de salir de la niñez; en una palabra, la gracia de mi total conversión.

Volvíamos de la Misa de Gallo, en la que yo había tenido la dicha de recibir al Dios *fuerte* y *poderoso*.

Cuando llegábamos a los Buissonnets, me encantaba ir a la chimenea a buscar mis zapatos. Esta antigua costumbre nos había proporcionado tantas alegrías durante la infancia, que Celina quería seguir tratándome como una niña, por ser yo la pequeña de la familia... Papá gozaba al ver mi alborozo y al escuchar mis gritos de júbilo a medida que iba sacando las sorpresas de mis *zapatos encantados*, y la alegría de mi querido rey aumentaba mucho más mi propia felicidad.

Pero Jesús, que quería hacerme ver que ya era hora de que me liberase de los defectos de la niñez, me quitó también sus inocentes alegrías: permitió que papá, que venía cansado de la Misa del Gallo, sintiese fastidio a la vista de mis zapatos en la chimenea y dijese estas palabras que me traspasaron el corazón: «¡Bueno, menos mal que éste es el último año...!»

Yo estaba subiendo las escaleras, para ir a quitarme el sombrero. Celina, que conocía mi sensibilidad y veía brillar las lágrimas en mis ojos, sintió también ganas de llorar, pues me quería mucho y se hacía cargo de mi pena. «¡No bajes, Teresa! —me dijo—, sufrirías demasiado al mirar así de golpe dentro de los zapatos».

Pero Teresa ya no era la misma, ¡Jesús había cambiado su corazón! Reprimiendo las lágrimas, bajé rápidamente la escalera, y conteniendo los latidos del corazón, cogí los zapatos y, poniéndolos delante de papá, fui sacando *alegremente* todos los regalos, con el aire feliz de una reina. Papá reía, recobrado ya su buen humor, y Celina creía estar *soñando*... Felizmente, era un hermosa realidad: ¡Teresita había vuelto a encontrar la fortaleza de ánimo que había perdido a los cuatro años y medio, y la conservaría ya para siempre...!

Aquella *noche* de *luz* comenzó el tercer período de mi vida, el más hermoso de todos, el más lleno de gracias del cielo...

La obra que yo no había podido realizar en diez años Jesús la consumó en un instante, conformándose con mi *buena voluntad*, que nunca me había faltado.

Yo podía decirle, igual que los apóstoles: «Maestro, hemos trabajado la noche entera y no hemos sacado nada». Y más misericordioso todavía conmigo que con los apóstoles, Jesús *mismo tomó* la red, la echó y la sacó repleta de peces... Hizo de mí un pescador de *almas*, y sentí un gran deseo de trabajar por la conversión de los pecadores, deseo que no había sentido antes con tanta intensidad... Sentí, en una palabra, que entraba en mi corazón la *caridad*, sentí la necesidad de olvidarme de mí misma para dar gusto a los demás, ¡y desde entonces fui feliz...!

La sangre de Jesús

Un domingo, mirando una estampa de Nuestro Señor en la cruz, me sentí profundamente impresionada por la sangre que caía de sus divinas manos. Sentí un gran dolor al pensar que aquella sangre caía al suelo sin que nadie se apresurase a recogerla. Tomé la resolución de estar siempre con el espíritu al pie de la cruz para recibir el rocío divino que goteaba de ella, y comprendí que luego tendría que derramarlo sobre las almas...

También resonaba continuamente en mi corazón el grito de Jesús en la cruz: *«¡Tengo sed!»*. Estas palabras encendían en mí un ardor desconocido y muy vivo... Quería dar de beber a mi Amado, y yo misma me sentía devorada por la *sed* de *almas*... No eran todavía las almas de los sacerdotes las que me atraían, sino las de los *grandes pecadores*; *ardía* en deseos de arrancarlos del fuego eterno... Y para avivar mi celo, Dios me mostró que mis deseos eran de su agrado.

Pranzini, mi primer hijo

Oí hablar de un gran criminal que acababa de ser condenado a muerte por unos crímenes horribles. Todo hacía pensar que moriría impenitente. Yo quise evitar a toda costa que cayese en el infierno, y para conseguirlo empleé todos los medios imaginables.

Sabiendo que por mí misma no podía nada, ofrecí a Dios todos los méritos infinitos de Nuestro Señor y los tesoros de la santa Iglesia; y por último, le pedí a Celina que encargase una Misa por mis intenciones, no atreviéndome a encargarla yo misma por miedo a verme obligada a confesar que era por Pranzini, el gran criminal.

Tampoco quería decírselo a Celina, pero me hizo tan tiernas y tan apremiantes preguntas, que acabé por confiarle mi secreto. Lejos de burlarse de mí, me pidió que la dejara ayudarme a convertir a *mi pecador*. Yo acepté, agradecida, pues hubiese querido que todas las criaturas se unieran a mí para implorar gracia para el culpable.

En el fondo de mi corazón yo tenía la plena *seguridad* de que nuestros deseos serían escuchados. Pero para animarme a seguir rezando por los pecadores, le dije a Dios que estaba completamente segura de que perdonaría al pobre infeliz de Pranzini, y que lo creería aunque no se *confesase* ni diese *muestra alguna de arrepentimiento*; tanta confianza tenía en la misericordia infinita de Jesús; pero que, simplemente para mi consuelo, le pedía tan sólo *«una señal»* de arrepentimiento...

Mi oración fue escuchada al pie de la letra. A pesar de que papá nos había prohibido leer periódicos, no creí desobedecerle leyendo los pasajes que hablaban de Pranzini. Al día siguiente de su ejecución, cayó en mis manos el periódico «La Croix». Lo abrí apresuradamente, ¿y qué fue lo que vi...? Las lágrimas traicionaron mi emoción y tuve que esconderme... Pranzini no se había confesado, había subido al cadalso, y se disponía a meter la cabeza en el lúgubre agujero, cuando, de repente, tocado por una súbita inspiración, se volvió, tomó el *crucifijo* que le presentaba el sacerdote ¡y *besó* por tres veces sus *llagas sagradas*...! Después su alma voló a recibir la sentencia *misericordiosa* de Aquel que dijo que habrá más alegría en el cielo por un solo pecador que se convierta que por los noventa y nueve justos que no necesitan convertirse...

Había obtenido «la señal» pedida, y esta señal era la fiel reproducción de las gracias que Jesús me había concedido para inclinarme a rezar por los pecadores. ¿No se había despertado en mi corazón la sed de almas precisamente ante las *llagas de Jesús,* al ver gotear su sangre divina? Yo quería darles a beber esa *sangre inmaculada* que los purificaría de sus manchas, ¡¡¡y los labios de *«mi primer hijo»* fueron a posarse precisamente sobre esas llagas sagradas...!!! ¡Qué respuesta de inefable dulzura...!

A partir de esta gracia sin igual, mi deseo de salvar almas fue creciendo de día en día. Me parecía oír a Jesús decirme como a la Samaritana: «¡Dame de beber!»

Era un verdadero intercambio de amor: yo daba a las almas la *sangre* de Jesús, y a Jesús le ofrecía esas mismas almas refrescadas por su *rocío divino*. Así me parecía que aplacaba su sed. Y cuanto más le daba de beber, más crecía la sed de mi pobre alma, y esta sed ardiente que él me daba era la bebida más deliciosa de su amor...

En poco tiempo Dios supo sacarme del estrecho círculo en el que yo daba vueltas y vueltas sin acertar a salir. Al contemplar ahora el camino que él me hizo recorrer, es grande mi gratitud.

Pero he de reconocer que, si el paso más importante estaba dado, todavía eran muchas las cosas que tenía que dejar.

Mi espíritu, liberado ya de los escrúpulos y de su excesiva sensibilidad, comenzó a desarrollarse. Yo siempre había amado lo grande, lo bello, pero en esta época me entraron unos deseos enormes de *saber*. No me conformaba con las clases y con los deberes que me ponía mi profesora, y me dediqué a hacer por mi cuenta estudios extras de *historia* y de *ciencias*. Las otras materias me eran indiferentes, pero estos dos campos del saber despertaban todo mi interés. Y así, en pocos meses, adquirí más conocimientos que durante todos mis años de estudio.

¡Pero eso no era más que vanidad y aflicción de espíritu...! Me venía con frecuencia a la memoria el capítulo de la Imitación en que se habla de las ciencias. Pero, no obstante, yo encontraba la forma de seguir, diciéndome a mí misma que, estando en edad de estudiar, ningún mal había en hacerlo.

No creo haber ofendido a Dios (aunque reconozco que perdí inútilmente el tiempo), pues sólo le dedicaba un número limitado de horas, que no quería rebasar, a fin de mortificar mi deseo exacerbado de saber...

Estaba en la edad más peligrosa para las chicas. Pero Dios hizo conmigo lo que cuenta Ezequiel en sus profecías: «Al pasar junto a mí, Jesús vio que yo estaba ya en la edad del amor. Hizo alianza conmigo, y fui *suya*... Extendió su manto sobre mí, me lavó con perfumes preciosos, me vistió de bordados y me adornó con collares y con joyas sin precio... Me alimentó con flor de harina, miel y aceite en *abundancia*... Me hice cada vez más hermosa a sus ojos y llegué a ser como una reina...»

Sí, Jesús hizo todo eso conmigo. Podría repetir esas palabras que acabo de escribir y demostrar que todas ellas, una por una, se han realzado en mí; pero las gracias que he referido más arriba son ya prueba suficiente de ello. Sólo voy a hablar del alimento que me dio *«en abundancia»*.

La Imitación y Arminjon

Desde hacía mucho tiempo yo me venía alimentando con «da flor de harina» contenida en la Imitación. Este era el único libro que me ayudaba, pues no había descubierto todavía los tesoros escondidos en el Evangelio. Me sabía de memoria casi todos los capítulos de mi querida Imitación, y ese librito no me abandonaba nunca; en verano lo llevaba en el bolsillo, y en invierno en el manguito; era ya una costumbre. En casa de mi tía se divertían mucho a costa de eso y, abriéndolo al azar, me hacían recitar el capítulo que tenían ante los ojos.

A mis 14 años, con mis deseos de saber, Dios pensó que era necesario añadir a «la flor de harina miel y aceite en abundancia». Esa miel y ese aceite me los hizo encontrar en las charlas del Sr. abate Arminjon sobre el fin del mundo presente y los misterios de la vida futura. Este libro se lo habían prestado a papá mis queridas carmelitas; por eso, contra mi costumbre (pues yo no leía los libros de papá), le pedí permiso para leerlo.

Esa lectura fue también una de las mayores gracias de mi vida. La hice asomada a la ventana de mi cuarto de estudio, y la impresión que me produjo es demasiado íntima y demasiado dulce para poder contarla...

Todas las grandes verdades de la religión y los misterios de la eternidad sumergían mi alma en una felicidad que no era de esta tierra. Vislumbraba ya lo que Dios tiene reservado para los que lo aman (pero no con los ojos del cuerpo, sino con los del corazón). Y viendo que las recompensas eternas no guardaban la menor proporción con los insignificantes sacrificios de la vida, quería *amar, amar apasionadamente* a Jesús y darle mil muestras de amor mientras pudiese...

Copié varios pasajes sobre el amor perfecto y sobre la acogida que Dios dispensará a sus elegidos cuando *él mismo* sea su grande y eterna recompensa. Y repetía sin cesar las palabras de amor que habían abrasado mi corazón...

Celina se había convertido en la confidente íntima de mis pensamientos. Desde la noche de Navidad ya podíamos comprendernos: la diferencia ya no existía, pues yo había crecido en estatura, y sobre todo en gracia.

Anteriormente a esta época, yo me quejaba con frecuencia de no conocer los secretos de Celina; ella me contestaba que yo era demasiado pequeña, y que tendría que crecer la altura de un taburete para que pudiese tener confianza en mí... A mí me gustaba subirme a aquel precioso taburete cuando estaba junto a ella, y le decía que me hablase íntimamente; pero la treta no me daba resultado, la distancia nos seguía separando...

Jesús, que quería hacernos progresar juntas, formó en nuestros corazones unos lazos más fuertes que los de la sangre. Nos hizo *hermanas del alma*. Se hicieron realidad en nosotras las palabras del Cántico Espiritual de san Juan de la Cruz (cuando la esposa exclama, hablando al Esposo):

> *«A zaga de tu huella,*
> *las jóvenes discurren al camino,*
> *al toque de centella,*
> *al adobado vino,*
> *emisiones de bálsamo divino.»*

Sí, seguíamos muy ligeras las huellas de Jesús. Las centellas de amor que él sembraba a manos llenas en nuestras almas y el vino fuerte y delicioso que nos daba a beber hacían desaparecer de nuestra vista las cosas pasajeras, y de nuestros labios brotaban emisiones de amor inspiradas por él.

¡Qué dulces eran las conversaciones que todas las noches teníamos en el mirador! Con la mirada hundida en la lejanía, contemplábamos la blanca luna que se elevaba lentamente por detrás de los altos árboles... y los reflejos plateados que derramaba sobre la naturaleza dormida, las brillantes estrellas que titilaban en el azul profundo..., el soplo ligero de la brisa nocturna que hacía flotar las nubes de nieve. Y todo elevaba nuestras almas hacia el cielo, del que no contemplábamos todavía más que «el límpido reverso»...

No sé si me equivoco, pero creo que la expansión de nuestras almas se parecía a la de santa Mónica y su hijo, cuando en el puerto de Ostia caían los dos sumidos en éxtasis a la vista de las maravillas del Creador...

Me parece que recibíamos gracias de un orden tan elevado como las concedidas a los grandes santos. Como dice la Imitación, a veces Dios se comunica en medio de un fuerte resplandor, a veces «tenuemente velado, bajo sombras y figuras». De esta manera se dignaba manifestarse a nuestras alma, ¡pero qué *fino* y *transparente* era el velo que ocultaba a Jesús de nuestras miradas...! No había lugar para la duda, ya no eran necesarias la fe ni la esperanza: el *amor* nos hacía encontrar en la tierra al que buscábamos. «Al encontrarlo solo en la calle, nos besó, para que en adelante nadie pudiera despreciarnos.»

Gracias tan grandes no podían quedar sin frutos, y éstos fueron abundantes. La práctica de la virtud se nos hizo dulce

125

y natural. Al principio, mi rostro delataba muchas veces el combate, pero poco a poco esa impresión fue desapareciendo y la renuncia se me hizo fácil, incluso desde el primer momento. Ya lo dijo Jesús: «Al que tiene se le dará, y tendrá de sobra». Por una gracia recibida con fidelidad, me otorgaba cantidad de gracias nuevas...

Se entregaba a mí en la sagrada Comunión con mucha más frecuencia de la que yo me hubiera atrevido a esperar. Yo tenía como norma de conducta comulgar todas las veces que el confesor me lo permitiera, sin fallar una sola vez, pero dejando que fuese él quien decidiese cuántas, sin pedírselo nunca yo.

En esa época no tenía la *audacia* que ahora tengo; de haberla tenido, hubiera actuado de distinta manera, pues estoy convencida de que un alma debe decir a su confesor el deseo que siente de recibir a su Dios. Él no baja del cielo *un día y otro día* para quedarse en un copón dorado, sino para encontrar otro cielo que le es infinitamente más querido que el primero: el cielo de nuestra alma, creada a su imagen y templo vivo de la adorable Trinidad...

Jesús, que veía mis deseos y la rectitud de mi corazón, permitió que mi confesor me dijese que durante el mes de mayo comulgase cuatro veces por semana; y cuando pasó ese hermoso mes, todavía añadió una quinta más cada vez que cayese alguna fiesta. Al salir del confesionario, brotaron de mi ojos lágrimas muy dulces. Me parecía que Jesús mismo quería entregarse a mí, pues yo era muy breve en mis confesiones y nunca dije ni una palabra acerca de lo que sentía interiormente.

El camino por el que iba eran tan recto y luminoso, que no necesitaba más guía que a Jesús... Comparaba a los directores a espejos fieles que reflejaban a Jesús en las almas, y decía que en mi caso Dios no se servía de intermediarios, sino que actuaba directamente él...

Deseos de entrar en el Carmelo

Cuando un jardinero rodea de cuidados a una fruta que quiere que madure antes de tiempo, no es para dejarla colgada en el árbol sino para presentarla en una mesa ricamente servida. Con parecida intención prodigaba Jesús sus gracias a su florecita... Él, que en los días de su vida mortal exclamó en un transporte de alegría: «Te doy gracias, Padre, porque has escondido estas cosas a los sabios y a los entendidos, y las has revelado a la gente sencilla», quería hacer resplandecer en mí su misericordia. Porque yo era débil y pequeña, se abajaba hasta mí y me instruía en secreto en las *cosas* de su *amor*. Si los sabios que se pasan la vida estudiando hubiesen venido a preguntarme, se hubieran quedado asombrados al ver a una niña de catorce años comprender los secretos de la perfección, unos secretos que toda su ciencia no puede descubrirles a ellos porque para poseerlos es necesario ser pobres de espíritu...

Como dice san Juan de la Cruz en su Cántico:

> *«Sin otra luz ni guía*
> *sino la que en el corazón ardía.*
> *Aquesta me guiaba*
> *más cierto que la luz del mediodía*
> *adonde me esperaba*
> *quien yo bien me sabía.»*

Ese lugar era el Carmelo. Pero antes de «sentarme a la sombra de Aquel a quien deseaba», tenía que pasar por muchas pruebas. Sin embargo la llamada divina era tan apremiante, que si hubiera tenido que *pasar* entre *llamas*, lo habría hecho por ser fiel a Jesús...

Sólo encontré *un alma* que me animase en mi vocación: la de mi *Madre querida*... Mi corazón encontró en el suyo un eco fiel; y sin ella, yo no habría llegado en modo alguno a la ribera bendita que la había recibido a ella cinco años antes en su suelo impregnado del rocío celestial...

Sí, hacía cinco años que yo estaba separada de ti, *Madre querida*, y creía que te había perdido. Pero en el momento de la prueba fue tu mano la que me indicó el camino que debía seguir... Necesitaba ese consuelo, pues las visitas al locutorio del Carmelo me resultaban cada vez más penosas; no podía hablar de mis deseos de entrar, sin verme rechazada. María pensaba que era demasiado joven y hacía todo lo posible por impedirme entrar; y tú misma, Madre, a fin de probarme, tratabas a veces de moderar mi entusiasmo.

En fin, que si no hubiese tenido verdadera vocación, me hubiera vuelto atrás desde el primer momento, pues en cuanto empecé a responder a la llamada de Jesús me encontré con obstáculos.

No quise hablarle a Celina de mis deseos de entrar tan joven en el Carmelo, y eso aumentó mi sufrimiento, pues me resultaba muy difícil ocultarle nada... Pero este sufrimiento no duró mucho, pues pronto mi hermanita querida se enteró de mi determinación, y, lejos de intentar disuadirme, aceptó con un valor admirable el sacrificio que Dios le pedía; para entender cuán grande era ese sacrificio, habría que saber hasta qué punto estábamos unidas...

Una misma alma, por así decirlo, nos hacía vivir. Desde hacía algunos meses, disfrutábamos juntas de la vida más dulce que unas jóvenes puedan soñar. Todo alrededor de nosotras respondía a nuestros gustos. Teníamos una gran libertad. En una palabra, yo solía decir que nuestra vida era en la tierra el *ideal* de la *felicidad*...

Pero apenas habíamos comenzado a saborear este *ideal* de la *felicidad*, tuvimos que renunciar libremente a él, y mi querida Celina no se rebeló ni por un instante.

Sin embargo, podría haberse quejado, ya que Jesús no la llamaba a ella la primera... Tenía la misma vocación que yo, por lo cual le tocaba a ella partir antes...

Pero así como, en tiempos de los mártires, los que quedaban en la cárcel daban gozosos el beso de paz a sus hermanos que partían primero para combatir en la arena, y se consolaban pensando que tal vez a ellos se los reservaba para combates todavía mayores, igualmente *Celina* dejó alejarse a su Teresa y se quedó sola para el glorioso y sangriento combate al que Jesús la tenía destinada como *privilegiada* de su *amor*...

Celina, pues, se convirtió en confidente de mis luchas y de mis sufrimientos, y tomó en ellos tanta parte como si se hubiera tratado de su propia vocación. De parte de ella no temía yo ninguna oposición.

Confidencia a mi padre

Lo que no sabía era qué medio emplear para decírselo a papá... ¿Cómo hablarle de separarse de su reina a él, que acababa de sacrificar a sus tres hijas mayores...? ¡Cuántas luchas interiores no tuve que sufrir antes de sentirme con ánimos para hablar...! Sin embargo, tenía que decidirme. Yo iba a cumplir catorce años y medio, y sólo seis meses nos separaban de la hermosa *noche* de *Navidad*, en que había decidido ingresar a la misma hora en que el año anterior había recibido «mi gracia».

Elegí el día de *Pentecostés* para hacerle a papá mi gran confidencia. Todo el día estuve suplicando a los santos apóstoles que intercedieran por mí y que me inspiraran ellos las palabras que habría de decir... ¿No eran ellos, en efecto, quienes tenían que ayudar a aquella niña tímida que Dios tenía destinada a ser apóstol de apóstoles por medio de la oración y el sacrificio...?

Hasta por la tarde, al volver de Vísperas, no encontré la ocasión de hablar a mi papaíto querido. Había ido a sentarse al borde del aljibe, y desde allí, con las manos juntas, contemplaba las maravillas de la naturaleza. El sol, cuyos rayos habían perdido ya su ardor, doraba las copas de los altos árboles, en los que los pajarillos cantaban alegres su oración de la tarde.

El hermoso rostro de papá tenía una expresión celestial. Comprendí que la paz inundaba su corazón. Sin decir una sola palabra, fui a sentarme a su lado, con los ojos bañados ya en lágrimas. Me miró con ternura, y tomando mi cabeza la apoyó en su pecho, diciéndome: «¿Qué te pasa, reinecita...

Cuéntamelo...» Luego, levantándose, como para disimular su propia emoción, empezó a andar lentamente, manteniendo mi cabeza apoyada en su pecho.

A través de las lágrimas, le confié mi deseo de entrar en el Carmelo, y entonces sus lágrimas se mezclaron con las mías; pero no dijo ni una palabra para hacerme desistir de mi vocación. Simplemente se contentó con hacerme notar que yo era todavía muy joven para tomar una decisión tan grave.

Pero yo defendí tan bien mi causa, que papá, con su modo de ser sencillo y recto, quedó pronto convencido de que mi deseo era el de Dios; y con su fe profunda, me dijo que Dios le hacía un gran honor al pedirle así a sus hijas.

Seguimos paseando un largo rato. Mi corazón, confortado por la bondad con que aquel padre incomparable había recibido mis confidencias, se volcó dulcemente en el suyo. Papá parecía gozar de esa alegría serena que da el sacrificio consumado. Me habló como un santo, y me gustaría acordarme de sus palabras para transcribirlas aquí, pero sólo conservo de ellas un recuerdo demasiado perfumado para poderlo expresar.

De lo que sí me acuerdo perfectamente es de la acción *simbólica* que mi querido rey realizó sin saberlo. Acercándose a un muro poco elevado, me mostró unas *florecillas blancas*, parecidas a lirios en miniatura; y tomando una de aquellas flores, me la dio, explicándome con cuánto esmero Dios la había hecho nacer y la había conservado hasta aquel día. Al oírlo hablar, me parecía estar escuchando mi propia historia; ¡tanta semejanza había entre lo que Jesús había hecho con aquella *florecita* y con *Teresita*...!

Recibí aquella flor como una reliquia, y observé que, al tomarla, papá había arrancado todas sus *raíces* sin troncharlas, como si estuviera destinada a seguir viviendo en otra tierra más fértil que el blando musgo en el que habían transcurrido sus primeras alboradas... Era exactamente lo mismo que papá acababa de hacer conmigo poco antes al permitirme subir a la montaña del Carmelo y abandonar el dulce valle testigo de mis primeros pasos por la vida.

Puse mi florecita blanca en mi libro de la Imitación, en el capítulo titulado: «Del amor a Jesús sobre todas las cosas», y todavía sigue allí. Sólo el tallo se ha roto muy cerca de la raíz, y Dios parece decirme con eso que pronto romperá los lazos de su florecita y que no la dejará marchitarse en la tierra.

Una vez obtenido el consentimiento de papá, pensé que podría volar ya sin temor alguno hacia el Carmelo. Pero muchos y muy dolorosos contratiempos debían aún someter a prueba mi vocación.

Mi tío cambia de opinión

Cuando fui a comunicarle a mi tío la decisión que había tomado, lo hice temblando. Me prodigó las mayores muestras de ternura, pero no me dio permiso para irme; al contrario, me prohibió hablarle de mi vocación antes de cumplir los 17 años. Era un atentado a la prudencia humana, decía, dejar entrar en el Carmelo a una niña de 15 años. Siendo la vida de las carmelitas a los ojos del mundo una vida propia de filósofos, sería hacer un grave daño a la religión permitir que la abrazase una niña sin experiencia... Todo el mundo hablaría, etc... etc... Hasta llegó a decir que para decidirlo a dejarme partir haría falta un *milagro*.

Vi claro que todos mis razonamientos serían inútiles, así que me fui con el corazón sumido en la más profunda amargura.

Mi único consuelo era la oración. Suplicaba a Jesús que hiciese el *milagro* que exigía mi tío, ya que sólo a ese precio podría yo responder a su llamada.

Pasó bastante tiempo hasta que me atreví a volver a hablarle a mi tío; me costaba horrores ir a su casa. Él, por su parte, no parecía pensar ya en mi vocación; pero supe más tarde que mi enorme tristeza lo predispuso mucho a mi favor.

Antes de hacer brillar en mi alma un rayo de esperanza, Dios quiso enviarme un martirio sumamente doloroso, que duró *tres días*. Nunca como en aquella prueba comprendí tan bien el dolor de la Santísima Virgen y de san José mientras buscaban al divino Niño Jesús... Me encontraba en un triste desierto, o, mejor, mi alma parecía una frágil barca, abandonada sin piloto a merced de las olas tempestuosas...

Lo sé, Jesús estaba allí, dormido en mi barquilla; pero la noche era tan negra, que me era imposible verlo. Ni una luz. Ni siquiera un relámpago que viniese a surcar las sombrías nubes... Es cierto que es muy triste el resplandor de los relámpagos; pero, al menos, si la tormenta hubiese estallado abiertamente, habría podido ver por un momento a Jesús... Pero era la *noche*, la noche profunda del alma... Y como Jesús en el huerto de la agonía, me sentía sola, sin encontrar consuelo alguno ni en la tierra ni en el cielo. ¡¡¡Como si el mismo Dios me hubiese abandonado...!!!

La naturaleza parecía participar también de mi amarga tristeza: durante esos tres días, el sol no hizo brillar ni uno de sus rayos y la lluvia cayó a torrentes. (He observado que en todas las ocasiones importantes de mi vida la naturaleza ha sido como una imagen de mi alma. En los días de lágrimas el cielo lloraba conmigo; en los días de alegría el cielo enviaba con profusión sus alegres rayos y ni una sola nube oscurecía el cielo azul...)

Por fin, al cuarto día, que era sábado, día dedicado a la dulce Reina del cielo, fui a ver a mi tío. ¡Y cuál no sería mi sorpresa al ver que me miraba y que me hacía entrar en su despacho sin que yo le hubiese manifestado deseo alguno de hacerlo...! Empezó dirigiéndome tiernos reproches por portarme con él como si le tuviera miedo, y luego me dijo que no hacía falta pedir un *milagro*: que él sólo había pedido a Dios que le diera «una simple inclinación del corazón», y que había sido escuchado...

Ya no sentí la tentación de pedir un *milagro*, pues para mí el *milagro ya estaba concedido*: mi tío no era el mismo.

Sin hacer la menor alusión a la «prudencia humana», me dijo que yo era una florecita que Dios quería cortar, y que él no seguiría oponiéndose a ello...

Esta respuesta definitiva era realmente digna de él. Por tercera vez, este cristiano de otros tiempos permitía que una de las hijas adoptivas de su corazón fuera a sepultarse lejos del mundo.

También mi tía fue admirable por su ternura y su prudencia. No recuerdo que, durante el tiempo de mi prueba, me haya dicho una sola palabra que pudiera aumentarla. Yo veía que le daba mucha pena su pobre Teresita. Por eso, cuando obtuve el consentimiento de mi tío, también ella me dio el suyo, aunque no sin hacerme ver de mil maneras que mi partida le iba a costar mucho... ¡Ay, qué lejos estaban nuestros queridos parientes de sospechar entonces que tendrían que renovar otras dos veces ese mismo sacrificio...! Pero Dios, al tender la *mano* para seguir pidiendo, no la presentó *vacía*: sus amigos más queridos pudieron beber en ella, y con abundancia, la fuerza y el valor que tanto necesitaban...

Pero mi corazón me ha llevado muy lejos del tema; vuelvo a él casi a disgusto.

Después de la respuesta de mi tío, ya comprenderás, Madre mía, con qué alegría emprendí el camino de regreso a los Buissonnets bajo «un *hermoso cielo* en el que las nubes se habían disipado por completo»...

También en mi alma había cesado la noche. Jesús, despertándose, me había devuelto la alegría, el ruido de la olas se había calmado. En lugar del viento de la prueba, henchía mi vela una brisa ligera, y yo creía que pronto llegaría a la *ribera* bendita que ya divisaba muy cerca de mí. Y esa ribera estaba, en efecto, muy cerca de mi barquilla; pero aún debía levantarse *más* de una *tormenta*, que ocultaría a su vista el faro luminoso, haciéndole temer que se había alejado para siempre de la playa tan ardientemente deseada...

Oposición del superior

Pocos días después de haber conseguido el consentimiento de mi tío, fui a verte, Madre querida, y te hablé de mi alegría porque todas mis pruebas hubiesen ya pasado. Pero ¡cuáles no fueron mi sorpresa y mi aflicción al oírte decir que el Superior no permitía que entrara antes de los 21 años...!

Nadie había pensado en esta oposición, la más invencible de todas. Sin embargo, sin desanimarme, yo misma fui con papá y con Celina a ver a nuestro Padre, para intentar conmoverlo haciéndole ver que tenía verdadera vocación de carmelita.

Nos recibió con gran frialdad. Y por más que mi *incomparable* papaíto unió sus instancias a las mías, nada pudo hacerlo cambiar de parecer. Me dijo que no había ningún peligro en esperar, que yo podía llevar vida de carmelita en mi casa, que no estaría todo perdido porque no me diera disciplina, etc... etc... Por último, añadió que él no era más que el *delegado de Monseñor*, y que si éste quería permitirme entrar en el Carmelo, él no tendría nada que decir...

Salí de la rectoral hecha un mar de *lágrimas*; gracias a Dios, estaba escondida bajo el paraguas, pues la *lluvia* caía torrencialmente.

Papá no sabía cómo consolarme... Me prometió llevarme a Bayeux en cuanto se lo pedí, pues estaba decidida a *conseguir mi propósito*. Llegué incluso a decir que iría hasta el *Santo Padre*, si Monseñor no quería permitirme entrar en el Carmelo a los 15 años...

Muchas cosas pasaron antes del viaje a Bayeux. Exteriormente, mi vida parecía la misma. Seguía estudiando, Celina me daba clases de dibujo, y mi experta profesora encontraba en mí muchas cualidades para su arte.

Sobre todo, crecía en el amor de Dios. Sentía en mi corazón unos ímpetus que hasta entonces no conocía. A veces tenía verdaderos transportes de amor. Una noche, no sabiendo cómo decirle a Jesús que lo amaba y cómo deseaba que fuese amado y glorificado en todas partes, pensé con dolor que él nunca podría recibir en el infierno un solo acto de amor; y entonces le dije a Dios que, por agradarlo, aceptaría gustosa verme sumergida allí, a fin de que *fuese amado* eternamente en ese lugar de blasfemias... Yo sabía bien que eso no podía glorificarlo, porque él sólo desea nuestra felicidad. Pero cuando se ama, una siente necesidad de decir mil locuras.

Si hablaba de esa manera, no era porque el cielo no atrajera mis deseos, sino porque en aquel entonces mi único cielo era el amor, y sentía, como san Pablo, que nada podría apartarme del objeto divino que me había hechizado...

Antes de abandonar el mundo, Dios me concedió el consuelo de contemplar de cerca las *almas* de los *niños*. Al ser la más pequeña de la familia, nunca había tenido esta suerte. He aquí las tristes circunstancias que me la depararon.

Una buena mujer, pariente de nuestra sirvienta, murió en la flor de la edad, dejando tres niños muy pequeños. Durante su enfermedad, trajimos a nuestra casa a las dos niñas pequeñas, la mayor de la cuales no tenía todavía seis años.

Yo me encargaba de cuidarlas durante todo el día, y era para mí un auténtico placer ver con qué candor creían todo lo que les decía. Tiene que dejar el santo Bautismo en las almas un germen muy profundo de las virtudes teologales, ya que aparecen desde la infancia, y basta la esperanza de los bienes futuros para hacerles aceptar los sacrificios.

Cuando quería ver a mis dos niñas haciendo buenas migas entre ellas, en vez de prometer juguetes o bombones a la que cediese primero, les hablaba de las recompensas eternas que el Niño Jesús daría en el cielo a los niñitos buenos. La mayor, cuya razón empezaba ya a despertarse, me miraba con ojos resplandecientes de alegría, me hacía mil preguntas encantadoras sobre el Niño Jesús y su hermoso cielo, y me prometía entusiasmada ceder siempre ante su hermana. Y me decía que jamás en la vida olvidaría lo que la «gran señorita», como ella me llamaba, le había enseñado...

Viendo de cerca a estas almas inocentes, comprendí la desgracia que supone el no formarlas bien desde su mismo despertar, cuando se asemejan a la cera blanda sobre la que se puede dejar grabada la huella de las virtudes, pero también la huella del mal... Comprendí lo que dice Jesús en el Evangelio: «Mejor sería ser arrojado al mar que escandalizar a uno solo de estos pequeños».

¡Cuántas almas llegarían a la santidad si fuesen bien dirigidas...!

Sé muy bien que Dios no tiene necesidad de nadie para realizar su obra. Pero así como permite a un hábil jardinero cultivar plantas delicadas y le da para ello los conocimientos necesarios, reservándose para sí la misión de fecundarlas, de la misma manera quiere Jesús ser ayudado en su divino cultivo de las almas.

¿Qué ocurriría si un jardinero desmañado no injertase bien los árboles? ¿Si no conociese bien la naturaleza de cada uno de ellos y se empeñase en hacer brotar rosas de un duraznero...? Haría morir al árbol, que, sin embargo, era bueno y capaz de producir frutos.

De la misma manera hay que saber reconocer desde la infancia lo que Dios pide a las almas y secundar la acción de su gracia, sin acelerarla ni frenarla nunca.

Como los pajaritos aprenden a *cantar* escuchando a sus padres, así los niños aprenden la ciencia de las virtudes, el *canto* sublime del amor de Dios, de las almas encargadas de formarlas para la vida.

Recuerdo que entre mis pájaros tenía un canario que cantaba de maravilla. Tenía también un pardillo al que le prodigaba cuidados verdaderamente *maternales* porque lo había adoptado antes de que pudiese gozar la dicha de la libertad. Este pobre prisionerito no tenía padres que le enseñasen a cantar, pero, como oía de la mañana a la noche a su compañero el canario lanzar sus alegres trinos, quiso imitarlo... Empresa difícil para un pardillo, por lo que a su dulce voz le costó mucho asimilarse a la voz vibrante de su profesor de música. Era asombroso ver los esfuerzos que hacía el pobrecito, pero al fin se vieron coronados por el éxito, pues su canto, aunque un poco más apagado, era absolutamente idéntico al del canario.

¡Madre mía querida! Tú fuiste quien me enseñó a mí a cantar... Tu voz me cautivó desde la infancia, y ahora ¡¡¡me encanta oír decir que me parezco a ti!!! Sé cuánto me falta para ello, pero, a pesar de mi debilidad, espero cantar eternamente el mismo cántico que tú...

Antes de mi entrada en el Carmelo, tuve también otras muchas experiencias sobre la vida y las miserias del mundo. Pero esos detalles me llevarían demasiado lejos. Voy a reanudar el relato de mi vocación.

Viaje a Bayeux

El 31 de octubre fue el día fijado para mi viaje a Bayeux. Partí sola con papá, con el corazón henchido de esperanza, pero también muy emocionada al pensar que iba a presentarme al obispo. Por primera vez en mi vida iba a hacer un visita sin que me acompañaran mis hermanas, ¡y esta visita era nada menos que a un *obispo*! Yo, que nunca hablaba, a no ser para contestar a las preguntas que me hacían, tenía que explicar por mí misma el motivo de mi visita y exponer las razones que me movían a solicitar la entrada en el Carmelo. En una palabra, iba a tener que demostrar la solidez de mi vocación.

¡Cuánto me costó hacer ese viaje! Tuvo que concederme Dios una gracia muy especial para que pudiera vencer mi gran timidez... Aunque también es verdad que «para el amor nada hay imposible, porque todo lo cree posible y permitido». Y realmente sólo el amor de Jesús podía hacerme vencer aquellas dificultades y las que vendrían más tarde, pues quiso hacerme comprar mi vocación a costa de pruebas muy grandes...

Hoy, que gozo de la soledad del Carmelo (descansando a la sombra de Aquel a quien tan ardientemente deseé), creo que he comprado mi dicha a muy bajo precio y estaría dispuesta a soportar sufrimientos mucho mayores para alcanzarla si aún no la tuviese.

Cuando llegamos a Bayeux, *llovía* a cántaros. Papá, que no quería ver a su reinecita entrar en el obispado con su *hermoso vestido* hecho una sopa, la hizo subir a un ómnibus que nos llevó a la catedral. Allí comenzaron mis desgracias.

Monseñor, con todo su presbiterio, estaba asistiendo a un solemne funeral. La iglesia estaba llena de señoras vestidas de luto, y todo el mundo me miraba a mí con mi vestido claro y mi sombrero blanco. Hubiera querido salir de la iglesia, pero no había ni que pensarlo a causa de la lluvia. Y para humillarme más todavía, Dios permitió que papá, con su sencillez patriarcal, me hiciese pasar hasta el fondo de la catedral; yo, por no disgustarlo, obedecí de buen grado y ofrecí aquella distracción a los habitantes de Bayeux, a los que deseaba no haber conocido en mi vida...

Por fin pude respirar tranquila en una capilla que había detrás del altar mayor, y allí me quedé un largo rato rezando con fervor, en espera de que la lluvia cesase y nos dejase salir.

Al salir, papá me hizo admirar la belleza del edificio, que al estar vacío parecía mucho mayor. Pero a mí sólo una idea me ocupaba el pensamiento, y no podía encontrarle gusto a nada.

Fuimos directamente a ver al Sr. Révérony, que estaba informado de nuestra llegada y que había fijado él mismo la fecha del viaje; pero estaba ausente. Así que tuvimos que andar errando por las calles, que me parecieron *muy tristes*.

Por fin, volvimos cerca del obispado, y papá me llevó a un hotel en el que no hice honor al buen cocinero.

Mi pobre papaíto me demostraba una ternura casi increíble. Me decía que no me preocupase, que seguro que Monseñor me concedería lo que iba a pedirle.

Después de descansar un poco, volvimos en busca del Sr. Révérony. Llegó al mismo tiempo que nosotros un señor, pero el Vicario general le pidió cortésmente que esperara y nos hizo entrar a nosotros primero en su despacho (el pobre señor tuvo tiempo de aburrirse, pues nuestra visita fue larga).

El Sr. Révérony se mostró muy amable, pero creo que le sorprendió mucho el motivo de nuestro viaje. Después de mirarme sonriente y de hacerme algunas preguntas, nos dijo: «Voy a presentarles a Monseñor; tengan la bondad de acompañarme». Y al ver brillar lágrimas en mis ojos, añadió: «¡Pero bueno!, estoy viendo diamantes... ¡No podemos enseñárselos a Monseñor...!»

Nos hizo atravesar varios aposentos muy amplios, adornados con retratos de obispos. Viéndome en aquellos enormes salones, me sentía como una pobre hormiguita y me preguntaba qué me atrevería a decirle a Monseñor.

Él estaba paseando por una galería con dos sacerdotes. Vi que el Sr. Révérony le decía unas palabras y volvía con él. Nosotros lo esperábamos en su despacho, donde había tres enormes sillones colocados delante de la chimenea en la que chisporroteaba un buen fuego.

Al ver entrar a Su Excelencia, papá se arrodilló a mi lado para recibir su bendición. Luego Monseñor hizo tomar asiento a papá en uno de los sillones, se sentó frente a él, y el Sr. Révérony quiso que yo ocupara el del medio. Rehusé cortésmente, pero él insistió, diciéndome que tenía que demostrar si era capaz de obedecer. Me senté enseguida, sin pensarlo dos veces, y tuve que pasar por la vergüenza de verlo a él tomar una silla mientras yo me veía arrellanada en un sillón donde habrían cabido cómodamente cuatro como yo (y más cómodas que yo, ¡pues me hallaba muy lejos de estarlo...!)

Yo esperaba que hablaría papá, pero me dijo que explicara yo misma a Monseñor el motivo de nuestra visita. Lo hice lo más *elocuentemente* que pude. Pero Su Excelencia, acostumbrado a *la elocuencia*, no pareció conmoverse mayormente por mis razones. Una sola palabra del Superior me hubiera valido mucho más que todas ellas, pero lamentablemente no la tenía y su oposición no abogaba precisamente en mi favor...

Monseñor me preguntó si hacía mucho tiempo que deseaba entrar en el Carmelo. —«Sí, Monseñor, muchísimo tiempo...» —«¡Vamos!, replicó riendo el Sr. Révérony, ¿no dirás que hace *quince años* que lo estás deseando?» —«Desde luego», respondí yo riendo también. «Pero no hay que quitar muchos años, porque deseo ser religiosa desde que tengo uso de razón, y deseé el Carmelo desde que lo conocí, porque me parecía que en esta Orden se verían satisfechas todas las aspiraciones de mi alma.»

No sé, Madre querida, si fueron éstas exactamente mis palabras, creo que lo dije todavía peor; pero, bueno, ese fue el sentido.

Monseñor, creyendo agradar a papá, intentó hacer que me quedara con él algunos años más. Por eso, no fue poca su *sorpresa* y su *edificación* al verlo ponerse de mi parte e interceder para que me concediera permiso para volar a los quince años.

Sin embargo, todo fue inútil. Dijo que antes de tomar una decisión, era indispensable tener una entrevista con el *Superior* del *Carmelo*.

Nada podía yo escuchar que me causase una pena mayor, pues conocía la abierta oposición de nuestro Padre. Así que, sin tener en cuenta ya la recomendación del Sr. Révérony, hice algo más que *enseñar diamantes* a Monseñor: ¡se los regalé...!

Vi muy bien que estaba emocionado. Poniendo su mano en mi cuello, apoyó mi cabeza sobre su hombro y me acarició como creo que nunca había acariciado a nadie. Me dijo que no todo estaba perdido, que estaba muy contento de que hiciese el viaje a Roma para afianzar mi vocación, y que, en vez de llorar, debería alegrarme. Añadió que, a la semana siguiente, tenía que ir a Lisieux y que le hablaría de mí al párroco de Santiago, y que no dudase que en Italia recibiría su respuesta.

Comprendí que era inútil seguir insistiendo. Además, ya no tenía nada más que decir, pues había agotado todos los recursos de mi *elocuencia*.

Monseñor nos acompañó hasta el jardín. Papá lo hizo reír mucho contándole que, para aparentar más edad, me había hecho recoger el pelo. (Este detalle no lo echó Monseñor en saco roto, pues cuando habla de su «hijita» nunca deja de contar las historia de su pelo...)

El Sr. Révérony quiso acompañarnos hasta la puerta del jardín del obispado, y dijo a papá que nunca se había visto una cosa así: «¡Un padre tan deseoso de entregar a Dios su hija como ésta de ofrecerse a él!»

Papá le pidió algunas explicaciones sobre la peregrinación, entre otras cómo había que ir vestidos para presentarse ante el Santo Padre. Aún lo estoy viendo darse vuelta ante el Sr. Révérony, diciéndole: «¿Estaré bien así...?»

Él le había dicho también a Monseñor que si él no me daba permiso para entrar en el Carmelo, yo pediría esta gracia al Sumo Pontífice.

Era muy sencillo en sus palabras y en sus modales mi querido rey, pero era tan *guapo*... Tenía una distinción tan natural, que debió de agradarle mucho a Monseñor, acostumbrado a verse rodeado de personajes que conocían todas las reglas de la etiqueta, pero no al *Rey* de *Francia* y de *Navarra* en *persona* con su *reinecita*...

Cuando llegué a la calle, volvieron a correr las lágrimas, pero no tanto a causa de mi disgusto cuanto por ver que mi papaíto querido acababa de hacer un viaje inútil... Él, que saboreaba ya por adelantado la alegría de enviar un telegrama al Carmelo anunciando la feliz respuesta de Monseñor, se veía obligado a volver sin respuesta de ninguna clase...

¡Qué disgusto tan grande tenía yo...! Me parecía que mi futuro estaba roto para siempre. Cuanto más me acercaba a la meta, más veía embrollarse mis asuntos.

Mi alma estaba hundida en la amargura, pero también en la paz, pues lo único que buscaba era la voluntad de Dios.

En cuanto llegamos a Lisieux, fui a buscar consuelo en el Carmelo, y lo encontré a tu lado, Madre querida. ¡No!, nunca olvidaré todo lo que tú sufriste por mi causa. Si no temiera profanarlas sirviéndome de ellas, podría repetir las palabras que Jesús dirigió a los apóstoles la noche de su Pasión: «*Tú* has permanecido siempre conmigo en mis pruebas...»

También mis *queridísimas* hermanas me ofrecieron muy *dulces consuelos...*

El viaje a Roma
(1887)

Tres días después del viaje a Bayeux, tenía que emprender otro mucho más largo: el viaje a la ciudad eterna...

¡Qué viaje aquél...! Sólo en él aprendí más que en largos años de estudios, y me hizo ver la vanidad de todo lo pasajero y que todo es aflicción de espíritu bajo el sol...

Sin embargo, vi cosas muy hermosas; contemplé todas las maravillas del arte y de la religión; y, sobre todo, pisé la misma tierra que los santos apóstoles y la tierra regada con la sangre de los mártires, y mi alma se ensanchó al contacto con las cosas santas...

Me alegro mucho de haber estado en Roma; pero comprendo a quienes, en el mundo, pensaron que papá me había hecho hacer este largo viaje para hacerme cambiar de idea sobre la vida religiosa. Y la verdad es que hubo cosas en él capaces de hacer vacilar una vocación poco firme.

Celina y yo, que nunca habíamos vivido entre gentes del gran mundo, nos encontramos metidas en medio de la nobleza, de la cual se componía casi exclusivamente la peregrinación. Pero todos aquellos títulos y aquellos «de», lejos de deslumbrarnos, no nos parecían más que humo... Vistos de lejos, me habían ofuscado un poco alguna vez, pero de cerca, vi que «no todo lo que brilla es oro» y comprendí estas palabras de la Imitación: «No vayas tras esa sombra que se llama el gran nombre, ni desees tener muchas e importantes relaciones, ni la amistad especial de ningún hombre».

Comprendí que la verdadera grandeza está en el *alma*, y no en el *nombre*, pues como dice Isaías: «El Señor dará otro *nombre* a sus elegidos», y san Juan dice también: «Al vencedor le daré una piedra blanca, en la que hay escrito un *nombre nuevo* que sólo conoce quien lo recibe». Sólo en el cielo conoceremos, pues, nuestros títulos de nobleza. Entonces cada cual recibirá de Dios la alabanza que merece. Y el que en la tierra haya querido ser el más pobre y el más olvidado, por amor a Jesús, ¡ése será el primero y el más *noble* y el más rico...!

La segunda experiencia que viví se refiere a los sacerdotes. Como nunca había vivido en su intimidad, no podía comprender el fin principal de la reforma del Carmelo. Orar por los pecadores me encantaba; ¡pero orar por las almas de los sacerdotes, que yo creía más puras que el cristal, me parecía muy extraño...!

En *Italia* comprendí *mi vocación*. Y no era ir a buscar demasiado lejos un conocimiento tan importante...

Durante un mes conviví con muchos sacerdotes *santos*, y pude ver que si su sublime dignidad los eleva por encima de los ángeles, no por eso dejan de ser hombres débiles y frágiles... Si los *sacerdotes santos*, a los que Jesús llama en el Evangelio «sal de la tierra», muestran en su conducta que tienen una enorme necesidad de que se rece por ellos, ¿qué habrá que decir de los que son tibios? ¿No ha dicho también Jesús: «Si la sal se vuelve sosa, ¿con qué la salarán?»

¡Qué hermosa es, Madre querida, la vocación que tiene como objeto *conservar* la *sal* destinada a las almas! Y ésta es la vocación del Carmelo, pues el único fin de nuestras oraciones y de nuestros sacrificios es ser *apóstoles* de *apóstoles*, rezando por ellos mientras ellos evangelizan a las almas con su palabra, y sobre todo con su ejemplo...

He de detenerme, pues si continuase hablando de este tema, ¡no acabaría nunca...!

Voy a contarte mi viaje, Madre querida, con algún detalle; perdóname si te doy demasiados, pues no pienso lo que voy a escribir, y lo hago en tantos ratos perdidos, debido al poco tiempo libre que tengo, que mi narración quizás te resulte aburrida... Me consuela pensar que en el cielo volveré a hablarte de las gracias que he recibido y que entonces podré hacerlo con palabras amenas y arrobadoras... Allí nada vendrá ya a interrumpir nuestros desahogos íntimos y con una sola mirada lo comprenderás todo... Mas como ahora necesito todavía emplear el lenguaje de esta triste tierra, trataré de hacerlo con la sencillez de un niño que conoce el amor de su madre...

París: Nuestra Señora de las Victorias

La peregrinación salía de París el 7 de noviembre, pero papá nos llevó allí unos días antes para que la visitáramos.

Una mañana, a las tres de la madrugada, atravesaba la ciudad de Lisieux, que aún dormía. Muchas emociones pasaron en esos momentos por mi alma. Sabía que iba hacia lo desconocido y que allá lejos me esperaban grandes cosas... Papá iba feliz. Cuando el tren arrancó, él se puso a cantar aquella vieja canción: «Rueda, rueda, diligencia, que ya estamos en camino».

Llegamos a París por la mañana, y comenzamos enseguida a visitar la ciudad. Nuestro pobre papaíto se desvivió por complacernos, así que en poco tiempo teníamos vistas todas las maravillas de la capital.

Yo *sólo* encontré *una* que verdaderamente me encantara, y esa maravilla fue: «Nuestra Señora de las Victorias». ¡Imposible decir lo que sentí a sus pies...! Las gracias que me concedió me emocionaron tan profundamente, que sólo mis lágrimas traducían mi felicidad, como en el día de mi primera comunión... La Santísima Virgen me hizo sentir que había sido *realmente ella quien me había sonreído y curado*. Comprendí que velaba por mí y que yo era su hija; y que, entonces, yo no podía darle ya otro nombre que el de *«mamá»*, que me parecía mucho más tierno que el de Madre...

¡Con qué fervor le pedí que me amparara siempre y que convirtiera pronto mi sueño en realidad, escondiéndome a la *sombra de su manto virginal*...! Ese había sido uno de mis primeros deseos de niña... Luego, al crecer, había comprendido que sólo en el Carmelo podría encontrar de verdad el manto de la Santísima Virgen, y hacia esa fértil montaña volaban todos mis deseos...

Supliqué también a Nuestra Señora de las Victorias que alejase de mí todo lo que pudiese empañar mi pureza. No ignoraba que, en un viaje como éste a Italia, se encontrarían muchas cosas capaces de turbarme, sobre todo porque, al no conocer el mal, temía descubrirlo, por no haber experimentado todavía que para el puro todo es puro y que las almas sencillas y rectas no ven mal en ninguna parte, pues el mal sólo existe en los corazones impuros y no en los objetos inanimados...

Rogué también a san José que velase por mí. Desde mi niñez le tenía una devoción que se confundía con mi amor a la Santísima Virgen. Todos los días le rezaba la oración: «San José, padre y protector de las vírgenes».

Con esto, emprendí sin miedo el largo viaje. Iba tan bien protegida, que me parecía imposible tener miedo.

Después de consagrarnos al Sagrado Corazón en la basílica de Montmartre, salimos de París el lunes 7 muy de madrugada. No tardamos en ir conociendo a las demás personas de la peregrinación. Yo, que era tan tímida que no solía atreverme casi a hablar, me hallé completamente libre de tan molesto defecto. Con gran sorpresa mía, hablaba libremente con todas las grandes damas, con los sacerdotes, e incluso con el obispo de Coutances. Como si hubiese vivido siempre en ese mundo.

Creo que todo el mundo nos quería, y a papá se lo veía orgulloso de sus hijas. Pero si él estaba orgulloso de nosotras, nosotras no lo estábamos menos de él, pues en toda la peregrinación no había un caballero más apuesto ni distinguido que mi querido rey. Le gustaba verse acompañado de Celina y de mí, y muchas veces, cuando no íbamos en coche y yo me alejaba de su lado, me llamaba para que le diese el brazo como en Lisieux...

El Sr. abate Révérony se fijaba muy atentamente en todo lo que hacíamos. Con frecuencia lo sorprendía mirándonos de lejos. En la mesa, cuando yo no estaba enfrente de él, encontraba la manera de inclinarse para verme y para escuchar lo que decía. Quería, sin duda, conocerme para saber si yo era realmente capaz de ser carmelita. Y creo que debió quedar satisfecho del examen, pues al final del viaje pareció estar bien dispuesto en mi favor. Pero en Roma estuvo muy lejos de serme favorable, como luego diré.

Suiza

Antes de llegar a la ciudad eterna, meta de nuestra peregrinación, tuvimos ocasión de contemplar muchas maravillas. Primero fue Suiza, con sus montañas cuyas cimas se pierden entre las nubes, y sus impetuosas cascadas despeñándose de mil diferentes maneras, y sus profundos valles plagados de helechos gigantes y de brezos rosados.

¡Cuánto bien, Madre querida, hicieron a mi alma todas aquellas maravillas de la naturaleza derramadas con tanta *profusión*! ¡Cómo la hicieron elevarse hacia Quien quiso sembrar de tanta obra maestra esta tierra nuestra de destierro que no ha de durar más que un día...! No tenía ojos bastantes para mirar. De pie, pegada a la ventanilla, casi se me cortaba la respiración. Hubiera querido estar a los dos lados del vagón, pues, al volverme, contemplaba paisajes de auténtica fantasía y totalmente diferentes de los que se extendían ante mí.

Unas veces nos hallábamos en la cima de una montaña. A nuestros pies, precipicios cuya profundidad no podía sondear nuestra mirada parecían dispuestos a engullirnos...

Otras veces era un pueblecito encantador, con sus esbeltas casitas de montaña y su campanario sobre el que se cernían blandamente algunas nubes resplandecientes de blancura...

Allá más lejos, un ancho lago, dorado por los últimos rayos del sol. Sus ondas, serenas y claras, teñidas del color azul del cielo mezclado con las luces rojizas del atardecer, ofrecían a nuestros ojos maravillados el espectáculo más poético y encantador que se pueda imaginar...

En lontananza, sobre el vasto horizonte, se divisaban las montañas cuyos contornos imprecisos hubieran escapado a nuestra vista si sus cumbres nevadas, que el sol volvía deslumbrantes, no hubiesen añadido un encanto más al hermoso lago que nos fascinaba...

La contemplación de toda esa hermosura hacía nacer en mi alma pensamientos muy profundos. Me parecía comprender ya en el tierra la grandeza de Dios y las maravillas del cielo...

La vida religiosa se me aparecía *tal cual es*, con sus *sujeciones* y sus pequeños sacrificios realizados en la sombra. Comprendía lo fácil que es replegarse sobre uno mismo y olvidar el fin sublime de la propia vocación, y pensaba: Más tarde, en la hora de la prueba, cuando, prisionera en el Carmelo, no pueda contemplar más que una esquinita del cielo estrellado, me acordaré de lo que estoy viendo hoy; y ese pensamiento me dará valor; y al ver la grandeza y el poder de Dios –el único a quien quiero amar–, olvidaré fácilmente mis pobres y mezquinos intereses. Ahora que «mi *corazón* ha *vislumbrado* lo que Jesús tiene preparado para los que lo aman», no tendré la desgracia de apegarme a unas *pajas*...

Milán, Venecia, Bolonia, Loreto

Después de haber admirado el poder de Dios, pude también admirar el que él ha concedido sus criaturas.

La primera ciudad de Italia que visitamos fue Milán. La catedral, toda de mármol blanco, y con sus estatuas suficientemente numerosas como para formar un pueblo innumerable, la visitamos hasta en sus más pequeños detalles.

Celina y yo éramos intrépidas. Siempre íbamos las primeras y seguíamos muy de cerca a Monseñor para ver todo lo referente a las reliquias de los santos y escuchar bien las explicaciones. Por ejemplo, mientras él celebraba el santo sacrificio sobre la tumba de san Carlos, nosotras estábamos con papá detrás del altar, con la cabeza apoyada en la urna que guarda el cuerpo del santo revestido de sus ornamentos pontificales. Y así hacíamos en todas partes... Excepto cuando se trataba de subir adonde la dignidad de un obispo no lo permitía, pues en tales casos sabíamos muy bien separarnos de Su Excelencia...

Dejando a las tímidas señoras tapándose la cara con las manos después de subir a los primeros campaniles que coronaban la catedral, nosotras seguimos a los peregrinos más audaces y llegamos hasta lo alto del *último* campanario de mármol, y tuvimos el placer de contemplar a nuestros pies la ciudad de Milán, cuyos numerosos habitantes parecían un *pequeño hormiguero*...

Bajamos de nuestro pedestal, y comenzamos nuestros paseos en coche, que iban a durar un mes ¡y que iban a saciarme para siempre de mis ganas de *rodar* sin nunca cansarme!

El camposanto nos gustó todavía más que la catedral. Todas aquellas estatuas de mármol blanco, a las que el cincel del genio parece haber insuflado vida, están colocadas por el enorme campo de los muertos con una especie de estudiado descuido que, para mi gusto, aumenta aún más su encanto... Uno casi se siente tentado de acercarse a consolar a aquellos personajes idealizados que te rodean. Su expresión es tan real, y su dolor tan sereno y resignado, que uno no puede por menos de reconocer los pensamientos de inmortalidad que debían llenar el corazón de los artistas que realizaron esas obras de arte.

Hay una niña arrojando flores sobre la tumba de sus padres. Parece como si el mármol hubiera perdido su pesadez y los delicados pétalos se deslizaran entre los dedos de la niña; el viento parece dispersarlos, y parece también hacer flotar el velo ligero de las viudas y las cintas con que las jóvenes adornan sus cabellos.

Papá estaba tan encantado como nosotras. En Suiza se había sentido cansado; pero aquí recobró su jovialidad y disfrutó del hermoso espectáculo que contemplábamos. Su alma de artista se reflejaba en las expresiones de fe y de admiración que aparecían en su hermoso rostro.

Un señor ya mayor (francés), que no tenía, sin duda, un alma tan poética, nos miraba con el rabillo del ojo y decía malhumorado, como con aire de lamentar el no poder compartir nuestra admiración: «¡Pero qué entusiastas son los franceses!» Creo que aquel pobre señor hubiera hecho mejor quedándose en su casa, pues no me pareció que estuviera satisfecho del viaje; con frecuencia se ponía a nuestro lado, y de su boca no salían más que quejas: estaba descontento de los coches, de los hoteles, de las personas, de las ciudades, en suma, de todo... Papá, con su habitual grandeza de alma, trataba de animarlo, le cedía su sitio, etc.; en definitiva, se encontraba siempre a gusto en todas partes y era de un temperamento diametralmente opuesto al de su desagradable vecino... ¡Cuántos y cuán diferentes personajes encontramos! ¡Y qué interesante el estudio del mundo cuando uno está a punto de abandonarlo...!

En Venecia la escena cambió por completo. Allí, en lugar de los ruidos de las grandes ciudades, sólo se oyen, en medio del silencio, los gritos de los gondoleros y el murmullo del agua agitada por los remos.

Venecia no carece de encantos, pero a mí me pareció una ciudad triste. El palacio de los Duces es espléndido; pero resulta también triste, con sus enormes salones en los que se hace una verdadera ostentación de oro, de maderas, de los mármoles más preciosos y de los cuadros de los más célebres maestros. Hace ya muchos años que sus bóvedas sonoras han dejado de escuchar la voz de los gobernadores pronunciando sentencias de vida o de muerte en aquellas salas que atravesábamos... Han dejado de sufrir los desdichados prisioneros encerrados por los duces en los calabozos y en las mazmorras subterráneas...

Al visitar aquellas espantosas prisiones, me parecía estar viviendo en los tiempos de los mártires, ¡y me habría gustado poder quedarme allí para imitarlos...! Pero tuvimos que salir prontamente y pasar el puente de los suspiros, así llamado a

EL VIAJE A ROMA

causa de los suspiros de alivio que daban los condenados al verse libres del horror de los sótanos, a los que preferían la muerte...

Desde Venecia nos dirigimos a Padua, donde veneramos la lengua de san Antonio. Y de allí a Bolonia, donde vimos el cuerpo de santa Catalina, que conserva la huella del beso del Niño Jesús.

Muchos son los detalles interesantes que podría dar sobre cada ciudad y sobre las mil peripecias de nuestro viaje, pero sería para nunca acabar, por lo que sólo voy a escribir los detalles más importantes.

Respiré al salir de Bolonia. Esa ciudad se me había hecho insoportable a causa de los estudiantes que la llenaban y que formaban un auténtico cerco a nuestro alrededor cuando teníamos la desgracia de salir a pie, y sobre todo a causa de la pequeña aventura que me sucedió con uno de ellos. Me alegré de emprender el camino hacia Loreto.

No me extraña que la Santísima Virgen haya elegido este lugar para transportar a él su bendita casa. Allí la paz, la alegría y la pobreza reinan como soberanas. Todo es sencillo y primitivo. Las mujeres han conservado su vistoso traje italiano y no han adoptado, como en otras ciudades, la *moda* de *París*. En una palabra, ¡Loreto me encantó!

¿Y qué puedo decir de la santa casa...? Me emocionó profundamente encontrarme bajo el mismo techo que la Sagrada Familia, contemplar las paredes en las que Jesús posó sus ojos divinos, pisar la tierra que José regó con su sudor y donde María llevó en brazos a Jesús después de haberlo llevado en su seno virginal... Visité la salita donde el ángel se apareció a la Santísima Virgen... Metí mi rosario en la pequeña escudilla del Niño Jesús... ¡Qué recuerdos tan maravillosos...!

Pero nuestra mayor alegría fue recibir al *mismo Jesús* en su *casa* y convertirnos en su templo vivo en el mismo lugar que él honró con su presencia.

Es costumbre en Italia conservar el Santísimo, en las iglesias, sólo en un altar, y solamente allí se puede recibir la sagrada Comunión. Este altar se encuentra en la misma basílica donde está la Santa Casa, encerrada como un diamante precioso en un estuche de mármol blanco. Esto no nos gustó, pues queríamos recibir la Comunión, no en el *estuche*, sino en el mismo *diamante*.

Papá, con su finura habitual, hizo como todo el mundo. Pero Celina y yo fuimos a buscar a un sacerdote que nos acompañaba por todas partes, y que en aquel preciso momento se disponía a celebrar la santa misa, por un privilegio especial, en la Santa Casa. Pidió *dos hostias pequeñas*, que puso en la patena con la hostia grande. Ya comprenderás, Madre querida, cuál sería nuestra ilusión al recibir las *dos juntas* la sagrada Comunión en aquella casa bendita... Fue una alegría totalmente celestial que no se puede expresar en palabras. ¿Qué será entonces cuando recibamos la comunión en la morada celestial del rey de los cielos...? Allí ya no veremos que se nos acaba la alegría, ni existirá ya la tristeza de la partida, y para llevarnos un recuerdo no tendremos que *rascar furtivamente* las paredes santificadas por la presencia divina, pues su casa será la nuestra por toda la eternidad...

Dios no quiere darnos su casa de la tierra; se conforma con enseñárnosla para hacernos amar la pobreza y la vida escondida. La que nos reserva es su propio palacio de la gloria, donde ya no lo veremos escondido bajo las apariencias de un niño o de una blanca hostia, ¡¡¡sino tal cual es en el esplendor de su gloria infinita...!!!

El Coliseo y las catacumbas

Ahora sólo me falta ya hablar de Roma. ¡De Roma, meta de nuestro viaje, donde yo esperaba encontrar el consuelo, pero donde encontré la cruz...!

Llegamos a Roma de noche y dormidos. Nos despertaron los empleados de la estación, que gritaban: «Roma, Roma». No era un sueño, ¡estaba en Roma...!

El primer día lo pasamos extramuros, y fue quizás el más delicioso de todos, pues todos los monumentos han conservado su sello de antigüedad, mientras que, en el centro de Roma, ante el fausto de los hoteles y de las tiendas, uno tiene la impresión de estar en París.

Aquel paseo por la campiña romana me ha dejado un gratísimo recuerdo. No hablaré de los lugares que visitamos, pues hay bastantes libros que los describen por extenso, sino solamente de las principales *emociones* que viví.

Una de las más dulces fue la que me hizo estremecerme a la vista del *Coliseo*. Por fin podía ver aquella arena en la que tantos mártires habían derramado su sangre por Jesús, y ya me disponía a besar la tierra que ellos habían santificado. ¡Pero qué decepción la mía! El centro no era más que un montón de escombros que los peregrinos tenían que conformarse con mirar, pues una valla les impedía entrar. Por otra parte, nadie sintió la tentación de intentar meterse por en medio de aquellas ruinas...

¿Pero valía la pena haber venido a Roma y quedarse sin bajar al Coliseo...? Aquello me parecía imposible. Ya no escuchaba las explicaciones del guía, sólo un pensamiento me rondaba por la cabeza: bajar a la arena...

Al ver pasar a un obrero con una escalera, estuve a punto de pedírsela. Afortunadamente no puse en práctica mi idea, pues me habría tomado por loca...

Se dice en el Evangelio que la Magdalena, perseverando junto al sepulcro y agachándose *insistentemente* para mirar dentro, acabó por ver dos ángeles. Yo, igual que ella, aun reconociendo la imposibilidad de ver cumplidos mis deseos, seguía agachándome hacia las ruinas, adonde quería bajar.

Por fin, no vi ángeles, pero sí *lo que buscaba*. Lancé un grito de alegría y le dije a Celina: «¡Ven corriendo, vamos a poder pasar...!»

Inmediatamente sorteamos la valla, hasta la que en aquel sitio llegaban los escombros, y comenzamos a escalar las ruinas, que se hundían bajo nuestros pies.

Papá nos miraba, completamente asombrado de nuestra audacia, y no tardó en indicarnos que volviéramos. Pero las dos fugitivas ya no oían nada. Lo mismo que los guerreros sienten aumentar su valor en medio del peligro, así nuestra alegría iba en aumento en proporción al trabajo que nos costaba alcanzar el objeto de nuestros deseos.

Celina, más previsora que yo, había escuchado al guía, y acordándose de que éste acababa de señalar un pequeño adoquín marcado con una cruz como el lugar en el que combatían los mártires, se puso a buscarlo. No tardó en encontrarlo, y, arrodillándonos sobre aquella tierra sagrada, nuestras almas se fundieron en una misma oración...

Al posar mis labios sobre el polvo purpurado por la sangre de los primeros cristianos, me latía fuertemente el corazón. Pedí la gracia de morir también mártir por Jesús, y sentí en el fondo del corazón que mi oración había sido escuchada...

Todo esto sucedió en muy poco tiempo, y después de tomar algunas piedras, volvimos hacia los muros en ruinas para recomenzar nuestra arriesgada empresa. Papá, al vernos tan contentas, no tuvo valor para reñirnos, y me di cuenta de que estaba orgulloso de nuestra valentía...

Dios nos protegió visiblemente, pues los peregrinos no se dieron cuenta de nuestra empresa por estar algo más lejos que nosotros, ocupados sin duda en contemplar las magníficas arcadas, de las que el guía estaba resaltando «las pequeñas *cornisas* y los *cupidos* colocados sobre ellas». Y así, ni él ni los «señores abates» se enteraron de la alegría que embargaba nuestros corazones...

También las catacumbas me dejaron una gratísima impresión. Son tal como me las había imaginado leyendo su descripción en la vida de los mártires. La atmósfera que allí se respira está tan llena de fragancia, que, después de pasar en ellas buena parte de la tarde, me daba la impresión de haber estado tan sólo unos instantes...

Teníamos que llevarnos algún recuerdo de las catacumbas. Así que, dejando que se alejase un poco la procesión, *Celina* y *Teresa* se deslizaron las dos juntas hasta el fondo del antiguo sepulcro de santa Cecilia y recogieron un poco de la tierra santificada por su presencia.

Antes del viaje a Roma, yo no tenía especial devoción a esta santa. Pero al visitar su casa, convertida en iglesia, y el lugar de su martirio, al saber que había sido proclamada reina de la armonía, no por su hermosa voz ni por su talento musical, sino en memoria del *canto virginal* que hizo oír a su Esposo celestial escondido en el fondo de su corazón, sentí por ella algo más que devoción: una auténtica *ternura* de *amiga*... Se convirtió en mi santa predilecta, en mi confidente íntima... Todo en ella me fascina, sobre todo su *abandono* y su *confianza* sin límites, que la hicieron capaz de virginizar a unas almas que nunca habían deseado más alegrías que las de la vida presente...

Santa Cecilia se parece a la esposa del Cantar de los Cantares. Veo en ella «un *coro* en medio de un campo de batalla...» Su vida no fue más que un canto melodioso, aun en medio de las mayores pruebas, y no me extraña, pues «el santo Evangelio *reposaba sobre su corazón*» y *en su corazón reposaba* el Esposo de las vírgenes...

También la visita a la iglesia de Santa Inés fue para mí muy dulce. Allí iba a visitar en su casa a una *amiga* de la *in-*

fancia. Le hablé largamente de la que tan dignamente lleva su nombre, e hice todo lo posible por conseguir una reliquia de la angelical patrona de mi Madre querida para traérsela. Pero no pudimos conseguir más que una piedrecita roja que se desprendió de un rico mosaico cuyo origen se remonta a los tiempos de santa Inés y que ella debió de mirar muchas veces. ¿No resulta encantadora la amabilidad de la santa, al regalarnos ella misma lo que buscábamos y que nos estaba prohibido tomar...? Siempre me ha parecido aquello una delicadeza y una prueba del amor con que la dulce santa Inés mira y protege a mi Madre querida...

Audiencia con León XIII

Seis días pasamos visitando las principales maravillas de Roma, y el *séptimo* vi la mayor de todas: «León XIII...»

Deseaba que llegase aquel día, y al mismo tiempo lo temía. De él dependía mi vocación, pues la respuesta que debía recibir de Monseñor no había llegado y había sabido, *Madre querida*, por una carta tuya, que ya no estaba muy bien dispuesto en mi favor. Así que mi única tabla de salvación era el permiso del Santo Padre...

Pero para obtenerlo, había que pedirlo. Tenía que *atreverme a hablar «al Papa»* delante de todo el mundo. Y simplemente el pensarlo me hacía temblar. Sólo Dios sabe, y mi *querida Celina*, lo que sufrí antes de la audiencia. Nunca olvidaré cómo me acompañó ella en todas mis pruebas; parecía como si mi vocación fuese la suya.

(Los sacerdotes de la peregrinación se dieron cuenta de cómo nos queríamos. Una noche estábamos en una reunión tan numerosa, que faltaban sillas; entonces Celina me sentó sobre sus rodillas y nos miramos con tanto cariño, que un sacerdote exclamó: «¡Cómo se quieren! ¡Esas dos hermanas serán siempre inseparables!» Sí, nos queríamos; pero nuestro cariño era tan *puro* y tan fuerte, que el pensamiento de la separación no nos inquietaba, pues sabíamos que nada en el mundo, ni siquiera el océano, podría alejarnos una de otra... Celina veía tranquila cómo mi barquilla se iba acercando a la ribera del Carmelo y se resignaba a quedarse en el mar tempestuoso del mundo todo el tiempo que Dios quisiera, segura de que un día también ella llegaría a la ribera objeto de nuestros deseos...)

El domingo 20 de noviembre, vestidas según la etiqueta del Vaticano (es decir, de negro, y con mantilla de encaje por tocado) y adornadas con una gran medalla de León XIII que colgaba de una cinta azul y blanca, hicimos nuestra entrada en el Vaticano, en la capilla del Sumo Pontífice.

A las 8, nuestra emoción fue muy profunda al verla entrar para celebrar la santa Misa... Tras bendecir a los numerosos peregrinos congregados a su alrededor, subió las gradas del altar y nos demostró con su piedad, digna del Vicario de Jesús, que era verdaderamente «el *Santo* Padre». Cuando Jesús bajó a las manos de su Pontífice, mi corazón latió con fuerza y mi oración se hizo ardiente. Sin embargo, la confianza llenaba mi corazón. El Evangelio de ese día contenía estas palabras: «No temas, pequeño rebaño, porque el Padre de ustedes ha querido darles el reino».

No, no temía. Esperaba que muy pronto sería mío el reino del Carmelo. No pensaba entonces en aquellas otras palabras de Jesús: «Yo transmito el reino como me lo transmitió mi Padre a mí». Es decir, te reservo cruces y tribulaciones; así te harás digna de poseer ese reino por el que suspiras. Si fue necesario que Cristo sufriera, para entrar así en su gloria, si tú quieres tener un sitio a su lado, ¡tendrás que beber el cáliz que él mismo bebió...! Ese cáliz me lo presentó el Santo Padre, y mis lágrimas fueron a mezclarse con la amarga bebida que se me ofrecía.

Después de la misa de acción de gracias que siguió a la de Su Santidad, comenzó la audiencia.

León XIII estaba sentado en un gran sillón. Vestía simplemente una sotana blanca y una capa del mismo color, y en la cabeza no llevaba más que un pequeño solideo (casquete). A su lado estaban, de pie, varios cardenales, arzobispos y obispos, pero yo sólo los vi globalmente, pues mi atención estaba centrada en el Santo Padre.

Ibamos desfilando procesionalmente ante él. Cada peregrino, cuando le llegaba su turno, se arrodillaba, besaba el pie y la mano de León XIII, recibía su bendición y dos guardias nobles lo tocaban, por ceremonia, indicándole así que debía levantarse (al peregrino, pues me explico tan mal, que podría entenderse que era al Papa).

Antes de entrar en el salón pontificio, yo estaba completamente decidida a *hablar*; pero sentí que mi valor flaqueaba cuando vi a la derecha del Santo Padre ¡al Señor *Révérony*...! Casi en aquel mismo instante nos dijeron de su parte que *prohibía hablar* a León XIII, pues la audiencia se estaba prolongando demasiado...

Yo me volví hacia mi Celina querida para conocer su opinión. «¡Habla!», me dijo. Un momento después estaba yo a los pies del Santo Padre. Después de besarle la sandalia, me presentó la mano; pero en lugar de besársela, junté las mías y elevando hacia su rostro mis ojos bañados en lágrimas, exclamé: «¡Santísimo Padre, tengo que pedirle una gracia muy grande...!»

Entonces el Sumo Pontífice inclinó hacia mí su cabeza, de manera que mi rostro casi tocaba el suyo, y vi sus *ojos negros* y *profundos* que se fijaban en mí y parecían querer penetrarme hasta el fondo del alma.

«¡Santísimo Padre, en honor de sus bodas de oro, permítame entrar en el Carmelo a los 15 años...!»

Sin duda, la emoción hacía temblar mi voz. Por lo que el Santo Padre, volviéndose hacia el Sr. Révérony, que me miraba asombrado y disgustado, le dijo: «No comprendo bien».

Si Dios lo hubiera permitido, le habría sido fácil al Sr. Révérony alcanzarme lo que deseaba, pero Dios quería darme cruz, y no consuelo.

«Santísimo Padre –respondió el Vicario General–, se trata de *una niña* que desea entrar en el Carmelo a los 15 años; pero los superiores están en estos momentos estudiando la cuestión.»

«Bueno, hija mía, –respondió el Santo Padre mirándome bondadosamente– haz lo que te digan los superiores.»

Entonces, apoyando mis manos en sus rodillas, hice un último intento y le dije con voz suplicante:

«¡Sí, Santísimo Padre! Pero si usted dijese que sí, todo el mundo estaría de acuerdo.»

Me miró fijamente y pronunció estas palabras, recalcando cada sílaba: «Vamos... vamos... *Entrarás si Dios lo quiere...*» (Y su acento tenía un no sé qué de tan penetrante y convincente, que aún me parece estar oyéndolo.)

Animada por la bondad del Santo Padre, quise seguir hablando, pero los dos guardias nobles me *tocaron cortésmente*, para que me levantase; y viendo que con eso no bastaba, me tomaron por los brazos y el Sr. Révérony los ayudó a levantarme, pues seguía con las manos juntas apoyadas en las rodillas del Santo Padre, y tuvieron que arrancarme de sus pies *a viva fuerza...*

Mientras me *quitaban de en medio* de esa manera, el Santo Padre acercó su mano a mis labios y después la levantó para bendecirme. Entonces los ojos se me llenaron de lágrimas, y el Sr. Révérony pudo contemplar *al menos tantos diamantes* como había visto en Bayeux...

Los dos guardias nobles me llevaron en volandas, por así decirlo, hasta la puerta, donde un tercero me dio un medalla de León XIII.

Celina, que iba detrás de mí, acababa de ser testigo de la escena que acababa de ocurrir. Casi tan emocionada como yo, tuvo no obstante valor para pedir al Santo Padre una bendición para el Carmelo. El Sr. Révérony, con voz, malhumorada, respondió: «El Carmelo ya está bendecido.»

Y el Santo Padre contestó con ternura: «Sí, sí, ¡ya está bendecido!»

Papá se había acercado a los pies de León XIII antes que nosotras (con los caballeros). El Sr. Révérony había estado con él encantador, presentándolo como el *padre de dos carmelitas*. El Santo Padre, manifestando especial benevolencia, posó su mano sobre la cabeza venerable de mi querido rey, como marcándolo con un *sello misterioso* en nombre de Aquel de quien era verdadero representante...

Ahora que este *padre de cuatro carmelitas* está en el cielo ya no es la mano del Pontífice la que reposa sobre su frente, profetizándole el martirio... Es la *mano* del Esposo de las Vírgenes, la del Rey de la gloria, la que hace resplandecer la cabeza de su fiel servidor. ¡Y ya nunca esa mano adorada dejará de apoyarse en la frente que ella misma ha glorificado...!

Mi papá querido se llevó un disgusto muy grande cuando, al salir de la audiencia, me encontró deshecha en lágrimas, e hizo todo lo posible por consolarme; pero en vano...

En el fondo del corazón yo sentía una gran paz, puesto que había hecho absolutamente todo lo que estaba en mis manos para responder a lo que Dios pedía de mí. Pero esa *paz* estaba en el *fondo*, mientras la *amargura* inundaba mi alma, pues Jesús callaba. Parecía estar ausente, nada me revelaba su presencia... Tampoco aquel día el sol se atrevió a brillar, y el hermoso cielo de Italia, cargado de oscuros nubarrones, no cesó de llorar conmigo...

Todo había terminado. El viaje no tenía ya el menor atractivo para mí, pues su objetivo había fracasado.

Sin embargo, las últimas palabras del Santo Padre deberían haberme consolado: ¿no eran, en realidad, una verdadera profecía? A pesar de todos los obstáculos, se realizó lo que *Dios quiso*. No *permitió* a las criaturas hacer lo que ellas querían, sino *lo que quería él*...

Desde hacía algún tiempo, me había ofrecido al Niño Jesús para ser su *juguetito*. Le había dicho que no me tratase como a uno de esos juguetes caros que los niños se contentan con mirar sin atreverse a tocarlos, sino como a una pelotita sin valor que pudiera tirar al suelo, o golpear con el pie, o agujerear, o dejarla en un rincón, o bien, si le apetecía, estrecharla contra su corazón. En una palabra, quería *divertir al Niño Jesús*, agradarle, entregarme a sus *caprichos infantiles*... Y él había escuchado mi oración...

En Roma Jesús *agujereó* su juguetito. Quería ver lo que había dentro. Y luego, una vez que lo vio, satisfecho de su descubrimiento, dejó caer su pelotita y se quedó dormido...

¿Y qué hizo mientras dormía dulcemente, y qué fue de la pelotita abandonada...? Jesús soñó que seguía *divirtiéndose* con su juguete, tirándolo y recogiéndolo una y otra vez; y luego, que, después de haberlo echado a rodar muy lejos, lo estrechaba contra su corazón sin dejarlo alejarse ya nunca más de su manita...

Imagínate, Madre querida, lo triste que se sentiría la pelotita al verse *tirada por el suelo*... Sin embargo, no dejé de esperar contra toda esperanza.

Unos días después de la audiencia con el Santo Padre, papá fue a visitar al hermano Simeón, y encontró allí al Sr. Révérony, que se mostró muy amable. Papá le reprochó jovialmente que no me hubiese ayudado en mi *difícil empresa*, y luego le contó la historia de su *reina* al hermano Simeón. El venerable anciano escuchó su relato con gran interés, tomó incluso algunas notas y dijo emocionado: «¡Estas cosas no se ven en Italia!»

Creo que aquella entrevista causó muy buena impresión al Sr. Révérony, Que, a partir de entonces, no dejó de darme muestras de que por fin estaba convencido de mi vocación.

Nápoles, Asís, regreso a Francia

Al día siguiente de la memorable jornada, tuvimos que salir de madrugada para Nápoles y Pompeya. El Vesubio, en nuestro honor, no dejó de meter ruido en todo el día, dejando escapar entre sus cañonazos una espesa columna de humo. Las huellas que ha dejado en las ruinas de Pompeya son horribles y muestran el poder de Dios, que «mira a la tierra y la hace temblar, toca los montes y humean...»

Me hubiera gustado pasearme sola por entre las ruinas y meditar en la fragilidad de las realidades humanas, pero la cantidad de viajeros quitaba a la ciudad destruida buena parte de su melancólico encanto...

En Nápoles fue todo lo contrario. La *gran cantidad* de coches de dos caballos hizo que resultara espléndido nuestro paseo al monasterio de San Martín, situado en la cima de una alta colina que dominaba toda la ciudad. Lamentablemente, los caballos que nos conducían se desbocaban a cada paso, y más de una vez creí llegada mi última hora. Por más que el cochero repetía continuamente la palabra mágica de los conductores italianos: «Appipó, appipó...», los pobres caballos estaban empeñados en volcar el coche. Por fin, gracias a la protección de nuestros ángeles de la guarda, llegamos a nuestro magnífico hotel.

A lo largo de todo nuestro viaje nos alojamos en hoteles principescos. Nunca antes me había visto rodeada de tanto lujo. Y aquí sí que cabe decir que la riqueza no hace la felicidad, pues yo me habría sentido mucho más feliz bajo un techo de paja con la esperanza del Carmelo, que entre artesonados de oro, escaleras de mármol blanco y tapices de seda, con amargura en el corazón...

Comprendí bien que la alegría no se halla en las cosas que nos rodean, sino en lo más íntimo de nuestra alma; se la puede poseer lo mismo en una prisión que en un palacio. La prueba está en que yo soy más feliz en el Carmelo, aun en medio de mis sufrimientos interiores y exteriores, que entonces en el mundo, rodeada de las comodidades de la vida y sobre todo de la ternura del hogar paterno...

Llevaba el alma sumida en la tristeza. Sin embargo, exteriormente era la misma, pues creía que nadie conocía la petición que había hecho al Santo Padre. Pronto me convencí de lo contrario. Habiéndome quedado sola con Celina en el vagón (los demás peregrinos habían bajado a la cantina de la estación, aprovechando unos pocos minutos de parada), vi que el Sr. Legoux, Vicario General de Coutances, abría la puerta y, mirándome, me decía sonriendo: «¿Cómo está nuestra pequeña carmelita...?» Entonces comprendí que toda la peregrinación conocía mi secreto. Gracias a Dios, nadie me habló sobre ello, pero, por la simpatía con que me miraban, me di cuenta de que mi petición no les había producido mala impresión, sino todo lo contrario...

En la pequeña ciudad de Asís tuve ocasión de subir al coche del Sr. Révérony, un honor que no le fue concedido a *ninguna dama* durante todo el viaje. Te cuento cómo conseguí ese privilegio.

Después de visitar los lugares impregnados por el aroma de las virtudes de san Francisco y santa Clara, terminamos en el monasterio de Santa Inés, hermana de santa Clara.

Yo había estado contemplando a mis anchas la cabeza de la santa y, cuando me retiraba, una de las últimas, me di cuenta de que había perdido el cinturón. Lo *busqué* en medio de la muchedumbre. Un sacerdote se compadeció de mí y me ayudó; pero después de habérmelo encontrado, lo vi alejarse, y yo me quedé sola *buscando,* pues aunque tenía el cinturón no me lo podía poner porque faltaba la hebilla... Por fin, la vi brillar en un rincón. Recogerla y ajustarla al cinturón no me llevó mucho tiempo, pero todo el trabajo anterior sí que me lo había llevado. Así que me quedé de una pieza al ver que estaba sola al salir de la iglesia. Todos los coches, y eran muchos, habían desaparecido, excepto el del Sr. Révérony. ¿Qué decisión tomar?¿Echarme a correr detrás de los coches, que ya no se veían, exponiéndome a perder el tren, con la consiguiente preocupación de mi querido papá, o bien pedir un sitio en el coche del Sr. Révérony...?

Me decidí por esta última solución. Con la mayor amabilidad y lo menos *apurada* que pude, a pesar de mi *prisa*, le expuse mi crítica situación y lo puse a él mismo en un *apuro*, pues su coche iba lleno de los más distinguidos caballeros de la peregrinación. Imposible encontrar una plaza libre. Pero un caballero muy galante se apresuró a bajar, me hizo ocupar su asiento, y se puso él modestamente al lado del cochero. Parecía una ardilla atrapada en un cepo, y estaba muy lejos de encontrarme a gusto, rodeada de todos aquellos personajes ilustres, y sobre todo del más temible de todos ellos, frente al cual iba sentada... Sin embargo, estuvo muy amable conmigo, interrumpiendo de vez en cuando su conversación con los caballeros para hablarme del *Carmelo*.

Antes de llegar a la estación, todos aquellos *grandes personajes* sacaron sus *grandes* monederos para dar una propina al cochero (que ya estaba pagado). Yo hice lo mismo, y saqué mi *diminuto* monedero, pero el Sr. Révérony no me permitió sacar mis preciosas *moneditas* y prefirió dar él una grande de las suyas por los dos.

En otra ocasión volví a encontrarme a su lado en el ómnibus. Estuvo más amable todavía, y me prometió hacer todo lo que pudiera para que entrase en el Carmelo...

Aunque estos breves encuentros pusieron un poco de bálsamo en mis llagas, no pudieron evitar que el regreso fuese mucho menos placentero que la ida, pues ya no tenía la esperanza «del Santo Padre». No encontraba ayuda alguna en la tierra, que me parecía un desierto abrasador y sin agua. *Sólo* en Dios tenía puesta toda mi esperanza... Acababa de conocer por experiencia que vale más recurrir a él que a sus santos...

La tristeza de mi alma no fue obstáculo para que pusiese un gran interés en los santos lugares que visitábamos.

En Florencia tuve la dicha de contemplar a santa María Magdalena de Pazzis, colocada en medio del coro de las carmelitas que nos abrieron la reja. Como no sabíamos que íbamos a disfrutar de tal privilegio, y muchas personas deseaban hacer tocar sus rosarios en el sepulcro de la santa, no había nadie más que yo que pudiese pasar la mano por entre la reja que nos separaba de él. Por eso, todos me traían sus rosarios, y yo me sentía muy orgullosa de mi oficio...

Siempre tenía que encontrar la forma de *tocarlo todo*. Así, en la iglesia de la Santa Cruz de Jerusalén (en Roma) pudimos venerar varios fragmentos de la verdadera Cruz, dos espinas y uno de los sagrados clavos, encerrado en un magnífico relicario de oro labrado, pero sin cristal, por lo que, al venerar la sagrada reliquia, encontré la forma de pasar mi *dedito* por una de las aberturas del relicario y pude *tocar* el clavo que bañó la sangre de Jesús...

La verdad es que era demasiado atrevida... Por suerte, Dios, que conoce el fondo de los corazones, sabe que mi intención era pura y que por nada del mundo hubiera querido desagradarle. Me portaba con él como un *niño* que piensa que todo le está permitido y mira como suyos los tesoros de su padre.

Todavía hoy sigo sin comprender por qué en Italia se excomulga tan fácilmente a las mujeres. A cada paso nos decían: «¡No entren aquí... No entren allá, que quedarán excomulgadas...!» ¡Pobres mujeres! ¡Qué despreciadas son...! Sin embargo, ellas aman a Dios en número mucho mayor que los hombres, y durante la pasión de Nuestro Señor las mujeres tuvieron más valor que los apóstoles, pues desafiaron los insultos de los soldados y se atrevieron en enjugar la Faz adorable de Jesús... Seguramente por eso él permite que el desprecio sea su lote en la tierra, ya que lo eligió también para sí mismo... En el cielo demostrará claramente que sus pensamientos no son los de los hombres, pues entonces los *últimos* serán los *primeros*...

Más de una vez, durante el viaje, no tuve la paciencia de esperar al cielo para ser la primera... Un día en que visitábamos un convento de Padres carmelitas, no me conformé con seguir a los peregrinos por las galerías *exteriores* y me metí por los claustros *interiores*... De pronto vi a un anciano carmelita que desde lejos me hacía señas de que me alejase; pero yo, en lugar de obedecerle, me acerqué a él y, señalándole los cuadros del claustro, le di a entender por señas que eran bonitos. Él se dio cuenta, por mis cabellos que caían sobre la espalda y por mi aspecto juvenil, de que era una niña, me sonrió con bondad y se alejó, al ver que no tenía delante de él a una enemiga. Si hubiese podido hablarle en italiano, le habría dicho que era un futura carmelita; pero por culpa de los constructores de la torre de Babel, no pude hacerlo.

Después de visitar también Pisa y Génova, volvimos a Francia.

En el trayecto, el panorama era magnífico. A veces bordeábamos el mar, y la vía del tren pasaba tan cerca de él, que me parecía que las olas iban a llegar hasta nosotros (aquel espectáculo fue debido a una tempestad, y era de noche, lo que hacía que la escena fuese aún más impresionante). Otras veces atravesábamos llanuras cubiertas de naranjos con su fruta ya madura, o de verdes olivos de escaso follaje, o de esbeltas palmeras... A la caída de la tarde, veíamos los numerosos puertecitos de mar iluminarse con multitud de luces, mientras en el cielo empezaban a brillar las primeras estrellas...

Y a la vista de todas aquellas cosas, que yo miraba por primera y por última vez en mi vida, ¡mi alma se llenaba de poesía...!

Pero las veía desvanecerse sin la menor pena. Mi corazón aspiraba a otras maravillas. Había contemplado ya bastante las *bellezas* de la tierra, y sólo las del *cielo* eran ya el objeto de sus deseos. Y para ofrecérselas a las almas, ¡quería convertirme en *prisionera*...!

Tres meses de espera

Pero antes de ver abrirse ante mí las puertas de la bendita prisión por la que suspiraba, tenía aún que luchar y que sufrir. Lo presentía al volver a Francia. Sin embargo, mi confianza era tan grande, que no perdí la esperanza de que me permitieran entrar en el Carmelo el 25 de diciembre...

Apenas llegamos a Lisieux, nuestra primera visita fue para el Carmelo. ¡Qué encuentro aquel...! ¡Teníamos tantas cosas que decirnos después de un mes de separación, mes que me pareció larguísimo y en el que aprendí más que en muchos años...!

¡Qué dulce fue para mí, Madre querida, volverte a ver y abrirte mi pobre alma herida! ¡A ti, que sabías comprenderme tan bien; a ti, a quien bastaba una palabra o una mirada para adivinarlo todo!

Me abandoné con entera confianza. Había hecho todo lo que dependía de mí, todo, hasta hablarle al Santo Padre; por lo que ya no sabía qué más tenía que hacer. Tú me dijiste que escribiese a Monseñor, recordándole su promesa. Lo hice enseguida lo mejor que supe, pero en unos términos que a nuestro tío le parecieron demasiado ingenuos. Él rehizo la carta. Cuando yo iba a echarla al correo, recibí una tuya, diciéndome que no escribiese, que esperase unos días más. Obedecí enseguida, pues estaba segura de que ésa era la mejor forma de no equivocarme.

Por fin, diez días antes de Navidad, ¡salió mi carta! Plenamente convencida de que la respuesta no se haría esperar, todas las mañanas iba al correo con papá después de misa, pensando encontrar allí el permiso para echarme a volar; pero cada mañana me traía una nueva decepción, que sin embargo no hacía vacilar mi fe...

Pedía a Jesús que rompiese mis ataduras. Y las rompió, pero de una forma totalmente diferente a como yo esperaba... Llegó la fiesta de Navidad, y Jesús no despertó... Dejó en el suelo a su pelotita, sin echarle siquiera una mirada...

Al ir a la Misa de Gallo llevaba roto el corazón. ¡Tenía tantas esperanzas de asistir a ella tras las rejas del Carmelo...!

Esta prueba fue muy dura para mi fe. Pero Aquel cuyo corazón vela mientras él duerme me hizo comprender que él

177

obra auténticos *milagros* y cambia la montañas de lugar en favor de quienes tienen una fe como un *grano* de *mostaza*, pero
que con sus *íntimos*, con su *Madre*, él no hace milagros *hasta
haber probado su fe*. ¿No dejó morir a Lázaro, a pesar de que
Marta y María le habían hecho saber que estaba enfermo...? Y
en las bodas de Caná, cuando la Virgen le pidió que ayudara a
los anfitriones, ¿no le contestó que todavía no había llegado
su hora...? Pero después de la prueba, ¡qué recompensa! ¡El
agua se convierte en vino...! ¡Lázaro resucita...!

Así actuó Jesús con su Teresita: después de haberla probado durante mucho *tiempo*, colmó todos los deseos de su
corazón...

Por la tarde de aquel radiante día de fiesta, que yo pasé llorando, fui a visitar a las carmelitas. Me llevé una gran sorpresa
cuando, al abrir la reja, vi un precioso Niño Jesús que tenía
en la mano una pelota en la que estaba escrito mi nombre.
Las carmelitas, en lugar de Jesús, que era demasiado pequeño
todavía para hablar, me cantaron una canción compuesta por
mi Madre querida. Cada una de sus palabras derramaba en
mi alma un dulce consuelo. Jamás olvidaré aquella delicadeza
del corazón maternal que siempre me colmó de los más ex-
quisitos detalles de ternura...

Después de dar las gracias derramando dulces lágrimas,
les conté la sorpresa que me había dado mi querida Celina
al volver de la Misa de Gallo. En mi habitación, en medio de
una preciosa jofaina, había encontrado un *barquito* que llevaba
al *Niño* Jesús dormido con una *pelotita* a su lado. En la blanca
vela Celina había escrito estas palabras: «Duermo, pero mi corazón vela», y en el barco esta sola palabra: «¡Abandono!»

¡Ay!, si Jesús no hablaba todavía a su pequeña prometida, si sus ojos divinos seguían cerrados, por lo menos se revelaba a ella por medio de otras almas que comprendían todas las delicadezas y todo el amor de su corazón...

El primer día del año 1888, Jesús me hizo una vez más el regalo de su cruz. Pero esta vez la llevé yo sola, pues fue tanto más dolorosa cuanto menos la comprendía... Una *carta de Paulina* me comunicaba que la respuesta de Monseñor había llegado el 28, fiesta de los Santos *Inocentes*, pero que no me lo había hecho saber porque se había decidido que mi entrada no tuviera lugar hasta *después* de la *cuaresma*. Al pensar en una espera tan larga, no pude contener las lágrimas.

Esta prueba tuvo para mí un carácter muy particular. Veía mis *ataduras rotas* por parte del mundo, pero ahora era el arca santa la que negaba la entrada a la pobre palomita...

Convengo en que debí parecer poco razonable al no aceptar gozosa esos tres meses de destierro. Pero creo también que esta prueba, aunque no lo pareciese, fue *muy grande* y me ayudó a *crecer* mucho en el abandono y en las demás virtudes.

¿Cómo transcurrieron estos *tres* meses tan ricos en gracias para mi alma...?

Al principio me vino a la cabeza la idea de no molestarme en llevar una vida tan ordenada como solía. Pero pronto comprendí el valor de aquel tiempo que se me concedía, y decidí entregarme con más intensidad que nunca a una vida *seria* y *mortificada*.

Cuando digo mortificada, no es para hacer creer que hiciera penitencias, pues *nunca las he hecho*. Lejos de parecerme a esas almas grandes que desde la niñez practicaron toda serie de mortificaciones, yo no sentía por ellas el menor atractivo. Esto se debía, sin duda, a mi flojedad, pues hubiera podido encontrar, como Celina, mis pequeños recursos para mortificarme. En vez de eso, siempre me dejé mecer entre algodones y cebar como un pajarito que no necesita hacer penitencia...

Mis mortificaciones consistían en doblegar mi voluntad, siempre dispuesta a salirse con la suya; en callar cualquier palabra de réplica; en prestar pequeños servicio sin hacerlos valer; en no apoyar la espalda cuando estaba sentada, etc., etc...

Con la práctica de estas *naderías* me fui preparando para ser la prometida de Jesús, y no sabría decir cuán dulces recuerdos me ha dejado esta espera...

Tres meses se pasan muy pronto, y por fin llegó el momento tan ardientemente deseado.

Capítulo VII

Primeros años
en el Carmelo
(1888-1890)

El lunes 9 de abril, día en que el Carmelo celebraba la fiesta de la Anunciación, trasladada a causa de la cuaresma, fue el día elegido para mi entrada.

La víspera, toda la familia se reunió en torno a la mesa, a la que yo iba a sentarme por última vez. ¡Ay, qué desgarradoras son estas reuniones íntimas...! Cuando una quisiera pasar inadvertida, te prodigan las caricias y las palabras más tiernas, y te hacen más duro el sacrificio de la separación...

Mi rey querido apenas hablaba, pero su mirada se posaba en mí con amor... Mi tía lloraba de vez en cuando, y mi tío me dispensaba mil atenciones de cariño. También Juana y María me colmaban de delicadezas, sobre todo María, que, llevándome aparte, me pidió perdón por todo lo que creía haberme hecho sufrir. Y finalmente, mi querida Leonia, que había vuelto de la Visitación hacía algunos meses, me colmaba como nadie de besos y caricias.

Sólo de Celina no he dicho nada. Pero ya puedes imaginarte, Madre querida, cómo transcurrió la última noche en que dormimos juntas...

En la mañana del gran día, tras echar una última mirada a los Buissonnets, nido cálido de mi niñez que ya no volvería a ver, partí del brazo de mi querido rey para subir a la montaña del Carmelo...

Al igual que la víspera, toda la familia se reunió para escuchar la santa Misa y recibir la comunión. En cuanto Jesús bajó al corazón de mis parientes queridos, ya no escuché a mi alrededor más que sollozos. Yo fui la única que no lloró, pero sentí latir mi corazón *con tanta fuerza,* que, cuando vinieron a decirnos que nos acercáramos a la puerta claustral, me parecía imposible dar un solo paso.

Me acerqué, sin embargo, pero preguntándome si no iría a morirme, a causa de los fuertes latidos de mi corazón... ¡Ah, qué momento aquel! Hay que pasar por él para entenderlo...

Mi emoción no se tradujo al exterior. Después de abrazar a todos los miembros de mi familia querida, me puse de rodillas ante mi incomparable padre, pidiéndole su bendición. Para dármela, también él se puso de rodillas, y me bendijo llorando...

¡El espectáculo de aquel anciano ofreciendo su hija al Señor, cuando aún estaba en la primavera de la vida, tuvo que hacer sonreír a los ángeles...!

Pocos instantes después, se cerraron tras de mí las puertas del arca santa y recibí los abrazos de las *hermanas queridas* que me habían hecho de *madres* y a las que en adelante tomaría por modelo de mis actos...

Por fin, mis deseos se veían cumplidos. Mi alma sentía una paz tan dulce y tan profunda, que no acierto a describirla. Y desde hace siete años y medio esta paz íntima me ha acompañado siempre, y no me ha abandonado ni siquiera en medio de las mayores tribulaciones.

Como a todas las postulantes, inmediatamente después de mi entrada me llevaron al coro. Estaba en penumbra, porque estaba expuesto el Santísimo, y lo primero que atrajo mi mirada fueron los ojos de nuestra santa Madre Genoveva, que se clavaron en mí. Estuve un momento arrodillada a sus pies, dando gracias a Dios por el don que me concedía de conocer a una santa, y luego seguí a nuestra Madre María de Gonzaga a los diferentes lugares de la comunidad. Todo me parecía maravilloso. Me creía transportada a un desierto. Nuestra celdita, sobre todo, me encantaba.

Pero la alegría que sentía era una alegría *serena*. Ni el más ligero céfiro hacía ondular las tranquilas aguas sobre las que navegaba mi barquilla, ni una sola nube oscurecía mi cielo azul... Sí, me sentía plenamente compensada de todas mis pruebas... ¡Con qué alegría tan honda repetía estas palabras: «Estoy aquí, para siempre, para siempre...!»

Aquella dicha no era efímera, no se desvanecería con las ilusiones de los primeros días. ¡Las *ilusiones!* Dios me concedió la gracia de no *llevar* ninguna al entrar en el Carmelo. Encontré la vida religiosa tal como me la había imaginado. Ningún sacrificio me extrañó. Y sin embargo, tú sabes bien, Madre querida, que mis primeros pasos hallaron más espinas que rosas...

Sí, el sufrimiento me tendió los brazos, y yo me arrojé en ellos con amor... A los pies de Jesús-Hostia, en el interrogatorio que precedió a mi profesión, declaré lo que venía a hacer en el Carmelo:

«He venido para salvar almas, y, sobre todo,
para orar por los sacerdotes.»

Cuando se quiere alcanzar una meta, hay que poner los medios para ello. Jesús me hizo comprender que las almas quería dármelas por medio de la cruz; y mi anhelo de sufrir creció a medida que aumentaba el sufrimiento.

Durante cinco años, éste fue mi camino. Pero, exteriormente, nada revelaba mi sufrimiento, tanto más doloroso cuanto que sólo yo lo conocía. ¡Qué sorpresas nos llevaremos al fin del mundo cuando leamos la historia de las almas...! ¡Y cuántas personas se quedarán asombradas al conocer el camino por el que fue conducida la mía...!

Confesión con el P. Pichon

Esto es tan verdad, que dos meses después de mi entrada, cuando vino el P. Pichon para la profesión de sor María del Sagrado Corazón, se quedó sorprendido al ver lo que Dios estaba obrando en mi alma, y me dijo que, la víspera, al verme hacer oración en el coro, mi fervor le pareció totalmente infantil y muy dulce mi camino.

Mi entrevista con el Padre fue para mí un consuelo muy grande, aunque velado por las lágrimas a causa de la dificultad que encontré para abrirle mi alma.

Hice, no obstante, una confesión general, como nunca la había hecho. Al terminar, el Padre me dijo estas palabras, las más consoladoras que jamás hayan resonado en los oídos de mi alma: «En presencia de Dios, de la Santísima Virgen y de todos los santos, declaro que nunca has cometido ni un solo pecado mortal». Y luego añadió: Da gracias a Dios por todo lo que hace por ti, pues, si te abandonase, en vez de ser un pequeño ángel, serías un pequeño demonio.

¡No, no me costó nada creerlo! Sabía lo débil e imperfecta que era. Pero la gratitud embargaba mi alma. Tenía tanto miedo de haber empañado la vestidura de mi bautismo, que una garantía como aquella, salida de la boca de un director espiritual como los quería nuestra Madre santa Teresa —es decir, que uniesen la *ciencia* y la *virtud*—, me parecía como salida de la misma boca de Jesús...

El Padre me dijo también estas palabras que se me grabaron dulcemente en el corazón: «Hija mía, que Nuestro Señor sea siempre tu superior y tu maestra de novicias».

Teresa y sus superioras

De hecho, lo fue. Y también «mi director espiritual». No quiero decir con esto que mi alma estuviese cerrada a cal y canto para mis superioras. No, más bien siempre he procurado que fuese para ellas un *libro abierto*. Pero nuestra Madre estaba enferma con frecuencia y tenía poco tiempo para ocuparse de mí. Sé que me quería mucho y que hablaba muy bien de mí. Sin embargo, Dios permitió que, *sin darse cuenta*, fuese muy dura. No podía cruzarme con ella sin tener que besar el suelo. Y lo mismo ocurría en las escasas conferencias espirituales que tenía con ella...

¡Qué gracia inestimable...! ¡Cómo actuaba Dios visiblemente a través de la que estaba en su lugar...! ¿Qué habría sido de mí si, como pensaba la gente del mundo, hubiese sido «el juguete» de la comunidad...? Quizás, en lugar de ver a Nuestro Señor en mis superioras, no me hubiera fijado más que en las personas; y entonces mi corazón, que había estado tan *protegido* en el mundo, se habría atado humanamente en el claustro... Gracias a Dios, no caí en esa trampa. Cierto, que *yo quería mucho* a nuestra Madre, pero con un afecto *puro* que me elevaba hacia el Esposo de mi alma...

Nuestra maestra de novicias era una *verdadera santa*, el tipo acabado de las primitivas carmelitas. Yo pasaba todo el día a su lado, pues era la que me enseñaba a trabajar.

Su bondad para conmigo no tenía límites, y, sin embargo, mi alma no lograba expansionarse con ella... Me suponía un gran esfuerzo hacer con ella la conferencia espiritual. Como no estaba acostumbrada a hablar de mi alma, no sabía cómo expresar lo que sucedía en mi interior. Una Madre ya mayor intuyó un día lo que me pasaba y me dijo, sonriendo, en la recreación: —«Hijita, me parece que tú no debes de tener gran cosa que decir a las superioras» —«¿Por qué dice eso, Madre...?» —«Porque tu alma es extremadamente *sencilla*; y cuando seas perfecta, serás más *sencilla todavía*, pues cuanto uno más se acerca a Dios, más se simplifica».

Aquella anciana Madre tenía razón. No obstante, la dificultad que yo tenía para abrir mi alma, aun cuando proviniese de mi sencillez, era un auténtico problema para mí. Lo reconozco hoy que, sin dejar de ser sencilla, expreso con gran facilidad lo que pienso.

He dicho que Jesús había sido «mi director espiritual». Cuando entré en el Carmelo, conocí al que podía haberlo sido. Pero apenas me había admitido entre el número de sus hijas, tuvo que partir para el exilio... Así que sólo lo conocí para perderlo enseguida... Reducida a no recibir de él más que una carta al año, por doce que yo le escribía, pronto mi corazón se volvió hacia el Director de los directores, y él fue quien me instruyó en esa ciencia escondida a los sabios y a los prudentes, que él quiere revelar a los *más pequeños*...

La Santa Faz

La florcita trasplantada a la montaña del Carmelo tenía que abrirse a la sombra de la cruz; las lágrimas y la sangre de Jesús fueron su rocío, y su Faz adorable velada por el llanto fue su sol...

Hasta entonces todavía no había yo sondeado la profundidad de los tesoros escondidos en la Santa Faz. Fuiste tú, Madre querida, quien me enseñó a conocerlos. Lo mismo que, hacía años, nos habías precedido a las demás en el Carmelo, así también fuiste tú la primera en penetrar los misterios de amor ocultos en el rostro de nuestro Esposo. Entonces tú me llamaste, y comprendí...

Comprendí en qué consistía la *verdadera gloria*. Aquel cuyo reino no es de este mundo me hizo ver que la verdadera sabiduría consiste en «querer ser ignorada y tenida en nada», en «cifrar la propia alegría en el desprecio de sí mismo».

Sí, yo quería que «mi rostro», como el de Jesús, «estuviera verdaderamente escondido, y que nadie en la tierra me reconociese». Tenía sed de sufrir y de ser olvidada...

¡Qué misericordioso es el camino por donde me ha llevado siempre Dios! *Nunca* me ha hecho desear algo que luego no me haya concedido. Por eso, su cáliz amargo siempre me ha parecido delicioso...

Pasadas las fiestas radiantes del mes de mayo —las fiestas de la profesión y de la toma de velo de nuestra querida María, la *mayor* de la familia, a quien la *más pequeña* tuvo la dicha de coronar el día de sus bodas—, tenía que visitarnos la tribulación...

Ya el año anterior, en el mes de mayo, papá había sufrido un ataque de parálisis en las piernas, y la cosa nos preocupó mucho. Pero la fuerte constitución de mi querido rey hizo que se recuperara pronto, y nuestros temores desaparecieron. Sin embargo, durante el viaje a Roma, notamos más de una vez que se cansaba fácilmente y que no estaba tan alegre como de costumbre...

Lo que yo observé, sobre todo, fueron los progresos que papá hacía en la perfección. A ejemplo de san Francisco de Sales, había llegado a dominar su impulsividad natural hasta tal punto, que parecía tener el temperamento más dulce del mundo... Las cosas de la tierra apenas parecían rozarlo, y se sobreponía fácilmente a las contrariedades de la vida.

En una palabra, Dios lo *inundaba de consuelos*. Durante sus visitas diarias al Santísimo, se le llenaban con frecuencia los ojos de lágrimas y su rostro reflejaba una dicha celestial...

Cuando Leonia salió de la Visitación, no se disgustó ni se quejó a Dios porque no hubiera escuchado las oraciones que le había dirigido para obtener la vocación de su querida hija. Hasta fue a buscarla con cierta alegría...

Y he aquí con qué fe aceptó papá la separación de su reinecita. Se la anunció en estos términos a sus amigos de Alençon: «Queridísimos amigos: ¡Teresa, mi reinecita, entró ayer en el Carmelo...! Sólo Dios puede exigir tal sacrificio... No me tengan lástima, pues mi corazón rebosa de alegría.»

Había llegado la hora de que un servidor tan fiel recibiera el premio de sus trabajos. Y era justo que su salario fuera parecido al que Dios dio al Rey del cielo, a su Hijo único... Papá acababa de hacer a Dios ofrenda de un *altar*, y él fue la víctima elegida para ser inmolada en él con el Cordero sin mancha.

Tú ya conoces, Madre querida, nuestras amarguras del *mes de junio* –y, sobre todo, las del día 24– del año 1888. Esos recuerdos han quedado demasiado grabados en el fondo de nuestros corazones para que haga falta escribirlos... ¡Cuánto sufrimos, Madre querida...! ¡Y aquello no era más que el *principio* de nuestra tribulación...!

Toma de hábito

Entretanto, había llegado la fecha de mi toma de hábito. Fui aprobada por el capítulo conventual. Pero ¿cómo pensar en una ceremonia solemne? Ya se hablaba de darme el santo hábito sin hacerme salir de la clausura, cuando se optó por esperar.

Contra toda esperanza, nuestro padre querido se repuso de su segundo ataque, y Monseñor fijó la ceremonia para el día 10 de enero.

La espera había sido larga, pero, también, ¡qué hermosa fue la fiesta...! No faltó nada, nada, ni siquiera la *nieve*...

No sé si te he hablado ya de mi amor a la nieve... Cuando aún era muy pequeña, me fascinaba su blancura. Uno de mis mayores deleites era pasearme bajo los copos de nieve. ¿De dónde me venía esta afición a la nieve...? Tal vez de que, siendo yo una *florecita invernal,* el primer ropaje con que mis ojos de niña vieron adornada a la naturaleza debió ser su manto blanco...

Lo cierto es que siempre había deseado que, el día de mi toma de hábito, la naturaleza estuviese vestida de blanco como yo. La víspera de ese hermoso día, yo miraba tristemente el cielo plomizo, del que de vez en cuando se desprendía una lluvia fina; pero la temperatura era tan suave, que ya no esperaba que nevase.

A la mañana siguiente, el cielo no había cambiado. Sin embargo, la fiesta resultó maravillosa, y la flor más bella, la más preciosa de todas, fue mi rey querido. Nunca había estado tan guapo y tan *digno*... Fue la admiración de todo el mundo.

Aquel día fue su *triunfo,* su última fiesta aquí en la tierra. Había entregado todas sus hijas a Dios, pues cuando Celina le confió su vocación, él había llorado de alegría, y había ido a dar gracias a Quien «le hacía el honor de tomar para sí a todas sus hijas».

Al final de la ceremonia, Monseñor entonó el Te Deum. Un sacerdote trató de advertirle que aquel cántico sólo se cantaba en las profesiones, pero ya estaba entonado, y el himno de *acción de gracias* se cantó hasta el final.

¿No debía ser *completa* aquella fiesta, si en ella se resumían todas las demás...? Después de abrazar por última vez a mi rey querido, volví a entrar en la clausura. Lo primero que vi en el claustro fue a «mi Niño Jesús color rosa» sonriéndome en medio de flores y de luces. Inmediatamente después mi mirada se posó sobre los copos de nieve... ¡El patio estaba blanco, como yo!

¡Qué delicadeza la de Jesús! En atención a los deseos de su prometida, le regalaba nieve... ¡Nieve! ¿Qué mortal, por poderoso que sea, puede hacer caer nieve del cielo para hechizar a su amada...? Tal vez la gente del mundo se hizo esta pregunta; lo cierto es que la nieve de mi toma de hábito les pareció un pequeño milagro y que toda la ciudad se extrañó. Les pareció rara mi afición por la nieve... ¡Tanto mejor! Eso hizo resaltar aún más la *incomprensible condescendencia* del Esposo de las vírgenes..., de ese Dios que siente un cariño especial por los lirios blancos como la nieve...

Monseñor entró en clausura después de la ceremonia, y estuvo conmigo muy paternal. Creo que estaba orgulloso de que lo hubiera conseguido, y decía a todo el mundo que yo era «su hijita».

Siempre que Su Excelencia volvió a visitarnos después de aquella hermosa fiesta, se mostró muy bueno conmigo. Me acuerdo muy especialmente de su visita con ocasión del centenario de N. P. san Juan de la Cruz. Me tomó la cabeza entre sus manos y me acarició de mil maneras. ¡Nunca me había visto tan honrada! En aquel momento Dios me hizo pensar en las caricias que un día él me prodigará delante de los ángeles y los santos, de las que me daba ya en este mundo una tenue imagen. Por eso, fue muy grande el consuelo que sentí...

Enfermedad de papá

Como acabo de decir, la jornada del 10 de enero fue el triunfo de mi rey. Yo la comparo a la entrada de Jesús en Jerusalén el Domingo de Ramos. Su gloria de *un día*, como la de nuestro divino Maestro, fue seguida de una pasión dolorosa, y esa pasión no fue sólo para él. Así como los dolores de Jesús atravesaron como una espada el corazón de su divina Madre, así también se desgarraron nuestros corazones ante los sufrimientos de aquel a quien más tiernamente amábamos en la tierra...

Recuerdo que en el mes de junio de 1888, cuando empezaron nuestras primeras angustias, yo decía: «Sufro mucho, pero creo que puedo soportar todavía mayores sufrimientos». No sospechaba entonces los que Dios me tenía reservados... No sabía que el 12 de febrero, un mes después de mi toma de hábito, nuestro padre querido bebería el *más amargo*, el *más humillante* de todos los cálices...

¡¡¡No, ese día ya no dije que podía sufrir todavía más...!!! Las palabras no pueden expresar nuestras angustias; por eso, no intentaré describirlas. Algún día, en el cielo, nos gustará hablar de nuestras *gloriosas* tribulaciones, ¿no nos alegramos ya ahora de haberlas sufrido...? Sí, los tres años del martirio de papá me parecen los más preciosos, los más fructíferos de toda nuestra vida. No los cambiaría por todos los éxtasis y revelaciones de los santos. Mi corazón rebosa de gratitud al pensar en ese tesoro que debe de despertar una santa envidia en los ángeles de la corte celestial...

Mi deseo de sufrir se vio colmado. No obstante, mi amor al sufrimiento no decreció, por lo que pronto mi alma participó también en los sufrimientos de mi corazón. La sequedad se hizo mi pan de cada día. Pero aunque estaba privada de todo consuelo, era la más feliz de las criaturas, pues veía cumplidos todos mis deseos...

¡Madre mía querida, qué hermosa ha sido nuestra gran tribulación, ya que de todos nuestros corazones no brotaron más que suspiros de amor y de gratitud...! No era ya caminar por los senderos de la perfección: ¡volábamos las cinco! Las dos pobres desterraditas de Caen, aunque estaban en el mundo, no eran ya del mundo... ¡Y qué maravillas operó el dolor en el alma de mi Celina querida...! Todas las cartas que escribió en esas fechas están impregnadas de resignación y de amor... ¿Y quién será capaz de describir las conversaciones que teníamos juntas en el locutorio...? Las rejas del Carmelo, lejos de separarnos, unían todavía más estrechamente nuestras almas. Teníamos las dos los mismos pensamientos, los mismos deseos, el mismo *amor a Jesús* y a las *almas*...

Cuando hablaban Celina y Teresa, ni una sola palabra de las cosas de la tierra se mezclaba nunca en sus conversaciones, que eran ya totalmente del cielo. Como tiempo atrás en el *mirador*, soñaban con las realidades *eternas*. Y para poder gozar cuanto antes de esa dicha sin fin, elegían aquí en la tierra por único lote «el sufrimiento y el desprecio».

Así transcurrió el tiempo de mis esponsales..., ¡que se le hizo muy largo a la pobre Teresita!

Al terminar mi año de noviciado, nuestra Madre me dijo que ni soñara en pedir la profesión, pues con toda seguridad el superior rechazaría mi petición. Tuve que esperar ocho meses más...

En un primer momento se me hizo muy difícil aceptar ese gran sacrificio; pero pronto se hizo la luz en mi alma. Estaba meditando, aquellos días, los «Fundamentos de la vida espiritual» del P. Surin. Un día, durante la oración, comprendí que mi deseo tan intenso de hacer la profesión iba mezclado con un gran amor propio. Si me había *entregado* a Jesús para agradarlo y consolarlo, no debía obligarlo a hacer mi *voluntad* en lugar de la suya.

Comprendí también que una prometida debería estar engalanada para el día de sus bodas, y que yo no había hecho nada para ello... Y entonces le dije a Jesús: «Dios mío, no te pido pronunciar los santos votos; *esperaré todo el tiempo que quieras*. Lo único que deseo es que mi unión contigo no se vea diferida por mi culpa. Por eso, voy a poner todo mi empeño en prepararme un hermoso vestido recamado de piedras preciosas. Cuando tú creas que ya está lo suficientemente rico y adornado, estoy segura de que ni todas las criaturas juntas podrán impedirte bajar hasta mí para unirme a ti para siempre, Amado mío...»

Pequeñas virtudes

A partir de la toma de hábito, yo había recibido ya abundantes luces sobre la perfección religiosa, especialmente respecto al voto de pobreza. Durante el postulantado, me gustaba tener cosas bonitas para mi uso y encontrar a mano todo lo que necesitaba. «Mi *Director*» soportaba aquello con paciencia, pues no es amigo de enseñárselo todo a las almas de una vez. Normalmente va dando sus luces poco a poco.

(Al principio de mi vida espiritual, hacia los 13 ó los 14 años, me preguntaba qué progresos tendría que hacer más adelante, pues creía que no podría comprender ya mejor la perfección. Pero no tardé en convencerme de que, cuanto más adelanta uno en este camino, más lejos se ve del final. Por eso, ahora me resigno a verme siempre imperfecta, y encuentro en ello mi alegría...)

Vuelvo a las enseñanzas de *«mi Director»*. Una noche, después de Completas, busqué en vano nuestra lamparita en los estantes destinados a ese fin. Era tiempo de silencio riguroso, por lo que no podía reclamarla... Supuse que alguna hermana, creyendo tomar su lámpara, había tomado la nuestra, que, por cierto, yo necesitaba mucho. En vez de disgustarme por verme privada de ella, me alegré mucho, pensando que la pobreza consiste en verse una privada, no sólo de las cosas superfluas, sino también de las indispensables. Y de esa manera, en medio de las *tinieblas exteriores*, fui iluminada interiormente...

En esa época me entró un verdadero amor a los objetos más feos e incómodos. Y así, sentí una gran alegría cuando me quitaron de la celda el precioso *cantarito* que tenía y me dieron en su lugar un cántaro tosco y todo *desportillado*...

Hacía también grandes esfuerzos por no disculparme, lo cual me resultaba muy difícil, sobre todo con nuestra maestra de novicias, a la que no quería ocultarle nada.

He aquí mi primera victoria, que no fue grande, pero que me costó mucho. Se encontró roto un vasito colocado detrás de una ventana. Nuestra maestra, creyendo que había sido yo quien lo había tirado, me lo enseñó, diciendo que otra vez tuviera más cuidado. Sin decir nada, besé el suelo y prometí ser más cuidadosa en adelante.

Debido a mi poca virtud, estos actos de vencimiento me costaban mucho, y tenía que pensar que en el juicio final todo saldrá a la luz. Me hacía también esta reflexión: cuando uno cumple con su deber, sin excusarse nunca, nadie lo sabe; las imperfecciones, por el contrario, se dejan ver enseguida...

Me aplicaba, sobre todo, a la práctica de las virtudes pequeñas, al no tener facilidad para practicar las grandes. Así, por ejemplo, me gustaba plegar las capas que dejaban olvidadas las hermanas y prestarles todos los pequeños servicios que podía.

También se me concedió el amor a la mortificación, que era tanto mayor cuanto que no me permitían hacer nada para satisfacerlo... La única mortificación que yo hacía en el mundo, que consistía en no apoyar la espalda cuando me sentaba, me la prohibieron, debido a la propensión que tenía a encorvarme. Claro que, si me hubiesen dado permiso para hacer muchas penitencias, seguramente ese entusiasmo no me habría durado mucho... Las únicas que podía hacer sin pedir permiso consistían en mortificar mi amor propio, lo cual me aprovechaba mucho más que las penitencias corporales...

El refectorio, que fue mi oficio apenas tomé el hábito, me ofreció más de una ocasión para poner mi amor propio en su lugar, es decir, debajo de los pies... Es cierto que para mí era una gran alegría, Madre querida, estar en el mismo oficio que tú y poder ver de cerca tus virtudes. Pero esa misma cercanía era para mí motivo de sufrimiento. No me sentía libre, *como antaño*, para decírtelo todo. Teníamos que observar la regla, y no podía abrirte mi alma. En una palabra, ¡yo estaba ya en el Carmelo, y no en los *Buissonnets* bajo el *techo paterno*...!

Entretanto, la Santísima Virgen me ayudaba a preparar el vestido de mi alma; y en cuanto ese vestido estuvo terminado, los obstáculos desaparecieron solos. Monseñor me envió el permiso que había solicitado, la comunidad me aprobó, y se fijó la profesión para el *8 de septiembre*...

Todo lo que acabo de escribir en pocas palabras requeriría muchas páginas de pormenores y detalles, pero esas páginas no se leerán nunca en la tierra. Pronto, Madre querida, te hablaré de todo ello en *nuestra casa paterna*, ¡en ese

197

hermoso cielo hacia el que se elevan los suspiros de nuestros corazones...!

Mi traje de bodas estaba listo. Se hallaba recamado con las *antiguas* joyas que mi Prometido me había regalado; pero aún no era suficiente para su generosidad. Quería regalarme un *nuevo* diamante de innumerables destellos.

Las *antiguas* joyas eran la tribulación de papá, con todas sus dolorosas circunstancias; el *nuevo* diamante fue una prueba, muy pequeña en apariencia, pero que me hizo sufrir mucho.

Desde hacía algún tiempo, a nuestro pobre papaíto, que estaba un poco mejor, lo sacaban a pasear en coche. Incluso se pensó en hacerle tomar el tren para venir a vernos.

Y, naturalmente, *Celina* pensó enseguida que había que elegir para ese viaje el día de mi toma de velo. Para que no se canse, decía, no la haré asistir a toda la ceremonia; sólo al final iré a buscarla y la llevaré muy despacito hasta la reja para que Teresa reciba su bendición.

¡Qué bien retratado estaba ahí el corazón de mi Celina...! ¡Qué gran verdad es que «al amor nada le parece imposible, porque para él todo es posible y permitido...!» La *prudencia humana*, por el contrario, tiembla a cada paso y no se atreve, por así decirlo, a posar el pie en el suelo.

Así, Dios, que quería probarme, se sirvió de ella como de un instrumento dócil en sus manos, y el día de mis bodas estuve realmente huérfana de padre en la tierra, pero pudiendo mirar con confianza al cielo y decir con toda verdad: «*Padre* nuestro, que estás en el cielo».

Capítulo VIII

Desde la profesión
hasta la ofrenda al amor
(1890-1895)

Antes de hablarte de esta prueba, Madre querida, debería haberte hablado de los ejercicios espirituales que precedieron a mi profesión. Esos ejercicios no sólo no me proporcionaron ningún consuelo, sino que en ellos la aridez más absoluta y casi el abandono fueron mis compañeros. Jesús dormía, como siempre, en mi navecita.

¡Qué pena!, tengo la impresión de que las almas pocas veces lo dejan dormir tranquilamente dentro de ellas. Jesús está ya tan cansado de ser él quien corra con los gastos y de pagar por adelantado, que se apresura a aprovecharse del descanso que yo le ofrezco. No se despertará, seguramente, hasta mi gran retiro de la eternidad; pero esto, en lugar de afligirme, me produce una enorme alegría...

Verdaderamente, estoy lejos de ser santa, y nada lo prueba mejor que lo que acabo de decir. En vez de alegrarme de mi sequedad, debería atribuirla a mi falta de fervor y de fidelidad. Debería entristecerme por dormirme (¡después de siete años!) en la oración y durante la acción de *gracias*. Pues bien, no me entristezco... Pienso que los *niños* agradan tanto a sus padres mientras duermen como cuando están despiertos; pienso que los médicos, para hacer las operaciones, duermen a los enfermos. En una palabra, pienso que «el Señor conoce nuestra masa, se acuerda de que no somos más que polvo».

Mis ejercicios para la profesión fueron, pues, como todos los que vinieron después, unos ejercicios de gran aridez. Sin embargo, Dios me mostró claramente, sin que yo me diera cuenta, la forma de agradarlo y de practicar las más sublimes virtudes.

He observado muchas veces que Jesús no quiere que haga *provisiones*. Me alimenta momento a momento con un alimento totalmente nuevo, que encuentro en mí sin saber de dónde viene... Creo simplemente que Jesús mismo, escondido en el fondo de mi pobre corazón, es quien me concede la gracia de actuar en mí y quien me hace descubrir lo que él quiere que haga en cada momento.

Unos días antes de mi profesión tuve la dicha de recibir la bendición del Sumo Pontífice. La había solicitado, a través del hermano Simeón, para *papá* y para mí, y fue para mí una inmensa alegría el poder devolverle a mi querido papaíto la gracia que él me había proporcionado llevándome a Roma.

Por fin, llegó el *hermoso día* de mis bodas. Fue un día sin nubes. Pero la víspera, se levantó en mi alma la mayor tormenta que había conocido en toda mi vida...

Nunca hasta entonces me había venido al pensamiento una sola duda acerca de mi vocación. Pero tenía que pasar por esa prueba. Por la noche, al hacer el Viacrucis después de Maitines, se me metió en la cabeza que mi vocación era un *sueño*, una quimera... La vida del Carmelo me parecía muy hermosa, pero el demonio me insuflaba la *convicción* de que no estaba hecha para mí, de que engañaba a los superiores empeñándome en seguir un camino al que no estaba llamada...

Mis tinieblas eran tan oscuras, que no veía ni entendía más que una cosa: ¡que no tenía *vocación*...!

¿Cómo describir la angustia de mi alma...? Me parecía (pensamiento absurdo, que demuestra a las claras que esa tentación venía del demonio) que si comunicaba mis temores a la maestra de novicias, ésta no me dejaría pronunciar los votos. Sin embargo, prefería cumplir la voluntad de Dios, volviendo al mundo, a quedarme en el Carmelo haciendo la mía.

Hice, pues, salir del coro a la maestra de novicias, y, *llena de confusión*, le expuse el estado de mi alma...

Gracias a Dios, ella vio más claro que yo y me tranquilizó por completo. Por lo demás, el acto de humildad que había hecho acababa de poner en fuga al demonio, que quizás pensaba que no me iba a atrever a confesar aquella tentación. En cuanto acabé de hablar, desaparecieron todas las dudas.

Sin embargo, para completar mi acto de humildad, quise confiarle también mi extraña tentación a nuestra Madre, que se contentó con echarse a reír.

En la mañana del 8 de septiembre, me sentí *inundada* por un río de paz. Y en medio de esa paz, «que supera todo sentimiento», emití los santos votos...

Mi unión con Jesús no se consumó entre rayos y relámpagos —es decir, entre gracias extraordinarias—, sino al soplo de un *ligero céfiro* parecido al que oyó en la montaña nuestro Padre san Elías...

¡Cuántas gracias pedí aquel día...! Me sentía verdaderamente reina, así que me aproveché de mi título para liberar a los cautivos y alcanzar favores del Rey para sus súbditos ingratos. En una palabra, quería liberar a todas las almas del purgatorio y convertir a los pecadores...

Pedí mucho por mi *Madre*, por mis hermanas queridas..., por toda la familia, pero sobre todo por mi papaíto, tan probado y tan santo...

Me ofrecí a Jesús para que se hiciese en mí con toda perfección su voluntad, sin que las criaturas fuesen nunca obstáculo para ello...

Pasó por fin ese hermoso día, como pasan los más tristes, pues hasta los días más radiantes tienen un mañana. Y deposité sin tristeza mi corona a los pies de la Santísima Virgen. Estaba segura de que el tiempo no me quitaría mi felicidad...

¡Qué fiesta tan hermosa la de la Natividad de *María* para convertirme en esposa de Jesús! Era la *Virgencita* recién nacida quien presentaba su *florecita* al Niño Jesús... Todo fue pequeño, excepto las gracias y la paz que recibí y excepto la alegría serena que sentí por la noche al ver titilar las estrellas en el firmamento mientras pensaba que *pronto* el cielo se abriría ante mis ojos extasiados y podría unirme a mi Esposo en una alegría eterna...

Toma de velo

El 24 tuvo lugar la ceremonia de mi toma de *velo*. Fue un día totalmente *velado* por las lágrimas... Papá no estaba allí para bendecir a su reina... El Padre estaba en Canadá... Monseñor, que iba a ir a comer en casa de mi tío, estaba enfermo, y tampoco vino. Todo fue tristeza y amargura... Sin embargo, en el fondo del cáliz había *paz*, siempre la *paz*...

Aquel día Jesús permitió que no pudiese contener las lágrimas, y mis lágrimas no fueron comprendidas... De hecho, ya había soportado pruebas mucho mayores sin llorar, pero entonces me ayudaba una gracia muy poderosa; en cambio, el día 24 Jesús me abandonó a mis propias fuerzas, y demostré lo escasas que éstas eran.

Ocho días después de mi toma de velo tuvo lugar la boda de Juana. Me sería imposible decirte, Madre querida, cuánto me enseñó su ejemplo acerca de las delicadezas que una esposa debe prodigar a su esposo. Escuchaba ávidamente todo lo que podría aprender al respecto, pues no quería hacer yo por mi amado Jesús menos de lo que Juana hacía por Francis, una criatura ciertamente muy perfecta, ¡pero a fin de cuentas una *criatura*...!

Hasta me divertí componiendo una tarjeta de invitación para compararla con la suya. Estaba concebida en los siguientes términos:

Tarjeta de Invitación a las Bodas
De Sor Teresa del Niño Jesús de la Santa Faz

El Dios Todopoderoso, Creador del cielo y de la tierra, Sobera-
no Dominador del mundo,
y la Gloriosísima Virgen María, Reina de la Corte celestial,
tienen a bien participaros el Enlace matrimonial
de su Augusto Hijo Jesús, Rey de reyes y Señor de señores, con
la señorita Teresa Martin,
ahora Señora y Princesa de los reinos aportados en dote por su
Divino Esposo, a saber:
la Infancia de Jesús y su Pasión, siendo sus títulos de nobleza:
del Niño Jesús y de la Santa Faz.

El señor Luis Martin, Propietario y Señor
de los Señoríos del Sufrimiento y de la Humillación,
y la señora de Martin, Princesa
y Dama de Honor de la Corte Celestial,
tienen a bien participaros el Enlace matrimonial
de su hija Teresa, con Jesús, el Verbo de Dios,
segunda Persona de la Adorable Trinidad, que,
por obra del Espíritu Santo, se hizo Hombre
e Hijo de la Virgen María, la Reina de los cielos.

No habiendo podido invitarlos a la bendición nupcial que les fue otorgada
en la montaña del Carmelo, el 8 de septiembre de 1890 (a la que sólo fue
admitida la Corte Celestial), se les suplica que asistan a la Tornaboda,
que tendrá lugar Mañana, Día de la Eternidad, día en que Jesús, el Hijo
de Dios, vendrá sobre las Nubes del Cielo en el esplendor de su Majestad,
para juzgar a vivos y muertos. Dado que la hora es incierta, los invitamos
a estar preparados y velar.

Madre Genoveva de Santa Teresa

Ahora, Madre querida, ¿qué me queda por decirte? Creía haber terminado, pero aún no te he dicho nada sobre la suerte que tuve de haber conocido a nuestra santa madre Genoveva... Ha sido una gracia inestimable. Pues Dios, que ya me había dado tantas, quiso que viviese con una santa, no de ésas inimitables, sino una *santa* que se santificó por medio de virtudes ocultas y ordinarias...

Más de una vez he recibido de ellas grandes consuelos, especialmente un domingo. Ese día fui, como de costumbre, a hacerle una breve visita, y encontré a otras dos hermanas con la madre Genoveva. La miré sonriendo, y me disponía a salir, pues no nos está permitido estar tres con una enferma, pero ella, mirándome con aire inspirado, me dijo: «Espera, hija mía, sólo quiero decirte unas palabritas. Siempre que vienes a verme, me pides que te dé un ramillete espiritual. Bueno, pues hoy voy a darte éste: Sirve a Dios con paz y con alegría. Recuerda, hija mía, que nuestro Dios es el Dios de la paz».

Le di las gracias con sencillez y salí emocionada hasta las lágrimas y convencida de que Dios le había revelado el estado de mi alma: aquel día me encontraba duramente probada, casi triste, en una noche tal, que no sabía ya si Dios me amaba. ¡Puedes, pues, adivinar, Madre querida, la alegría y el consuelo que sentí...!

Al domingo siguiente, quise saber qué revelación había tenido la madre Genoveva. Me aseguró que no había tenido *ninguna*, y entonces mi admiración subió de punto al comprobar en qué grado eminente Jesús vivía en ella y la hacía hablar y actuar.

Sí, esa *santidad* me parece la más *auténtica,* la más *santa,* y es la que yo deseo para mí, pues en ella no cabe ilusión...

El día de mi profesión recibí otra gran alegría al saber de labios de la madre Genoveva que también ella había pasado por la misma prueba que yo antes de pronunciar sus votos...

¿Te acuerdas, Madre querida, del consuelo que encontramos a su lado en los momentos de nuestros *grandes* sufrimientos?

En una palabra, el recuerdo que la madre Genoveva dejó en mi corazón es un recuerdo impregnado de fragancia...

El día de su partida para el cielo viví una emoción muy especial. Era la primera vez que asistía a una muerte, y el espectáculo fue realmente encantador... Yo estaba colocada justamente a los pies de la cama de la santa moribunda y veía perfectamente sus más ligeros movimientos.

Durante las dos horas que pasé allí, me parecía que mi alma debería estar llena de fervor; por el contrario, se apoderó de mí una especie de insensibilidad. Pero en el *momento mismo* en que nuestra santa madre Genoveva nacía para el cielo, mis disposiciones interiores dieron un vuelco: en un abrir y cerrar de ojos me sentí henchida de una alegría y de un fervor inexplicables. Era como si la madre Genoveva me hubiese dado una parte de la felicidad de que ella ya gozaba, pues estoy plenamente convencida de que fue derecha al cielo...

Cuando aún vivía, le dije una vez:

— Usted, Madre, no irá al purgatorio.

— Así lo *espero*— me contestó con dulzura.

Y seguro que Dios no defraudó una esperanza tan llena de humildad. Prueba de ello son todos los favores que de ella hemos recibido...

Todas las hermanas se apresuraron a pedir alguna reliquia, y tú ya sabes, Madre querida, la que yo tengo la dicha de poseer... Durante la agonía de la madre Genoveva, vi que una *lágrima* brillaba en uno de sus párpados como un diamante. Esa *lágrima,* la *última* de todas las que derramó, no llegó a desprenderse, y vi que seguía *brillando* en el coro sin que nadie pensara en recogerla. Entonces, tomando un pañito fino, me acerqué por la noche, sin que nadie me viera, y recogí como *reliquia* la *última lágrima* de una santa... Desde entonces la he llevado siempre en la bolsita donde guardo encerrados mis votos.

No doy importancia a mis sueños. Por otra parte, rara vez tengo sueños simbólicos, e incluso me pregunto cómo es posible que, pensando como pienso todo el día en Dios, no ocupe él un mayor lugar en mis sueños...

Normalmente sueño con bosques, con flores, con arroyos, con el mar; casi siempre veo preciosos niñitos, o cazo mariposas y pájaros que nunca he visto. Ya ves, Madre, que si mis sueños tienen un aspecto poético, están muy lejos de ser místicos...

Una noche, después de la muerte de la madre Genoveva, tuve uno más entrañable. Soñé que la Madre estaba haciendo testamento, y que a cada una de las hermanas le dejaba algo de lo que le había pertenecido. Cuando me llegó el turno a mí, pensé que no iba a recibir nada, pues ya no le quedaba nada. Pero, incorporándose, me dijo por tres veces con acento penetrante: «A ti te dejo mi corazón».

Epidemia de la gripe

Un mes después de la partida de nuestra santa Madre, se declaró la gripe en la comunidad. Sólo otras dos hermanas y yo quedamos en pie. Nunca podré expresar todo lo que vi, y lo que me pareció la vida y todo lo que es pasajero...

El día en que cumplí 19 años, lo festejamos con una muerte, a la que pronto siguieron otras dos. En esa época, yo estaba sola en la sacristía, por estar muy gravemente enferma mi primera de oficio. Yo tenía que preparar los entierros, abrir las rejas del coro para la misa, etc. Dios me dio muchas gracias de fortaleza en aquellos momentos. Ahora me pregunto cómo pude hacer todo lo que hice sin sentir miedo. La muerte reinaba por doquier. Las más enfermas eran cuidadas por las que apenas se tenían en pie. En cuanto una hermana exhalaba su último suspiro, había que dejarla sola.

Una mañana, al levantarme, tuve el presentimiento de que sor Magdalena se había muerto. El claustro estaba a oscuras y nadie salía de su celda. Por fin, me decidí a entrar en la celda de la hermana Magdalena, que tenía la puerta abierta. Y la vi, vestida y acostada en su jergón. No sentí el menor miedo. Al ver que no tenía cirio, se lo fui a buscar, y también una corona de rosas.

La noche en que murió la madre subpriora, yo estaba sola con la enfermera. Es imposible imaginar el triste estado de la comunidad en aquellos días. Sólo las que quedaban de pie pueden hacerse una idea.

Pero en medio de aquel abandono, yo sentía que Dios velaba por nosotras. Las moribundas pasaban sin esfuerzo a mejor vida, y enseguida de morir se extendía sobre sus rostros una expresión de alegría y de paz, como si estuviesen durmiendo un dulce sueño. Y así era en realidad, pues, cuando haya pasado la apariencia de este mundo, se despertarán para gozar eternamente de las delicias reservadas a los elegidos...

Durante todo el tiempo que duró esta prueba de la comunidad, yo tuve el inefable consuelo de recibir *todos* los *días* la sagrada comunión... ¡Qué felicidad...! Jesús me mimó mucho tiempo, mucho más tiempo que a sus fieles esposas, pues permitió que a mí me lo *dieran*, cuando las demás no tenían la dicha de recibirlo.

También me sentía feliz de poder tocar los vasos sagrados y de preparar los *corporales* destinados a recibir a Jesús. Sabía que tenía que ser muy fervorosa y recordaba con frecuencia estas palabras dirigidas a un santo diácono: «Sé santo, tú que tocas los vasos del Señor».

No puedo decir que haya recibido frecuentes consuelos durante las acciones de gracias; tal vez sean los momentos en que menos los he tenido... Y me parece muy natural, pues me he ofrecido a Jesús, no como quien desea recibir su visita para propio consuelo, sino, al contrario, para complacer al que se entrega a mí.

Me imagino a mi alma como un terreno *libre*, y pido a la Santísima Virgen que quite los *escombros* que pudieran impedirle esa *libertad*. Luego le suplico que monte ella una gran tienda digna del *cielo* y que la adorne con sus propias galas. Después invito a todos los ángeles y santos a que vengan a dar un magnífico concierto. Y cuando Jesús baja a mi corazón, me parece que está contento de verse tan bien recibido, y yo estoy contenta también...

Sin embargo todo esto no impide que las distracciones y el sueño vengan a visitarme. Pero al terminar la acción de gracias y ver que la he hecho tan mal, tomo la resolución de vivir todo el día en una continua acción de gracias...

Ya ves, Madre querida, que Dios está muy lejos de llevarme por el camino del temor. Sé encontrar siempre la forma de ser feliz y de aprovecharme de mis miserias... Y estoy segura de que eso no le disgusta a Jesús, pues él mismo parece animarme a seguir por ese camino...

Un día, contra mi costumbre, estaba un poco turbada al ir a comulgar; me parecía que Dios no estaba contento de mí y pensaba en mi interior: «Si hoy sólo recibo la *mitad de una hostia,* me llevaré un disgusto, pues creeré que Jesús viene como de mala gana a mi corazón». Me acerco... y, ¡oh, felicidad!, por primera vez en mi vida veo que el sacerdote ¡toma *dos hostias* bien separadas y me las da...! Comprenderás mi alegría y las dulces lágrimas que derramé ante tan gran misericordia...

Retiro del P. Alejo

Al año siguiente de mi profesión, es decir, dos meses antes de la muerte de la madre Genoveva, recibí grandes gracias durante los ejercicios espirituales.

Normalmente, los ejercicios predicados me resultan más penosos todavía que los que hago sola. Pero ese año no fue así.

Había hecho con gran fervor una novena de preparación, a pesar del presentimiento íntimo que tenía, pues me parecía que el predicador no iba a poder comprenderme, ya que se dedicaba sobre todo a ayudar a los grandes pecadores y no a las almas religiosas. Pero Dios, que quería demostrarme que sólo él era el director de mi alma, se sirvió precisamente de este Padre, al que yo fui la única que apreció en la comunidad...

Yo sufría por aquel entonces grandes pruebas interiores de todo tipo (hasta llegar a preguntarme a veces si existía un cielo). Estaba decidida a no decirle nada acerca de mi estado interior, por no saber explicarme. Pero apenas entré en el confesionario, sentí que se dilataba mi alma. Apenas pronuncié unas pocas palabras, me sentí maravillosamente comprendida, incluso *adivinada*... Mi alma era como un libro abierto en el que el Padre leía mejor incluso que yo misma... Me lanzó a velas desplegadas por los mares de la *confianza* y del *amor*, que tan fuertemente me atraían, pero por los que no me atrevía a navegar... Me dijo que *mis faltas no desagradaban* a Dios, y que, como *representante suyo*, me decía de *su parte* que Dios estaba muy contento de mí...

¡Qué feliz me sentí al escuchar esas consoladoras palabras...! Nunca había oído decir que hubiese faltas que no desagradaban a Dios. Esas palabras me llenaron de alegría y me ayudaron a soportar con paciencia el destierro de la vida... En el fondo del corazón yo sentía que eso era así, pues Dios es más tierno que una madre. ¿No estás tú siempre dispuesta, Madre querida, a perdonarme las pequeñas indelicadezas de que te hago objeto sin querer...? ¡Cuántas veces lo he visto por experiencia...! Ningún reproche me afectaba tanto como una sola de tus caricias. Soy de tal condición, que el miedo me hace retroceder, mientras que el *amor* no sólo me hace correr sino *volar*...

Priorato de la madre Inés

Y desde el día bendito de tu elección, Madre querida, sí, desde ese día volé por los caminos del amor... Ese día, ¡Paulina pasó a ser mi Jesús viviente... y se convirtió por segunda vez en mi «mamá»...!

De tres años a esta parte, vengo teniendo la dicha de contemplar las *maravillas* que obra Jesús por medio de mi Madre querida... Veo que *sólo el sufrimiento* es capaz de engendrar almas, y estas sublimes palabras de Jesús se revelan como nunca en toda su profundidad: «Les aseguro que si el grano de trigo no cae en tierra y muere, queda infecundo; pero si muere, da mucho fruto».

¡Y qué cosecha tan abundante has recogido...! Has sembrado entre lágrimas, pero pronto verás el fruto de tus trabajos y volverás llena de alegría trayendo en tus manos las gavillas...

Entre esas gavillas floridas, Madre mía, va oculta ahora la *florecilla blanca*; pero en el cielo tendrá voz para cantar tu *dulzura* y las *virtudes* que te ve practicar día tras día a la sombra y en el silencio de esta vida de destierro...

Sí, en estos últimos tres años he comprendido muchos misterios que hasta entonces estaban escondidos para mí.

Dios me ha mostrado la misma misericordia que mostró al rey Salomón. No ha querido que yo tuviese un solo deseo que no viese realizado. Y no sólo mis deseos de perfección, sino también aquellos cuya vanidad *comprendía* sin haberla experimentado.

Como siempre te he mirado, Madre querida, como *mi ideal*, deseaba parecerme a ti en todo. Al verte pintar primorosamente y componer poesías tan encantadoras, pensaba: «¡Cómo me gustaría poder pintar y saber expresar en versos mi pensamiento, y hacer así el bien a las almas...!»

No quería *pedir* estos dones naturales, y mis deseos permanecían *ocultos* en el fondo de mi *corazón*. Pero Jesús, *oculto* también él en mi pobre *corazón*, tuvo a bien demostrarle que todo es vanidad y aflicción de espíritu bajo el sol... Con gran extrañeza de las hermanas, me pusieron a pintar, y Dios permitió que supiese sacar jugo a las lecciones que mi Madre querida me dio... Y quiso también que, a ejemplo suyo, pudiese hacer poesías y componer piezas teatrales que a las hermanas les parecieron bonitas...

Al igual que Salomón, *después de examinar todas las obras de sus manos y la fatiga que le costó realizarlas, vio que todo era vanidad y caza de viento*, así también yo conocí por experiencia que la felicidad sólo se halla en esconderse y en vivir en la ignorancia de las cosas creadas. Comprendí que, sin el amor, todas las obras son nada, incluso las más brillantes, como resucitar a los muertos o convertir a los pueblos...

Los dones que Dios me ha prodigado (sin yo pedírselos), en lugar de perjudicarme y de producirme vanidad, me llevan hacia *él*. Veo que sólo él es *inmutable* y que sólo él puede llenar mis inmensos deseos...

Hay también deseos de otra índole que Jesús ha querido convertirme en realidad, deseos infantiles como el de la nieve para mi toma de hábito. Tú sabes bien, Madre querida, cómo me gustan las flores. Al hacerme prisionera a los 15 años, renuncié para siempre a la dicha de correr por los campos esmaltados con los tesoros de la primavera. Pues bien, nunca he tenido tantas flores como desde que entré en el Carmelo...

Es costumbre que los novios regalen con frecuencia ramos de flores a sus novias. Jesús lo tuvo en cuenta y me mandó, a montones, gavillas de acianos, margaritas gigantes, amapolas, etc., todas las flores que más me gustan. Hay incluso una florecita, llamada la neguilla de los trigos, que yo no había vuelto a encontrar desde cuando vivíamos en Lisieux; tenía muchas ganas de volver a ver esa flor de *mi niñez* que yo recogía en los campos de Alençon. Pues también ella vino a sonreírme en el Carmelo y a mostrarme que, tanto en las cosas más pequeñas como en las grandes, Dios da el ciento por uno ya en esta vida a las almas que lo han dejado todo por su amor.

Entrada de Celina

Pero mi deseo más entrañable, el mayor de todos, el que nunca pensé que vería hecho realidad, era la entrada de mi Celina querida en el mismo Carmelo que nosotras... Vivir bajo el mismo techo, compartir las alegrías y las penas de la compañera de mi infancia me parecía un *sueño inverosímil*. Por eso, había hecho por completo el sacrificio. Había puesto en manos de Jesús el porvenir de mi hermana querida y estaba dispuesta a verla partir, si era necesario, para el último rincón del mundo.

Lo único que no podía aceptar era que no fuese esposa de Jesús, pues, al quererla tanto como a mí misma, se me hacía imposible verla entregar su corazón a un mortal.

Ya había sufrido mucho sabiendo que en el mundo estaba expuesta a peligros que yo no había conocido. Puedo decir que mi cariño a Celina, desde mi entrada en el Carmelo, era un amor de madre tanto como de hermana...

Un día en que tenía que ir a una fiesta nocturna, tenía yo un disgusto tan grande que supliqué a Dios que no la *dejase bailar*, y hasta derramé (contra mi costumbre) un torrente de lágrimas. Jesús se dignó escucharme y no permitió que su joven prometida *pudiese bailar* aquella noche (aunque sabía hacerlo muy bien cuando era necesario). La sacaron a bailar y no podía negarse, pero el caballero fue absolutamente incapaz de hacerle dar un solo paso de *baile*, y, con gran confusión de su parte, se vio condenado a *caminar* sencillamente a su lado para acompañarla a su sitio; luego se esfumó y no volvió a aparecer por la velada.

Aquella aventura, única en su género, me hizo crecer en confianza y en amor hacia Aquel que, al depositar *su señal* en mi frente, la estampó al mismo tiempo sobre la de mi Celina querida...

El 29 de julio del año pasado, cuando Dios rompió la ataduras de su incomparable servidor, llamándolo a las re-

215

compensas eternas, rompió a la vez las que retenían en el mundo a su querida prometida. Ella había cumplido ya su primera misión: encargada de *representarnos a todas nosotras* al lado de nuestro padre, al que amábamos con tanta ternura, la cumplió como un ángel... Y los ángeles no se quedan en la tierra: una vez que han cumplido la voluntad de Dios, vuelven enseguida hacia él, que para eso tienen alas...

También nuestro ángel batió sus blancas alas. Estaba dispuesto a volar *muy lejos* para encontrarse con Jesús, pero Jesús lo hizo volar *muy cerca*... Se conformó con aceptar el gran sacrificio, que fue extremadamente doloroso para Teresita... Durante *dos años* su Celina le había ocultado un secreto. ¡Y cuánto había sufrido también ella...!

Por fin, desde lo alto del cielo, mi rey querido, al que en la tierra no le gustaban las demoras, se dio prisa en arreglar los embrollados asuntos de su Celina, ¡y el 14 de septiembre se reunía con nosotras...!

Un día en que las dificultades parecían insuperables, le dije a Jesús durante mi acción de gracias: «Tú sabes, Dios mío, cuánto deseo saber si papá ha ido *derecho* al *cielo*. No te pido que me hables, sólo dame una señal. Si sor A. de J. consiente en la entrada de Celina, o al menos no pone obstáculos para ello, será la respuesta de que papá ha ido *derecho a estar contigo*».

Como tú sabes, Madre querida, esta hermana pensaba que tres éramos ya demasiadas, y por consiguiente no quería admitir otra más. Pero Dios, que tiene en sus manos el corazón de las criaturas y lo inclina hacia donde él quiere, cambió los pensamientos de esa hermana: la primera persona que encontré después de la acción de gracias fue precisamente a ella, que me llamó con un semblante muy amable, me dijo que subiera a tu celda y me habló de *Celina* con lágrimas en los ojos...

¡Cuántas cosas tengo que agradecer a Jesús, que ha sabido colmar todos mis deseos...!

Ahora no tengo ya ningún deseo, a no ser el de *amar* a Jesús con locura... Mis deseos infantiles han desaparecido. Ciertamente que aún me gusta adornar con flores el altar del Niño Jesús. Pero desde que él me dio la *flor* que yo anhelaba, mi *querida Celina*, ya no deseo ninguna más: ella es el ramillete más precioso que le ofrezco...

Tampoco deseo ya ni el sufrimiento ni la muerte, aunque sigo amándolos a los dos. Pero es el *amor* lo único que me atrae... Durante mucho tiempo los deseé; poseí el sufrimiento y creí estar tocando las riberas del cielo, creí que la florecilla iba a ser cortada en la primavera de su vida... Ahora sólo me guía el abandono, ¡no tengo ya otra brújula...!

Ya no puedo pedir nada con pasión, excepto que se cumpla perfectamente en mi alma la voluntad de Dios sin que las criaturas puedan ser un obstáculo para ello. Puedo repetir aquellas palabras del Cántico Espiritual de nuestro Padre san Juan de la Cruz:

> *«En la interior bodega*
> *de mi Amado bebí, y cuando salía*
> *por toda aquesta vega,*
> *ya cosa no sabía;*
> *y el ganado perdí que antes seguía.*

> *Mi alma se ha empleado,*
> *y todo mi caudal, en su servicio;*
> *ya no guardo ganado,*
> *ni ya tengo otro oficio,*
> *que ya sólo en amar es mi ejercicio.»*

O bien estas otras:

> *«Hace tal obra el AMOR,*
> *después que le conocí,*
> *que, si hay bien o mal en mí,*
> *todo lo hace de un sabor,*
> *y al alma transforma en sí.»*

¡Qué dulce es, Madre querida, el camino del amor! Es cierto que se puede caer, que se pueden cometer infidelidades; pero el amor, haciéndolo *todo* de un sabor, consume con asombrosa rapidez todo lo que puede desagradar a Jesús, no dejando más que una paz humilde y profunda en el fondo del corazón...

¡Cuántas luces he sacado de las obras de nuestro Padre san Juan de la Cruz...! A la edad de 17 y 18 años, no tenía otro alimento espiritual.

Pero más tarde, todos los libros me dejaban en la aridez, y aún sigo en este estado. Si abro un libro escrito por un autor espiritual (aunque sea el más hermoso y el más conmovedor), siento que se me encoge el corazón y leo, por así decirlo, sin entender; o si entiendo, mi espíritu se detiene, incapaz de meditar...

En medio de esta mi impotencia, la Sagrada Escritura y la Imitación de Cristo vienen en mi ayuda. En ellas encuentro un alimento sólido y completamente *puro*.

Pero lo que me sustenta durante la oración, por encima de todo, es el *Evangelio*. En él encuentro todo lo que necesita mi pobre alma. En él descubro de continuo nuevas luces y sentidos ocultos y misteriosos...

Comprendo y sé muy bien por experiencia que «el reino de los cielos está dentro de nosotros». Jesús no tiene necesidad de libros ni de doctores para instruir a las almas. Él, el Doctor de los doctores, enseña sin ruido de palabras...

Yo nunca lo he oído hablar, pero siento que está dentro de mí, y que me guía momento a momento y me inspira lo que debo decir o hacer. Justo en el momento en que las necesito, descubro luces en las que hasta entonces no me había fijado. Y las más de las veces no es precisamente en la oración donde esas luces más abundan, sino más bien en medio de las ocupaciones del día...

Madre querida, después de tantas gracias, ¿no podré cantar yo con el salmista: «El Señor es bueno, su misericordia es eterna»?

Me parece que si todas las criaturas gozasen de las mismas gracias que yo, nadie le tendría miedo a Dios sino que todos lo amarían con locura; y que ni una sola alma consentiría nunca en ofenderlo, pero no por miedo sino por *amor*...

Comprendo, sin embargo, que no todas las almas se parezcan; tiene que haberlas de diferente alcurnias, para honrar de manera especial cada una de las perfecciones divinas.

A mí me ha dado su *misericordia infinita*, ¡y a través de ella contemplo y adoro las demás perfecciones divinas...! Entonces todas se me presentan radiantes de *amor*; incluso la justicia (y quizás más aún que todas las demás) me parece revestida de *amor*...

¡Qué dulce alegría pensar que Dios es *justo!*; es decir, que tiene en cuenta nuestras debilidades, que conoce perfectamente la debilidad de nuestra naturaleza. Siendo así, ¿de qué voy a tener miedo?

El Dios infinitamente justo, que se dignó perdonar con tanta bondad todas las culpas del hijo pródigo, ¿no va a ser justo también conmigo, que «estoy siempre con él»...?

Ofrenda

Este año, el 9 de junio, fiesta de la Santísima Trinidad, recibí la gracia de entender mejor que nunca cuánto desea Jesús ser amado.

Pensaba en las almas que se ofrecen como víctimas a la justicia de Dios para desviar y atraer sobre sí mismas los castigos reservados a los culpables. Esta ofrenda me parecía grande y generosa, pero yo estaba lejos de sentirme inclinada a hacerla.

«Dios mío —exclamé desde el fondo de mi corazón—, ¿sólo tu justicia aceptará almas que se inmolen como víctimas...? ¿No tendrá también necesidad de ellas tu *amor* misericordioso...? En todas partes es desconocido y rechazado. Los corazones a los que tú deseas prodigárselo se vuelven hacia las criaturas, mendigándoles a ellas con su miserable afecto la felicidad, en vez de arrojarse en tus brazos y aceptar tu *amor infinito*...

«¡Oh, Dios mío!, tu amor despreciado ¿tendrá que quedarse encerrado en tu corazón? Creo que si encontraras almas que se ofreciesen como víctimas de holocausto a tu amor, las consumirías rápidamente. Creo que te sentirías feliz si no tuvieses que reprimir las oleadas de infinita ternura que hay en ti...

Si a tu justicia, que sólo se extiende a la tierra, le gusta descargarse, ¡cuánto más deseará *abrasar* a las almas tu amor misericordioso, pues tu misericordia se eleva hasta el cielo...!

¡Jesús mío!, que sea yo esa víctima dichosa. ¡Consume tu holocausto con el fuego de tu divino amor...!»

Madre mía querida, tú que me permitiste ofrecerme a Dios de esa manera, tú conoces los ríos, o, mejor los océanos de gracias que han venido a inundar mi alma... Desde aquel día feliz, me parece que el *amor* me penetra y me cerca, me parece que ese *amor misericordioso* me renueva a cada instante, purifica mi alma y no deja en ella el menor rastro de pecado. Por eso, no puedo temer el purgatorio...

Sé que por mí misma ni siquiera merecería entrar en ese lugar de expiación al que sólo pueden tener acceso las almas santas. Pero sé también que el fuego del amor tiene mayor fuerza santificadora que el del purgatorio. Sé que Jesús no puede desear para nosotros sufrimientos inútiles, y que no me inspiraría estos deseos que siento si no quisiera hacerlos realidad...

¡Qué dulce es el camino del amor...! ¡Cómo deseo dedicarme con la mayor entrega a hacer siempre la voluntad de Dios...!

Esto es, Madre querida, todo lo que puedo decirte de la vida de tu Teresita. Tú conoces mucho mejor por ti misma cómo es y todo lo que Jesús ha hecho por ella. Por eso, me perdonarás que haya resumido mucho la historia de su vida religiosa...

¿Cómo acabará esta «historia de una florecita blanca»...? ¿Será tal vez cortada en plena lozanía, o quizás trasplantada a otras riberas...? No lo sé. Pero de lo que sí estoy segura es de que la misericordia de Dios la acompañará siempre, y de que nunca la florecita dejará de bendecir a la madre querida que la entregó a Jesús. Eternamente se alegrará de ser una de las flores de su corona... Y eternamente cantará con esa madre querida el cántico siempre nuevo del amor...

Capítulo IX

Mi vocación:
El Amor
(1896)

J.M.J.T.
+ *Jesús*

Querida hermana, me pides que te deje un recuerdo de mis ejercicios espirituales, ejercicios que quizás sean los últimos...

Puesto que nuestra Madre lo permite, me alegro mucho de ponerme a conversar contigo que eres dos veces mi hermana; contigo, que me prestaste tu voz cuando yo no podía hablar, prometiendo en mi nombre que no quería servir más que a Jesús...

Querida madrinita, aquella niña que tú ofreciste a Jesús es la que te habla esta noche, la que te ama como sólo una hija sabe amar a su madre... Sólo en el cielo conocerás toda la gratitud de que rebosa mi corazón...

Los secretos de Jesús

Hermana querida, tú querrías escuchar los secretos que Jesús confía a tu hijita. Yo sé que esos secretos te los confía también a ti, pues fuiste tú quien me enseñó a recibir las enseñanzas divinas. Sin embargo, trataré de balbucir algunas palabras, aunque siento que a la palabra humana le resulta imposible expresar ciertas cosas que el corazón del hombre apenas si puede vislumbrar...

No creas que estoy nadando entre consuelos. No, mi consuelo es no tenerlo en la tierra. Sin mostrarse, sin hacerme oír su voz, Jesús me instruye en secreto; no lo hace sirviéndose de libros, pues no entiendo lo que leo. Pero a veces viene a consolarme una frase como la que he encontrado al final de la oración (después de haber aguantado en el silencio y en la sequedad): «Este es el maestro que te doy, él te enseñará todo lo que debes hacer. Quiero hacerte leer en el libro de la vida, donde está contenida la ciencia del amor».

¡La ciencia del amor! ¡Sí, estas palabras resuenan dulcemente en los oídos de mi alma! No deseo otra ciencia. Después de haber dado por ella todas mis riquezas, me parece, como a la esposa del Cantar de los Cantares, que no he dado nada todavía... Comprendo tan bien que, fuera del amor, no hay nada que pueda hacernos gratos a Dios, que ese amor es el único bien que ambiciono.

Jesús se complace en mostrarme el único camino que conduce a esa hoguera divina. Ese camino es el *abandono* del niñito que se duerme sin miedo en brazos de su padre... «El que sea *pequeñito*, que venga a mí», dijo el Espíritu Santo por boca de Salomón. Y ese mismo Espíritu de amor dijo también que «a los pequeños se los compadece y perdona». Y, en su nombre, el profeta Isaías nos revela que en el último día «el Señor apacentará como un pastor a su rebaño, reunirá a los *corderitos* y los estrechará contra su pecho». Y como si todas esas promesas no bastaran, el mismo profeta, cuya mirada inspirada se hundía ya en las profundidades de la eternidad, exclama en nombre del Señor: «Como una madre acaricia a su hijo, así los consolaré yo, los llevaré en brazos y sobre las rodillas los acariciaré».

Sí, madrina querida, ante un lenguaje como éste, sólo cabe callar y llorar de agradecimiento y de amor... Si todas las almas débiles e imperfectas sintieran lo que siente la más pequeña de todas las almas, el alma de tu Teresita, ni una sola perdería la esperanza de llegar a la cima de la montaña del amor, pues Jesús no pide grandes hazañas, sino únicamente abandono y gratitud, como dijo en el Salmo 49: «No aceptaré un becerro de tu casa ni un cabrito de tus rebaños, pues las fieras de la selva son mías y hay miles de bestias en mis montes; conozco todos los pájaros del cielo... Si tuviera hambre, no te lo diría, pues el orbe y cuanto lo llena es mío. ¿Comeré yo carne de toros, beberé sangre de cabritos?... *Ofrece a Dios sacrificios de alabanza y de acción de gracias*».

He aquí, pues, todo lo que Jesús exige de nosotros. No tiene necesidad de nuestras obras, sino sólo de nuestro amor. Porque ese mismo Dios que declara que no tiene necesidad de decirnos si tiene hambre, no vacila en *mendigar* un poco de agua a la Samaritana. Tenía sed... Pero al decir: «Dame de beber», lo que estaba pidiendo el Creador del universo era el *amor* de su pobre criatura. Tenía sed de amor...

Sí, me doy cuenta, más que nunca, de que Jesús está *sediento*. Entre los discípulos del mundo, sólo encuentra ingratos e indiferentes, y entre sus *propios discípulos* ¡qué pocos corazones encuentra que se entreguen a él sin reservas, que comprendan toda la ternura de su amor infinito!

Hermana querida, ¡dichosas nosotras que comprendemos los íntimos secretos de nuestro Esposo! Si tú quisieras escribir todo lo que sabes acerca de ellos, ¡qué hermosas páginas podríamos leer! Pero ya lo sé, prefieres guardar «los secretos del Rey» en el fondo de tu corazón, mientras que a mí me dices que «es bueno publicar las obras del Altísimo». Creo que tienes razón en guardar silencio, y sólo por complacerte escribo yo estas líneas, pues siento mi impotencia para expresar con palabras de la tierra los secretos del cielo; y además, aunque escribiera páginas y más páginas, tendría la impresión de no haber empezado todavía... Hay tanta variedad de horizontes, matices tan infinitamente variados, que sólo la paleta del Pintor celestial podrá proporcionarme, después de la noche de esta vida, los colores apropiados para pintar las maravillas que él descubre a los ojos de mi alma.

Hermana querida, me pedías que te escribiera mi sueño y «mi doctrinita», como tú la llamas... Lo he hecho en las páginas que siguen; pero tan mal, que me parece imposible que consigas entender nada. Tal vez mis expresiones te parezcan exageradas... Perdóname, eso se debe a mi estilo demasiado confuso. Te aseguro que en mi *pobre alma* no hay exageración alguna: en ella todo es sereno y reposado...

(Al escribir, me dirijo a Jesús; así me resulta más fácil expresar mis pensamientos... Lo cual, ¡ay!, no impide que vayan horriblemente expresados.)

J.M.J.T.
8 de septiembre de 1896

(A mi querida sor María del Sagrado Corazón)

¡Jesús, Amado mío!, ¿quién podrá decir con qué ternura y con qué suavidad diriges tú mi *pequeña alma*, y cómo te gusta hacer brillar el rayo de tu gracia aun en medio de la más oscura tormenta...?

Jesús, la tormenta rugía muy fuerte en mi alma desde la hermosa fiesta de tu triunfo –la fiesta radiante de Pascua–, cuando un sábado del mes de mayo, pensando en los sueños misteriosos que a veces concedes a ciertas almas, me decía a mí misma que debía de ser un consuelo muy dulce tener uno de esos sueños; pero no lo pedía.

Por la noche, mi alma, observando las nubes que encapotaban su cielo, se repitió a sí misma que aquellos hermosos sueños no estaban hechos para ella, y se durmió bajo el vendaval...

La Venerable Ana de Jesús

El día siguiente era el 10 de mayo, segundo *domingo* del mes de María, quizás aniversario de aquel día en que la Santísima Virgen se dignó *sonreírle* a su florcita...

A las primeras luces del alba, me encontraba (en sueños) en una especie de galería. Había en ella varias personas más, pero alejadas. Sólo nuestra Madre estaba a mi lado.

De pronto, sin saber cómo habían entrado, vi a tres carmelitas, vestidas con capas blancas y con los grandes velos echados. Me pareció que venían por nuestra Madre, pero lo que entendí claramente fue que venían del cielo.

Yo exclamé en lo hondo del corazón: ¡Cómo me gustaría ver el rostro de una de esas carmelitas! Y entonces la más alta de las santas, como si hubiese oído mi oración, avanzó hacia mí. Al instante caí de rodillas.

Y, ¡oh, felicidad!, la carmelita se quitó el velo, o, mejor dicho, lo alzó y me cubrió con él. Sin la menor vacilación, reconocí a la Venerable Ana de Jesús, la fundadora del Carmelo en Francia.

Su rostro era hermoso, de una hermosura inmaterial. No desprendía ningún resplandor; y sin embargo, a pesar del velo que nos cubría a las dos, yo veía aquel rostro celestial iluminado con una luz inefablemente suave, luz que el rostro no recibía sino que él mismo producía...

Me sería imposible decir la alegría de mi alma; estas cosas se sienten, pero no se pueden expresar... Varios meses han pasado desde este dulce sueño; pero el recuerdo que dejó en mi alma no ha perdido nada de su frescor ni de su encanto celestial... Aún me parece estar viendo la mirada y la sonrisa llenas de *amor* de la Venerable Madre. Aún creo sentir las caricias de que me colmó...

... Al verme tan tiernamente amada, me atreví a pronunciar estas palabras: «Madre, te lo ruego, dime si Dios me dejará todavía mucho tiempo en la tierra... ¿Vendrá pronto a buscarme...?» Sonriendo con ternura, la santa murmuró: «Sí, pronto, pronto... Te lo prometo». «Madre –añadí–, dime también si Dios no me pide tal vez algo más que mis pobres acciones y mis deseos. ¿Está contento de mí?» El rostro de la santa asumió una expresión *incomparablemente más tierna* que la primera vez que me habló. Su mirada y sus caricias eran ya la más dulce de las respuestas. Sin embargo, me dijo: «Dios no te pide ninguna otra cosa. Está contento, ¡muy contento...!»

Y después de volver a acariciarme con mucho más amor con que jamás acarició a su hijo la más tierna de las madres, la vi alejarse... Mi corazón rebosaba de alegría, pero me acordé de mis hermanas y quise pedir algunas gracias para ellas. Pero, ¡ay!..., me desperté...

¡Jesús!, ya no rugía la tormenta, el cielo estaba en calma y sereno... Yo creía, sabía que hay un cielo, y que ese cielo está poblado de almas que me quieren y que me miran como a hija suya...

Esta impresión ha quedado grabada en mi corazón. Lo cual es tanto más curioso, cuanto que la Venerable Ana de Jesús me había sido hasta entonces del todo indiferente, nunca la había invocado, y su pensamiento sólo me venía a la mente cuando oía hablar de ella, lo que ocurría raras veces.

Por eso, cuando comprendí hasta qué punto *me quería ella a mí*, y qué lejos estaba yo de serle *indiferente*, mi corazón se deshizo en amor y gratitud, y no sólo hacia la santa que me había visitado, sino hacia todos los bienaventurados moradores del cielo...

¡Amado mío!, esta gracia no era más que el preludio de otras gracias mayores con que tú querías colmarme. Déjame, mi único amor, que te las recuerde hoy..., hoy, sí, sexto aniversario de *nuestra unión*... Y perdóname, Jesús mío, si digo desatinos al querer expresarte mis deseos, mis esperanzas que rayan el infinito, ¡¡¡perdóname y cura mi alma dándole lo que espera...!!!

Todas las vocaciones

Ser tu *esposa*, Jesús, ser *carmelita*, ser por mi unión contigo *madre* de almas, debería bastarme... Pero no es así... Ciertamente, estos tres privilegios son la esencia de mi vocación: carmelita, esposa y madre.

Sin embargo, siento en mi interior otras vocaciones : siento la vocación de guerrero, de sacerdote, de apóstol, de doctor, de mártir. En una palabra, siento la necesidad, el deseo de realizar por ti, Jesús, las más heroicas hazañas... Siento en mi alma el valor de un cruzado, de un zuavo pontificio. Quisiera morir por la defensa de la Iglesia en un campo de batalla...

Siento en mí la vocación de *sacerdote*. ¡Con qué amor, Jesús, te llevaría en mis manos cuando, al conjuro de mi voz, bajaras del cielo...! ¡Con qué amor te entregaría a las almas...! Pero, ¡ay!, aun deseando ser sacerdote, admiro y envidio la humildad de san Francisco de Asís y siento en mí la vocación de imitarlo renunciando a la sublime dignidad del sacerdocio.

¡Oh, Jesús, amor mío, mi vida...!, ¿cómo hermanar estos contrastes? ¿Cómo convertir en realidad los deseos de mi *pobrecita alma*?

Sí, a pesar de mi pequeñez, quisiera iluminar a las almas como los profetas y como los doctores.

Tengo vocación de apóstol... Quisiera recorrer la tierra, predicar tu nombre y plantar tu cruz gloriosa en suelo infiel. Pero *Amado* mío, una sola misión no sería suficiente para mí. Quisiera anunciar el Evangelio al mismo tiempo en las cinco partes del mundo, y hasta en las islas más remotas... Quisiera se misionero no sólo durante algunos años, sino haberlo sido desde la creación del mundo y seguirlo siendo hasta la consumación de los siglos...

Pero, sobre todo y por encima de todo, amado Salvador mío, quisiera derramar por ti hasta la última gota de mi sangre...

¡El martirio! ¡El sueño de mi juventud! Un sueño que ha ido creciendo conmigo en los claustros del Carmelo... Pero siento que también este sueño mío es una locura, pues no puedo limitarme a desear *una sola* clase de martirio... Para quedar satisfecha, tendría que sufrirlos todos...

Como tú, adorado Esposo mío, quisiera ser flagelada y crucificada... Quisiera morir desollada, como san Bartolomé... Quisiera ser sumergida, como san Juan, en aceite hirviendo... Quisiera sufrir todos los suplicios infligidos a los mártires... Con santa Inés y santa Cecilia, quisiera presentar mi cuello a la espada, y como Juana de Arco, mi hermana querida, quisiera susurrar tu nombre en la hoguera, Jesús... Al pensar en los tormentos que serán el lote de los cristianos en tiempos del anticristo, siento que mi corazón se estremece de alegría y quisiera que esos tormentos estuviesen reservados para mí... Jesús, Jesús, si quisiera poner por escrito todos mis deseos, necesitaría que me prestaras *tu libro de la vida*, donde están consignadas las hazañas de todos los santos, y todas esas hazañas quisiera realizarlas yo por ti...

Jesús mío, ¿y tú qué responderás a todas mis locuras...? ¿Existe acaso un alma *pequeña* y más impotente que la mía...? Sin embargo, Señor, precisamente a causa de mi debilidad, tú has querido colmar mis *pequeños deseos infantiles*, y hoy quieres colmar otros *deseos* míos más *grandes* que el universo... Como estos mis deseos me hacían sufrir durante la oración un verdadero martirio, abrí las cartas de san Pablo con el fin de buscar una respuesta. Y mis ojos se encontraron con los capítulos 12 y 13 de la primera Carta a los Corintios...

Leí en el primero que no *todos* pueden ser apóstoles, o profetas, o doctores, etc...; que la Iglesia está compuesta de diferentes miembros, y que el ojo no puede ser *al mismo tiempo* mano.

... La respuesta estaba clara, pero no colmaba mis deseos ni me daba la paz...

Al igual que Magdalena, inclinándose sin cesar sobre la tumba vacía, acabó por encontrar lo que buscaba, así también yo, abajándome hasta las profundidades de mi nada, subí tan alto que logré alcanzar mi intento...

Seguí leyendo, sin desanimarme, y esta frase me reconfortó: «Ambicionen los *carismas mejores*. Y aún les voy a mostrar un camino inigualable». Y el apóstol va explicando cómo los *mejores carismas* nada son sin el amor... Y que la caridad es ese *camino inigualable* que conduce a Dios con total seguridad.

Podía, por fin, descansar... Al mirar el cuerpo místico de la Iglesia, yo no me había reconocido en ninguno de los miembros descritos por san Pablo; o, mejor dicho, quería reconocerme en *todos* ellos...

La caridad me dio la clave de mi *vocación*. Comprendí que si la Iglesia tenía un cuerpo compuesto de diferentes miembros no podía faltarle el más necesario, el más noble de todos ellos. Comprendí que la Iglesia tenía un corazón, y que ese corazón estaba ardiendo de amor.

Comprendí que sólo el amor podía hacer actuar a los miembros de la Iglesia; que si el amor llegaba a apagarse, los apóstoles ya no anunciarían el Evangelio y los mártires se negarían a derramar su sangre...

Comprendí que el amor encerraba en sí todas las vocaciones, que el amor lo era todo, que el amor abarcaba todos los tiempos y lugares... En una palabra, ¡que el amor es eterno...!

Entonces, al borde de mi alegría delirante, exclamé: ¡Jesús, amor mío..., al fin he encontrado mi vocación! ¡Mi vocación es el amor...!

Sí, he encontrado mi puesto en la Iglesia, y ese puesto, Dios mío, eres tú quien me lo ha dado... En el corazón de la Iglesia, mi Madre, yo seré el amor... Así lo seré todo... ¡¡¡Así mi sueño se verá hecho realidad...!!!

¿Por qué hablar de alegría delirante? No, no es ésta la expresión justa. Es, más bien, la paz tranquila y serena del navegante al divisar el faro que ha de conducirlo al puerto... ¡Oh, faro luminoso del amor, yo sé cómo llegar hasta ti! He encontrado el secreto para apropiarme tu llama.

No soy más que una niña, impotente y débil. Sin embargo, es precisamente mi debilidad lo que me da la audacia para ofrecerme como víctima a tu amor, ¡oh Jesús! Antiguamente, sólo las hostias puras y sin mancha eran aceptadas por el Dios fuerte y poderoso. Para satisfacer a la justicia divina, se necesitaban víctimas perfectas. Pero a la ley del temor le ha sucedido la ley del amor, y el amor me ha elegido a mí, débil e imperfecta criatura, como holocausto... ¿No es ésta una elección digna del amor...? Sí, para que el amor quede plenamente satisfecho, es preciso que se abaje hasta la nada y que transforme en *fuego* esa nada...

Lo sé, Jesús, el amor sólo con amor se paga. Por eso he buscado y hallado la forma de aliviar mi corazón devolviéndote amor por amor.

«Gánense amigos con el dinero injusto, para que los reciban en las moradas eternas». Este es, Señor, el consejo que diste a tus discípulos después de decirles que «los hijos de las tinieblas son más astutos en sus negocios que los hijos de la luz».

Y yo, como hija de la luz, comprendí que mis deseos de serlo todo, de abarcar todas las vocaciones, eran riquezas que podían muy bien hacerme injusta; por eso me he servido de ellas para ganarme amigos...

Acordándome de la oración de Eliseo a su Padre Elías, cuando se atrevió a pedirle su *doble espíritu*, me presenté ante los ángeles y los santos y les dije: «Yo soy la más pequeña de las criaturas. Conozco mi miseria y mi debilidad. Pero sé también cuánto les gusta a los corazones nobles y generosos hacer el bien. Les suplico, pues, bienaventurados moradores del cielo, les suplico que *me adopten por hija*. *Sólo de ustedes será la gloria* que me hagan adquirir, pero dígnense escuchar mi súplica. Ya sé que es temeraria; sin embargo, me atrevo a pedirles que me alcancen *el doble amor*».

Jesús, no puedo ir más allá en mi petición; temería verme aplastada bajo el peso de mis audaces deseos...

La excusa que tengo es que soy *una niña*, y los niños no piensan en el alcance de sus palabras. Sin embargo sus padres, cuando ocupan un trono y poseen inmensos tesoros, no dudan en satisfacer los deseos de esos *pequeñitos* a los que aman tanto como a sí mismos; por complacerles, hacen locuras y hasta se vuelven *débiles*...

Pues bien, yo soy la hija de la *Iglesia*, y la Iglesia es Reina, pues es tu Esposa, oh, divino Rey de reyes...

Arrojar flores

No son riquezas ni gloria (ni siquiera la gloria del cielo) lo que pide el corazón del niñito... Él entiende muy bien que la gloria pertenece a sus hermanos, los ángeles y los santos... La suya será un reflejo de la que irradia de la frente de su madre.

Lo que él pide es el amor... No sabe más que una cosa: amarte, Jesús... Las obras deslumbrantes le están vedadas: no puede predicar el Evangelio, ni derramar su sangre... Pero ¿qué importa?, sus hermanos trabajan en su lugar, y él, *como un niño pequeño*, se queda muy cerquita del trono del Rey y de la Reina y ama por sus hermanos que luchan...

¿Pero cómo podrá demostrar él su amor, si es que el amor se demuestra con obras? Pues bien, el niñito *arrojará flores*, aromará con sus *perfumes* el trono real, cantará con su voz argentina el cántico del amor...

Sí, Amado mío, así es como se consumirá mi vida... No tengo otra forma de demostrarte mi amor que arrojando flores, es decir, no dejando escapar ningún pequeño sacrificio, ni una sola mirada, ni una sola palabra, aprovechando hasta las más pequeñas cosas y haciéndolas por amor...

Quiero sufrir por amor, y hasta gozar por amor. Así arrojaré flores delante de tu trono. No encontraré ni una sola en mi camino que no deshoje para ti. Y además, al arrojar mis flores, cantaré (¿puede alguien llorar mientras realiza una acción tan alegre?), cantaré aun cuando tenga que recoger las flores entre las espinas, y tanto más melodioso será mi canto, cuanto más largas y punzantes sean las espinas.

¿Y de qué te servirán, Jesús, mis flores y mis cantos...? Sí, lo sé muy bien: esa lluvia perfumada, esos pétalos frágiles y sin valor alguno, esos cánticos de amor del más pequeño de los corazones te fascinarán.

Sí, esas naderías te gustarán y harán sonreír a la Iglesia triunfante, que recogerá mis flores deshojadas *por amor* y las pasará por tus divinas manos, Jesús. Y luego esa Iglesia del cielo, queriendo *jugar* con su hijito, arrojará también ella esas flores —que habrán adquirido a tu toque divino un valor infinito—, arrojará esas flores sobre la Iglesia sufriente para apagar sus llamas, y las arrojará también sobre la Iglesia militante para hacerla alcanzar la victoria...

¡Jesús mío, te amo! Amo a la Iglesia, mi Madre. Recuerdo que «el más pequeño movimiento de *puro amor* es más útil a la Iglesia que todas las demás obras juntas».

¿Pero hay de verdad *puro amor* en mi corazón...? Mis inmensos deseos ¿no serán un sueño, una locura...? ¡Ay!, si así fuera, dame luz tú, Jesús. Tú sabes que busco la verdad... Si mis deseos son temerarios, hazlos tú desaparecer, pues estos deseos son para mí el mayor de los martirios...

Sin embargo, Jesús, siento en mi interior que, si después de haber ansiado con toda el alma llegar a las más elevadas regiones del amor, no llegase un día a alcanzarlas, habré saboreado una mayor *dulzura en medio de mi martirio*, en medio de mi locura, que la que gozaría en el seno de los *gozos de la patria*; a no ser que, por un milagro, me dejes conservar allí el recuerdo de las esperanzas que he tenido en la tierra.

Así pues, déjame gozar durante mi destierro las delicias del amor. Déjame saborear las dulces amarguras de mi martirio...

Jesús, Jesús, si tan delicioso es el deseo de amarte, ¿qué será poseer al Amor, gozar del Amor...?

¿Cómo puede aspirar un alma tan imperfecta como la mía a poseer la plenitud del Amor...?

El pajarito

¡Oh, Jesús, mi *primer y único amigo*, el único a quien yo *amo!*, dime qué misterio es éste. ¿Por qué no reservas estas aspiraciones tan inmensas para las almas grandes, para las águilas que se ciernen en las alturas...? Yo me considero un débil pajarito cubierto únicamente por un ligero plumón. Yo no soy un águila, sólo tengo de águila los *ojos* y el *corazón*, pues, a pesar de mi extrema pequeñez, me atrevo a mirar fijamente al Sol divino, al Sol del Amor, y mi corazón siente en sí todas las aspiraciones del águila...

El pajarito quisiera *volar* hacia ese Sol brillante que encandila sus ojos; quisiera imitar a sus hermanas las águilas, a las que ve elevarse hacia el foco divino de la Santísima Trinidad... Pero, ¡ay,! lo más que puede hacer es *alzar* sus *alitas*, ¡pero eso de volar no está en su *modesto* poder!

¿Qué será de él? ¿Morirá de pena al verse tan impotente...? No, no, el pajarillo ni siquiera se desconsolará. Con audaz abandono, quiere seguir con la mirada fija en su divino Sol. Nada podrá asustarlo, ni el viento ni la lluvia. Y si oscuras nubes llegaran a ocultarle el Astro del amor, el pajarito no cambiará de lugar: sabe que más allá de las nubes su Sol sigue brillando y que su resplandor no puede eclipsarse ni un instante.

Es cierto que, a veces, el corazón del pajarito se ve embestido por la tormenta, y no le parece que pueda existir otra cosa que las nubes que lo rodean. Esa es la hora de la *alegría perfecta* para ese *pobre* y débil ser. ¡Qué dicha para él *seguir* allí, a pesar de todo, mirando fijamente a la luz invisible que se oculta a su fe...!

Jesús, hasta aquí puedo entender tu amor al pajarito, ya que éste no se aleja de ti... Pero yo sé, y tú también lo sabes, que muchas veces la imperfecta criaturita, aun siguiendo en su lugar (es decir, bajo los rayos del Sol), acaba distrayéndose un poco de su único quehacer: recoge un granito acá y allá, corre tras un gusanito...; luego, encontrando un charquito de agua, *moja* en él sus plumas apenas formadas; ve una flor que le gusta, y su espíritu débil se entretiene con la flor... En una palabra, el pobre pajarito, al no poder cernerse como las águilas, se sigue entreteniendo con las bagatelas de la tierra.

Sin embargo, después de todas sus travesuras, el pajarillo, en vez de ir a esconderse en un rincón para llorar su miseria y morirse de arrepentimiento, se vuelve hacia su amado Sol, expone a sus rayos bienhechores sus alitas *mojadas*, gime como la golondrina; y, en su dulce canto, confía y cuenta detalladamente sus infidelidades, pensando, en su temerario abandono, adquirir así un mayor dominio, atraer con mayor plenitud el amor de Aquel que no vino a buscar a los justos sino a los pecadores...

Y si el Astro adorado sigue sordo a los gorjeos lastimeros de su criaturita, si sigue *oculto*..., pues bien, entonces la criaturita seguirá allí *mojada*, aceptará estar aterida de frío, y seguirá alegrándose de ese sufrimiento que en realidad ha merecido...

¡Qué feliz, Jesús, es tu *pajarito* de ser *débil* y *pequeño*! Pues ¿qué sería de él si fuera grande...? Jamás tendría la audacia de comparecer en tu presencia, de *dormitar* delante de ti...

Sí, ésta es también otra debilidad del pajarito cuando quiere mirar fijamente al Sol divino y las nubes no le dejan ver ni un solo rayo: a pesar suyo, sus ojitos se cierran, su cabecita se esconde bajo el ala, y el pobrecito se duerme creyendo seguir mirando fijamente a su Astro querido.

Pero al despertar, no se desconsuela; su corazoncito sigue en paz. Y vuelve a comenzar su oficio de *amor*. Invoca a los ángeles y a los santos, que se elevan como águilas hacia el Foco devorador, objeto de sus anhelos, y las águilas, compadeciéndose de su hermanito, lo protegen y defienden y ponen en fuga a los buitres que quisieran devorarlo.

El pajarito no teme a los buitres, imágenes de los demonios, pues no está destinado a ser su presa, sino la del *Águila* que él contempla en el centro del Sol del amor.

El águila divina

¡Oh, Verbo divino!, tú eres el Águila adorada que yo amo, la que *atrae*. Eres tú quien, precipitándote sobre la tierra del exilio, quisiste sufrir y morir a fin de *atraer* a las almas hasta el centro del Foco eterno de la Trinidad bienaventurada. Eres tú quien, remontándote hacia la Luz inaccesible que será ya para siempre tu morada, sigues viviendo en este valle de lágrimas, escondido bajo las apariencias de una blanca hostia...

Águila eterna, tú quieres alimentarme con tu sustancia divina, a mí, pobre e insignificante ser que volvería a la nada si tu mirada divina no me diese la vida a cada instante.

Jesús, déjame que te diga, en el exceso de mi gratitud, déjame, sí, que te diga que tu amor llega hasta la locura... ¿Cómo quieres que, ante esa locura, mi corazón no se lance hacia ti? ¿Cómo va a conocer límites mi confianza...?

Sí, ya sé que también los santos hicieron *locuras* por ti, que hicieron obras grandes porque ellos eran *águilas*...

Jesús, yo soy demasiado pequeña para hacer obras grandes..., y mi *locura* consiste en esperar que tu amor me acepte como víctima... Mi *locura* consiste en suplicar a las águilas mis hermanas que me obtengan la gracia de volar hacia el Sol del amor con las propias alas del Águila divina...

Durante todo el tiempo que tú quieras, Amado mío, tu pajarito seguirá sin fuerzas y sin alas, seguirá con los ojos fijos en ti. Quiere ser *fascinado* por tu mirada divina, quiere ser presa de tu amor...

Un día, así lo espero, Águila adorada, vendrás a buscar a tu pajarillo; y, remontándote con él hasta el Foco del amor, lo sumergirás por toda la eternidad en el ardiente Abismo de ese amor al que él se ofreció como víctima..

Súplica

¡Que no pueda yo, Jesús, revelar a todas las *almas pequeñas* cuán inefable es tu condescendencia...!

Estoy convencida de que, si por un imposible, encontrases un alma más débil y más pequeña que la mía, te complacerías en colmarla de gracias todavía mayores, con tal de que ella se abandonase con entera confianza a tu misericordia infinita.

¿Pero por qué estos deseos, Jesús, de comunicar los secretos de tu amor? ¿No fuiste tú, y nadie más que tú, el que me los enseñó a mí? ¿Y no puedes, entonces, revelárselos también a otros...?

241

Sí, lo sé muy bien, y te conjuro a que lo hagas. Te suplico que hagas descender tu mirada divina sobre un gran número de almas pequeñas...

¡Te suplico que escojas una legión de pequeñas víctimas dignas de tu amor...!

La *insignificante* sor Teresa del Niño Jesús de la Santa Faz, rel. carm. ind.

Capítulo X

La prueba de la fe
(1896-1897)

J.M.J.T.

Madre mía querida, me ha manifestado el deseo de que termine de cantar con usted las misericordias del Señor.

Este dulce canto había empezado a cantarlo con su hija querida, Inés de Jesús, que fue la madre a quien Dios encomendó la misión de guiarme en los años de mi niñez. Con ella, pues, tenía que cantar las gracias otorgadas a la florcita de la Santísima Virgen en la primavera de su vida.

Pero ahora que los tímidos rayos de la aurora han dado paso a los ardientes rayos del mediodía, es con usted con quien debo cantar la felicidad de esa florcita.

Teresa y su priora

Sí, Madre querida, con usted. Y para responder a su deseo, intentaré expresar los sentimientos de mi alma, mi gratitud a Dios y también a usted que lo representa visiblemente a mis ojos. ¿No me entregué toda a Él precisamente entre sus manos maternales?

¿Se acuerda, Madre, de aquel día...? Sí, yo sé que su corazón no lo olvida... En cuanto a mí, tendré que esperar a estar en el cielo, pues aquí abajo en la tierra no encuentro palabras para traducir lo que aquel día bendito pasó en mi corazón.

Madre querida, hay otro día en que mi alma se unió aún más, si es posible, a la suya. Fue el día en que Jesús volvió a poner sobre sus hombros la carga del priorato. Aquel día, Madre querida, usted sembró entre lágrimas, pero en el cielo rebosará de alegría al ver sus manos cargadas de preciosas gavillas.

Perdóneme, Madre, mi sencillez infantil. Yo sé que me va a permitir hablarle sin andar rebuscando lo que a una joven religiosa le está permitido decirle a su priora. Tal vez no siempre me mantenga dentro de los límites prescritos a los súbditos; pero, Madre, me atrevo a decir que la culpa será suya, pues yo la trato como una hija, ya que usted no me trata como priora sino como madre...

Sé muy bien, Madre querida, que a través de usted me habla Dios.

Muchas hermanas piensan que usted me ha mimado, que desde mi entrada en el arca santa no he recibido de usted más que halagos y caricias. Sin embargo, no es así.

En el cuaderno que contiene mis recuerdos de la infancia, podrá ver lo que pienso sobre la *educación recia* y maternal que usted me dio. Desde lo más hondo de mi corazón le agradezco que no me haya tratado con miramientos. Jesús sabía muy bien que su florcita necesitaba el agua vivificante de la humillación, que era demasiado débil para echar raíces sin esa ayuda, y quiso prestársela, Madre, por medio de usted.

De un año y medio a esta parte, Jesús ha querido cambiar la forma de hacer crecer a su florcita; sin duda pensó que estaba ya suficientemente regada, pues ahora es el sol quien la hace crecer. Jesús no quiere ya para ella más que su sonrisa divina, y esa sonrisa se la da también por medio de usted, Madre querida. Y ese dulce sol, lejos de ajar a la florcita, la hace crecer de una manera maravillosa. En el fondo de su cáliz conserva las preciosas gotas de rocío que recibió, y esas gotas le recuerdan incesantemente que es pequeña y débil...

Ya pueden todas las criaturas inclinarse hacia ella, admirarla, colmarla de alabanzas. No sé por qué, pero nada de eso lograría añadir ni una gota de falsa alegría a la verdadera alegría que saborea en su corazón al ver lo que es en realidad a los ojos de Dios: una pobre nada, y sólo eso.

Digo que no sé por qué, ¿pero no será porque hasta tanto que su pequeño cáliz no estuvo lo suficientemente lleno del rocío de la humillación, se vio privada del agua de las alabanzas? Ahora ya no existe ese peligro; al contrario, a la florcita le parece tan delicioso el rocío que la llena, que no lo cambiaría por el agua insípida de los halagos.

No quiero hablar, Madre querida, de las muestras de amor y de confianza que usted me ha dado. Pero no piense que el corazón de su hija es insensible a ellas. Lo que pasa es que sé muy bien que ahora no tengo nada que temer; al contrario, puedo gozarme de ellas, atribuyendo a Dios todo lo bueno que él ha querido poner en mí. Si a él le gusta hacerme parecer mejor de lo que soy, no es cosa mía, es muy libre de hacer lo que quiera...

¡Por qué caminos tan diferentes, Madre, lleva el Señor a las almas! En la vida de los santos, vemos que hay muchos que no han querido dejar nada de sí mismos después de su muerte: ni el menor recuerdo, ni el menor escrito; hay otros, en cambio, como nuestra Madre santa Teresa, que han enriquecido a la Iglesia con sus sublimes revelaciones, sin temor alguno a revelar los secretos del Rey, a fin de que sea más conocido y más amado de las almas.

¿Cuál de estos dos tipos de santo agrada más a Dios? Me parece, Madre, que ambos le agradan por igual, pues todos ellos han seguido las mociones del Espíritu Santo, y el Señor dijo: Digan al justo que *todo* está bien. Sí, cuando sólo se busca la voluntad de Jesús, todo está bien. Por eso, yo, pobre florcita, obedezco a Jesús tratando de complacer a mi Madre querida.

Usted, Madre, sabe bien que yo siempre he deseado ser santa. Pero, ¡ay!, cuando me comparo con los santos, siempre constato que entre ellos y yo existe la misma diferencia que entre una montaña cuya cumbre se pierde en el cielo y el oscuro grano que los caminantes pisan al andar. Pero en vez de desanimarme, me digo a mí misma: Dios no puede inspirar deseos irrealizables; por lo tanto, a pesar de mi pequeñez, puedo aspirar a la santidad. Agrandarme es imposible; tendré que soportarme tal cual soy, con todas mis imperfecciones. Pero quiero buscar la forma de ir al cielo por un caminito muy recto y muy corto, por un caminito totalmente nuevo.

El ascensor divino

Estamos en un siglo de inventos. Ahora no hay que tomarse ya el trabajo de subir los peldaños de una escalera: en las casas de los ricos, un ascensor la suple ventajosamente.

Yo quisiera también encontrar un ascensor para elevarme hasta Jesús, pues soy demasiado pequeña para subir la dura escalera de la perfección. Entonces busqué en los Libros Sagrados algún indicio del ascensor, objeto de mi deseo, y leí estas palabras salidas de la boca de Sabiduría eterna: El que sea *pequeñito*, que venga a mí.

Y entonces fui, adivinando que había encontrado lo que buscaba. Y queriendo saber, Dios mío, lo que harías con el que pequeñito que responda a tu llamada, continué mi búsqueda, y he aquí lo que encontré: Como una madre acaricia a su hijo, así los consolaré yo; los llevaré en mis brazos y sobre mis rodillas los meceré.

Nunca palabras más tiernas ni más melodiosas alegraron mi alma ¡El ascensor que ha de elevarme hasta el cielo son tus brazos, Jesús! Y para eso, no necesito crecer; al contrario, tengo que seguir siendo pequeña, tengo que empequeñecerme más y más.

Tú, Dios mío, has rebasado mi esperanza, y yo quiero cantar tus misericordias: «Me instruiste desde mi juventud, y hasta hoy relato tus maravillas, y las seguiré publicando hasta mi edad más avanzada» (Salmo 70).

¿Cuál será para mí esta edad avanzada? Me parece que podría ser ya ahora, pues dos mil años no son más a los ojos de Dios que veinte años..., que un solo día...

No piense, Madre querida, que su hija quiera dejarla... No crea que estime como una gracia mayor morir en la aurora de la vida que al atardecer. Lo que ella estima, lo único que desea es *agradar* a Jesús... Ahora que él parece acercarse a ella para llevarla a la morada de su gloria, su hija se alegra. Hace ya mucho que ha comprendido que Dios no tiene necesidad de nadie (y mucho menos de ella que de los demás) para hacer el bien en la tierra.

Perdóneme, Madre, si la estoy poniendo triste..., me gustaría tanto alegrarla... Pero si sus oraciones no son escuchadas en la tierra, si Jesús separa durante *algunos días* a la Madre de la hija, ¿cree que esas oraciones no serán escuchadas en el cielo...?

Yo sé que su deseo es que yo realice junto a usted una misión muy dulce y muy fácil. ¿Pero no podría concluirla desde el cielo...? Como un día Jesús dijo a san Pedro, también usted le dijo a su hija: «Apacienta mis corderos». Y yo me quedé atónita, y le dije que «era demasiado *pequeña*...», y le pedí que apacentase usted misma a sus corderitos, y que me cuidase también a mí y me concediera la gracia de pastar con ellos. Y usted, Madre querida, respondiendo en parte a mi justo deseo, cuidó de los corderitos a la vez que de las ovejas, encargándome a mí de llevarlos a ellos con frecuencia a pacer a la *sombra*, de enseñarles las hierbas mejores y las más nutritivas, y también de mostrarles las flores de brillantes colores que nunca deben tocar a no ser para aplastarlas con sus pies...

Usted no ha temido, Madre querida, que yo extraviase a sus corderitos. Ni mi inexperiencia ni mi juventud la han asustado. Tal vez se acordó de que el Señor se suele complacer en conceder la sabiduría a los pequeños, y de que un día, exultante de gozo, bendijo a su Padre por haber escondido sus secretos a los sabios y entendidos y habérselas revelado a los más pequeños.

Usted, Madre, sabe bien que son muy pocas las almas que no miden el poder divino por la medida de sus cortos pensamientos y que quieren que haya excepciones a todo en la tierra. ¡Sólo Dios no tiene derecho alguno a hacerlas! Sé que hace mucho tiempo que entre los humanos se practica esta forma de medir la experiencia por los años, pues ya el santo rey David en su adolescencia cantaba al Señor: «Soy *joven* y despreciado». Sin embargo, no teme decir en ese mismo Salmo 118: «Soy más sagaz que los ancianos, porque busco tu voluntad... Tu palabra es lámpara para mis pasos... Estoy dispuesto para cumplir tus mandatos, y *nada me turba...*»

Madre querida, usted no tuvo reparo en decirme un día que Dios iluminaba mi alma, que hasta me daba la experiencia de los años... Madre, yo soy *demasiado pequeña* para sentir vanidad, soy *demasiado pequeña* también para armar frases bonitas con el fin de hacerle creer que tengo una gran humildad. Prefiero reconocer con toda sencillez que el Todopoderoso ha hecho obras grandes en el alma de la hija de su divina Madre, y que la más grande de todas es haberle hecho ver su *pequeñez*, su impotencia.

Madre querida, usted sabe cómo Dios ha querido que mi alma pasara por muchas clases de pruebas. He sufrido mucho desde que estoy en la tierra. Pero si en mi niñez sufría con tristeza, ahora ya no sufro así: lo hago con alegría y con paz, soy realmente feliz de sufrir.

Madre, muy bien tiene que conocer usted todos los secretos de mi alma para no sonreír al leer estas líneas. Pues, a juzgar por las apariencias, ¿existe acaso un alma menos probada que la mía? Pero ¡qué extrañada se quedaría mucha gente si la prueba que desde hace un año vengo sufriendo apareciese ante sus ojos...!

Usted, Madre querida, conoce ya esta prueba. Sin embargo, quiero volver a hablarle de ella, pues la considero como una gracia muy grande que he recibido durante su bendito priorato.

Primeras hemoptisis

El año pasado, Dios me concedió el consuelo de observar los ayunos de cuaresma en todo su rigor. Nunca me había sentido tan fuerte, y estas fuerzas se mantuvieron hasta Pascua.

Sin embargo, el día de Viernes Santo Jesús quiso darme la esperanza de ir pronto a verlo en el cielo... ¡Qué dulce es el recuerdo que tengo de ello...! Después de haberme quedado hasta media noche ante el monumento, volví a nuestra celda. Pero apenas había apoyado la cabeza en la almohada, cuando sentí como un flujo que subía, que me subía borboteando hasta los labios.

Yo no sabía lo que era, pero pensé que a lo mejor me iba a morir, y mi alma se sintió inundada de gozo... Sin embargo, como nuestra lámpara estaba apagada, me dije a mí misma que tendría que esperar hasta la mañana para cerciorarme de mi felicidad, pues me parecía que lo que había vomitado era sangre.

La mañana no se hizo esperar mucho, y lo primero que pensé al despertarme fue que iba a descubrir algo muy hermoso. Acercándome a la ventana, pude comprobar que no me había equivocado..., ¡y mi alma se llenó de una enorme alegría! Estaba íntimamente convencida de que Jesús, en el aniversario de su muerte, quería hacerme oír una primera llamada. Era como un tenue y lejano murmullo que me anunciaba la llegada del Esposo...

Asistí con gran fervor a Prima y al capítulo de los perdones. Estaba impaciente porque me llegara el turno, para, al pedirle perdón, Madre querida, poder confiarle mi esperanza y mi felicidad. Pero añadí que no sufría lo más mínimo (lo cual era muy cierto), y le pedí, Madre, que no me diese nada especial. Y, en efecto, tuve la alegría de pasar el Viernes Santo como deseaba. Nunca me parecieron tan deliciosas las austeridades del Carmelo. La esperanza de ir al cielo me volvía loca de alegría.

Cuando llegó la noche de aquel venturoso día, nos fuimos a descansar. Pero, como la noche anterior, Jesús me dio la misma señal de que mi entrada en la vida eterna no estaba lejos...

La mesa de los pecadores

Yo gozaba por entonces de una fe tan viva y tan clara, que el pensamiento del cielo constituía toda mi felicidad. No me cabía en la cabeza que hubiese incrédulos que no tuviesen fe. Me parecía que hablaban por hablar cuando negaban la existencia del cielo, de ese hermoso cielo donde el mismo Dios quería ser su eterna recompensa.

Durante los días tan gozosos del tiempo pascual, Jesús me hizo conocer por experiencia que realmente hay almas que no tienen fe, y otras que, por abusar de la gracia, pierden ese precioso tesoro, fuente de las únicas alegrías puras y verdaderas.

Permitió que mi alma se viese invadida por las más densas tinieblas, y que el pensamiento del cielo, tan dulce para mí, sólo fuese en adelante motivo de lucha y de tormento...

Esta prueba no debía durar sólo unos días, o unas semanas: no se extinguirá hasta la hora marcada por Dios..., y esa hora no há sonado todavía...

Quisiera poder expresar lo que siento, pero, ¡ay!, creo que es imposible. Es preciso haber peregrinado por este negro túnel para comprender su oscuridad. Trataré, sin embargo, de explicarlo con una comparación.

Me imagino que he nacido en un país cubierto de espesa niebla, y que nunca he contemplado el rostro risueño de la naturaleza inundada de luz y transfigurada por el sol radiante. Es cierto que desde la niñez estoy oyendo hablar de esas maravillas. Sé que el país en el que vivo no es mi patria y que hay otro al que debo aspirar sin cesar. Esto no es una historia inventada por un habitante del triste país donde me encuentro, sino que es una verdadera realidad, porque el Rey de aquella patria del sol radiante ha venido a vivir 33 años en el país de la tinieblas.

Las tinieblas, ¡ay!, no supieron comprender que este Rey divino era la luz del mundo... Pero tu hija, Señor, ha comprendido tu divina luz y te pide perdón para sus hermanos.

Acepta comer el pan del dolor todo el tiempo que tú quieras, y no quiere levantarse de esta mesa repleta de amargura, donde comen los pobres pecadores, hasta que llegue el día que tú tienes señalado... ¿Y no podrá también decir en nombre de ellos, en nombre de sus hermanos: Ten compasión de nosotros, Señor, porque somos pecadores...? ¡Haz, Señor, que volvamos justificados...! Que todos los que no viven iluminados por la antorcha luminosa de la fe la vean, por fin, brillar...

¡Oh, Jesús!, si es necesario que un alma que te ama purifique la mesa que ellos han manchado, yo acepto comer sola en ella el pan de la tribulación hasta que tengas a bien introducirme en tu reino luminoso... La única gracia que te pido es la de no ofenderte jamás...

Madre querida, esto que le estoy escribiendo no tiene la menor ilación. Mi pequeña historia, que se parecía a un cuento de hadas, se ha cambiado de pronto en oración.

Yo no sé qué interés pueda usted encontrar en leer todos estos pensamientos confusos y mal expresados. De todas maneras, Madre, no escribo para hacer una obra literaria, sino por obediencia. Si la aburro, verá al menos que su hija ha dado pruebas de su buena voluntad. Voy, pues, a continuar con mi comparación, sin desanimarme, desde el punto en que la dejé.

Decía que desde niña crecí con la convicción de que un día me iría lejos de aquel país triste y tenebroso. No sólo creía por lo que oía decir a personas más sabias que yo, sino porque en el fondo de mi corazón yo misma sentía profundas aspiraciones hacia una región más bella. Lo mismo que a Cristóbal Colón su genio le hizo intuir que existía un nuevo mundo, cuando nadie había soñado aún con él, así yo sentía que un día otra tierra me habría de servir de morada permanente.

Pero de pronto, las nieblas que me rodean se hacen más densas, penetran en mi alma y la envuelven de tal suerte, que me es imposible descubrir en ella la imagen tan dulce de mi patria. ¡Todo ha desaparecido...! Cuando quiero que mi corazón, cansado por las tinieblas que lo rodean, descanse con el recuerdo del país luminoso por el que suspira, se redoblan mis tormentos. Me parece que las tinieblas, adoptando la voz de los pecadores, me dicen burlándose de mí: «Sueñas con la luz, con una patria aromada con los más suaves perfumes; sueñas con la posesión eterna del Creador de todas esas maravillas; crees que un día saldrás de las nieblas que te rodean. ¡Adelante, adelante! Alégrate de la muerte, que te dará, no lo que tú esperas, sino una noche más profunda todavía, la noche de la nada».

Madre querida, la imagen que he querido darle de las tinieblas que oscurecen mi alma es tan imperfecta como un boceto comparado con el modelo. Sin embargo, no quiero escribir más, por temor a blasfemar... Hasta tengo miedo de haber dicho demasiado...

Que Jesús me perdone si lo he disgustado. Pero él sabe muy bien que, aunque yo no goce de la alegría de la fe, al menos trato de realizar sus obras. Creo que he hecho más actos de fe de un año a esta parte que durante toda mi vida. Cada vez que se presenta el combate, cuando los enemigos vienen a provocarme, me porto valientemente: sabiendo que batirse en duelo es una cobardía, vuelvo la espalda a mis adversarios sin dignarme siquiera mirarlos a la cara, corro hacia mi Jesús y le digo que estoy dispuesta a derramar hasta la última gota de mi sangre por confesar que existe un cielo; le digo que me alegro de no gozar de ese hermoso cielo aquí en la tierra para que él lo abra a los pobres incrédulos por toda la eternidad.

Así, a pesar de esta prueba que me roba todo goce, aún puedo exclamar: «Tus acciones, Señor, son mi *alegría*» (Salmo 91). Porque ¿existe *alegría* mayor que la de sufrir por tu amor...? Cuanto más íntimo es el sufrimiento, tanto menos aparece a los ojos de las criaturas y más te alegra a ti, Dios mío. Pero si, por un imposible, ni tú mismo llegases a conocer mi sufrimiento, yo aún me sentiría feliz de padecerlo si con él pudiese impedir o reparar un solo pecado contra la fe...

Madre querida, quizás le parezca que estoy exagerando mi prueba. En efecto, si usted juzga por los sentimientos que expreso en las humildes poesías que he compuesto durante este año, debo de parecerle un alma llena de consuelos, para quien casi se ha rasgado ya el velo de la fe. Y sin embargo, no es ya un velo para mí, es un muro que se alza hasta los cielos y que cubre el firmamento estrellado...

Cuando canto la felicidad del cielo y la eterna posesión de Dios, no experimento la menor alegría, pues canto simplemente lo que *quiero creer*. Es cierto que, a veces, un rayo pequeñito de sol viene a iluminar mis tinieblas, y entonces la prueba cesa *un instante*. Pero luego, el recuerdo de ese rayo, en vez de causarme alegría, hace todavía más densas mis tinieblas.

Nunca, Madre, he experimentado tan bien como ahora cuán compasivo y misericordioso es el Señor: él no me ha enviado esta prueba hasta el momento en que tenía fuerzas para soportarla; antes, creo que me hubiese hundido en el desánimo...

Ahora hace que desaparezca todo lo que pudiera haber de satisfacción natural en el deseo que yo tenía del cielo... Madre querida, ahora me parece que nada me impide ya volar, pues no tengo ya grandes deseos, a no ser el de amar hasta morir de amor... (9 de junio).

Madre querida, estoy completamente asombrada de lo que le escribí ayer. ¡Qué garabatos...! Me temblaba tanto la mano, que no pude continuar, y ahora lamento hasta haber intentado seguir escribiendo. Espero poder hacerlo hoy de manera más legible, pues ya no estoy en la cama, sino en un precioso silloncito todo blanco.

Veo, Madre, que todo esto que le digo no tiene la menor ilación; pero antes de hablarle del pasado, siento la necesidad de hablarle de mis sentimientos actuales, pues más tarde quizás los haya olvidado.

Quiero, ante todo, decirle cómo me conmueven todas sus delicadezas maternales. Créame, Madre querida; el corazón de su hija desborda de gratitud y nunca olvidará lo mucho que le debe...

Madre, lo que más me ha emocionado de todo es la novena que está haciendo a Nuestra Señora de las Victorias, son las Misas que ha encargado decir para obtener mi curación. Siento que todos esos tesoros espirituales hacen un gran bien a mi alma.

Al empezar la novena, yo le decía, Madre, que la Santísima Virgen tenía que curarme o bien llevarme al cielo, pues me parecía muy triste para usted y para la comunidad tener que cargar con una joven religiosa enferma. Ahora acepto estar toda la vida enferma, si eso le agrada a Dios, y me resigno incluso a que mi vida sea muy larga. La única gracia que deseo es que mi vida acabe rota por el amor.

No, no temo una vida larga, no rehúso el combate, pues el Señor es la roca sobre la que me alzo, que adiestra mis manos para el combate, mis dedos para la pelea, él es mi escudo, yo confío en él (Salmo 143). Por eso, nunca he pedido a Dios morir joven, aunque es cierto que siempre he esperado que fuera ésa su voluntad.

Muchas veces el Señor se conforma con nuestros deseos de trabajar por su gloria, y usted sabe, Madre mía, que mis deseos son muy grandes. También sabe que Jesús me ha presentado más de un cáliz amargo y que lo ha alejado de mis labios antes de que lo bebiera, pero no sin antes darme a probar su amargura.

Madre querida, tenía razón el santo rey David cuando cantaba: Ved qué dulzura, qué delicia convivir los hermanos unidos. Es verdad, y yo lo he experimentado muchas veces, pero esa unión tiene que realizarse en la tierra a base de sacrificios. Yo no vine al Carmelo para vivir con mis hermanas, sino sólo por responder a la llamada de Jesús. Intuía claramente que vivir con las propias hermanas, cuando una no quiere hacer la menor concesión a la naturaleza, iba a ser un motivo de continuo sacrificio.

¿Cómo se puede decir que es más perfecto alejarse de los suyos...? ¿Se les ha reprochado alguna vez a los hermanos que combatan en el mismo campo de batalla? ¿Se les ha reprochado el volar juntos a recoger la palma del martirio...? Al contrario, se ha pensado, y con razón, que se animaban mutuamente, pero también que el martirio de cada uno de ellos se convertía en el martirio de todos los demás.

Lo mismo ocurre en la vida religiosa, a la que los teólogos llaman martirio. El corazón, al entregarse a Dios, no pierde su cariño natural; al contrario, ese cariño crece al hacerse más puro y más divino.

Madre querida, con este cariño la amo yo a usted y amo a mis hermanas. Soy feliz de combatir en *familia* por la gloria del Rey de los cielos. Pero estoy dispuesta también a volar a otro campo de batalla, si el divino General me expresa su deseo de que lo haga. No haría falta una orden, bastaría una mirada, una simple señal.

La vocación misionera

Desde mi entrada en el arca bendita, siempre he pensado que si Jesús no me llevaba muy pronto al cielo, mi suerte sería la misma que la de la palomita de Noé: que un día el Señor abriría la ventana del arca y me mandaría volar muy lejos, muy lejos, hacia las riberas infieles, llevando conmigo la ramita de olivo.

Este pensamiento, Madre, ha hecho que mi alma crecie- y me ha hecho elevarme por encima de todo lo creado.

Comprendí que incluso en el Carmelo podía haber separaciones y que sólo en el cielo la unión será completa y eterna. Y entonces quise que mi alma habitase en el cielo y que sólo de lejos mirase las cosas de la tierra. Acepté no sólo desterrarme yo a un pueblo desconocido, sino que también –lo cual me resultaba *mucho más amargo*– acepté el destierro de mis hermanas.

Nunca olvidaré el 2 de agosto de 1896.

Aquel día, que coincidió precisamente con el de la partida de los misioneros, se trató muy en serio de la partida de la madre Inés de Jesús. Yo no hubiera movido un solo dedo para impedirle partir; sin embargo, sentía una gran tristeza en mi corazón. Me parecía que su alma, tan sensible y delicada, no estaba hecha para vivir entre unas almas que no sabrían comprenderla. Otros mil pensamientos se agolpaban en mi mente. Y Jesús callaba, no increpaba a la tempestad... Y yo le decía: Dios mío, por tu amor lo acepto todo. Si así lo quieres, acepto sufrir hasta morir de pena.

Jesús se contentó con la aceptación. Pero algunos meses después se habló de la partida de sor Genoveva y de sor María de la Trinidad. Aquélla fue otra clase de sufrimiento, muy íntimo, muy profundo. Me imaginaba todos los trabajos y todas las decepciones que iban a tener que sufrir. En una palabra, mi cielo estaba cargado de nubarrones... Sólo el fondo de mi corazón seguía en calma y en la paz.

Su prudencia, Madre querida, supo descubrir la voluntad de Dios, y en su nombre prohibió a las novicias pensar por el momento en abandonar la cuna de su infancia religiosa.

No obstante, usted comprendía sus aspiraciones, pues usted misma, Madre, había pedido en su juventud ir a Saigón. Ocurre con frecuencia que los deseos de las madres hallan eco en el alma de sus hijas. Y usted sabe, Madre querida, que su deseo apostólico halla en mi alma un eco fiel. Permítame confiarle por qué he deseado, y aún sigo deseándolo, si la Santísima Virgen me cura, cambiar por una tierra extranjera el oasis donde vivo tan feliz bajo su mirada maternal.

Para vivir en los Carmelos extranjeros –usted, Madre, me lo dijo– hay que tener una vocación muy especial. Muchas almas se creen llamadas a ello sin estarlo en realidad. Usted también me dijo que yo tenía esa vocación, y que el único obstáculo para ello era mi salud. Sé que, si Dios me llamara a tierras lejanas, ese obstáculo desaparecería. Por eso, vivo sin la menor inquietud.

Si un día tuviese que dejar mi querido Carmelo, no lo haría, no, sin dolor. Jesús no me ha dado un corazón insensible; y justamente porque mi corazón es capaz de sufrir, deseo que le dé a Jesús todo lo que puede darle. *Aquí*, Madre querida, vivo sin la menor preocupación por las cosas de esta tierra miserable; mi único quehacer es cumplir la dulce y fácil misión que usted me ha encomendado.

Aquí me veo colmada de sus atenciones maternales; no sé lo que es la pobreza, pues nunca me ha faltado nada.

Pero, sobre todo, *aquí* me siento amada, por usted y por todas las hermanas, y este afecto es muy dulce para mí.

Por eso sueño con un monasterio donde nadie me conociese, donde tuviese que sufrir la pobreza, la falta de cariño, una palabra, el destierro del corazón.

No, la razón para abandonar todo esto que tanto amo no sería la de prestar una serie de servicios al Carmelo que quisiera recibirme. Ciertamente, haría todo lo que dependiese de mí; pero conozco mi incapacidad y sé que, aun haciendo todo lo posible, no lograría hacer nada de provecho, pues, como decía hace un momento, no tengo el menor conocimiento de las cosas de la tierra. Mi único objetivo sería, pues, hacer la voluntad de Dios y sacrificarme por él de la manera que a él más le agradase.

Estoy segura de que no sufriría la menor decepción, pues cuando se espera un sufrimiento puro y sin mezcla de ninguna clase, la menor alegría resulta una sorpresa inesperada. Y además, usted sabe, Madre, que el mismo sufrimiento, cuando se lo busca como el más preciado tesoro, se convierte en la mayor de las alegrías.

No, tampoco quiero partir con la intención de gozar del fruto de mis trabajos. Si eso fuera lo que busco, no sentiría esta dulce paz que me inunda, e incluso sufriría por no poder hacer realidad mi vocación en las lejanas misiones.

Hace ya mucho tiempo que no me pertenezco a mí misma, vivo totalmente entregada a Jesús. Por lo tanto, él es libre de hacer de mí lo que le plazca. Él me dio la vocación del destierro total, y me hizo *comprender todos* los *sufrimientos* que iba a encontrar, preguntándome si quería beber ese cáliz hasta las heces. Yo quise tomar sin tardanza esa copa que Jesús me ofrecía; pero él, retirando la mano, me dio a entender que se conformaba con mi aceptación.

¡De cuántas inquietudes nos libramos, Madre mía, al hacer el voto de obediencia! ¡Qué dichosas son las simples re ligiosas! Al ser su única brújula la voluntad de los superiores, tienen siempre la seguridad de estar en el buen camino. No tienen por qué temer equivocarse, aun cuando les parezca seguro que los superiores se equivocan.

Pero cuando dejamos de mirar a esa brújula infalible, cuando nos separamos del camino que ella nos señala, bajo pretexto de cumplir la voluntad de Dios, que no ilumina bien a los que sin embargo están en su lugar, entonces el alma se extravía por áridos caminos en los que pronto le faltará el agua de la gracia.

Madre queridísima, usted es la brújula que Jesús me ha dado para guiarme con seguridad a las riberas eternas. ¡Qué bueno es para mí fijar en usted la mirada y luego cumplir la voluntad del Señor!

Desde que él permitió que sufriese tentaciones contra la fe, ha hecho crecer enormemente en mi corazón el espíritu de fe, que me hace ver en usted, no sólo a una madre que me ama y a quien amo, sino que, sobre todo, me hace ver a Jesús que vive en su alma y que me comunica por medio de usted su voluntad.

Sé muy bien, Madre, que usted me trata como a un alma débil, como a una niña mimada; por eso, no me resulta pesado cargar con el yugo de la obediencia. Pero, a juzgar por lo que siento en el fondo del corazón, creo que no cambiaría de conducta y que el amor que le tengo no sufriría merma alguna aunque me tratase con severidad, pues seguiría pensando que era voluntad de Jesús que usted actuase así para el mayor bien de mi alma.

La caridad

Este año, Madre querida, Dios me ha concedido la gracia de comprender lo que es la caridad. Es cierto que también antes la comprendía, pero de manera imperfecta. No había profundizado en estas palabras de Jesús: «El segundo mandamiento es *semejante* al primero: Amarás a tu prójimo como a ti mismo».

Yo me dedicaba sobre todo a amar a Dios. Y amándolo, comprendí que mi amor no podía expresarse tan sólo en palabras, porque: «No todo el que me dice «Señor, Señor» entrará en el reino de los cielos, sino el que cumple la voluntad de Dios». Y esta voluntad Jesús la dio a conocer muchas veces; debería decir que casi en cada página de su Evangelio. Pero en la Última Cena, cuando sabía que el corazón de sus discípulos ardía con un amor más vivo hacia él, que acababa de entregarse a ellos en el inefable misterio de la Eucaristía, aquel dulce Salvador quiso darles un mandamiento nuevo. Y les dijo, con inefable ternura: les doy un mandamiento nuevo: que se *amen unos a otros, que se amen unos a otros igual que yo los he amado*. La señal por la que conocerán todos que son discípulos míos, será que se aman unos a otros.

¿Y cómo amó Jesús a sus discípulos, y por qué los amó? No, no eran sus cualidades naturales las que podían atraerlo. Entre ellos y él la distancia era infinita. Él era la Ciencia, la Sabiduría eterna; ellos eran unos pobres pescadores, ignorantes y llenos de pensamientos terrenos. Sin embargo, Jesús los llama sus amigos, sus hermanos. Quiere verlos reinar con él en el reino de su Padre, y, para abrirles las puertas de ese reino, quiero morir en una cruz, pues dijo: Nadie tiene amor más grande que el que da la vida por sus amigos.

Madre querida, meditando estas palabras de Jesús, comprendí lo imperfecto que era mi amor a mis hermanas y vi que no las amaba como las ama Dios. Sí, ahora comprendo que la caridad perfecta consiste en soportar los defectos de los demás, en no extrañarse de sus debilidades, en edificarse de los más pequeños actos de virtud que les veamos practicar. Pero, sobre todo, comprendí que la caridad no debe quedarse encerrada en el fondo del corazón: Nadie –dijo Jesús–, enciende una lámpara para ponerla debajo del celemín, sino para ponerla en el candelero y que alumbre a todos los de la casa.

Yo pienso que esa lámpara representa a la caridad, que debe alumbrar y alegrar, no sólo a los que me son más queridos, sino a *todos* los que están en la casa, sin exceptuar a nadie.

Cuando el Señor mandó a su pueblo amar al prójimo como a sí mismo, todavía no había venido a la tierra. Por eso, sabiendo bien hasta qué grado se ama uno a sí mismo, no podía pedir a sus criaturas un amor mayor al prójimo. Pero cuando Jesús dio a sus apóstoles un mandamiento nuevo –*su mandamiento*, como lo llama más adelante–, ya no habla de amar al prójimo como a uno mismo, sino de amarlo como *él, Jesús, lo amó* y como lo amará hasta la consumación de los siglos...

Yo sé, Señor, que tú no mandas nada imposible. Tú conoces mejor que yo mi debilidad, mi imperfección. Tú sabes bien que yo nunca podría amar a mis hermanas como tú las amas, si *tú mismo*, Jesús mío, no las *amaras* también en *mí*. Y porque querías concederme esta gracia, por eso diste un mandamiento *nuevo*...

¡Y cómo amo este mandamiento, pues me da la certeza de que tu voluntad es *amar tú en mí* a todos los que me mandas amar...!

Sí, lo sé: cuando soy caritativa, es únicamente Jesús quien actúa en mí. Cuanto más unida estoy a él, más amo a todas mis hermanas. Cuando quiero hacer que crezca en mí ese amor, y sobre todo cuando el demonio intenta poner ante los ojos de mi alma los defectos de tal o cual hermana que me cae menos simpática, me apresuro a buscar sus virtudes y sus buenos deseos; pienso que si la he visto caer una vez, puede haber conseguido un gran número de victorias que oculta por humildad, y que incluso lo que a mí me parece una falta puede muy bien ser, debido a la recta intención, un acto de virtud. Y no me cuesta convencerme de ello, pues yo misma viví un día una experiencia que me demostró que no debemos juzgar a los demás.

Fue durante la recreación. La portera tocó dos campanadas, había que abrir la puerta de clausura a unos obreros para que metieran unos árboles destinados al belén. La recreación no estaba animada, pues faltaba usted, Madre querida. Así que pensé que me gustaría mucho que me mandasen como tercera; y justo la madre subpriora me dijo que fuese yo a prestar ese servicio, o bien la hermana que estaba a mi lado. Inmediatamente comencé a desatarme el delantal, pero muy despacio para que mi compañera pudiese quitarse el suyo antes que yo, pues pensaba darle un gusto dejándola hacer de tercera. La hermana que suplía a la procuradora nos miraba riendo, y, al ver que yo me había levantado la última, me dijo: Ya sabía yo que no eras tú quien iba a ganarse una perla para tu corona; ibas demasiado despacio...

Toda la comunidad, a no dudarlo, pensó que yo había actuado siguiendo mi impulso natural. Pero es increíble el bien que una cosa tan insignificante hizo a mi alma y lo comprensiva que me volvió ante las debilidades de las demás.

Eso mismo me impide también tener vanidad cuando me juzgan favorablemente, pues razono así: Si mis pequeños actos de virtud los toman por imperfecciones, lo mismo pueden engañarse tomando por virtud lo que sólo es imperfección. Entonces digo con san Pablo: Para mí, lo de menos es que me pida cuentas un tribunal humano; ni siquiera yo me pido cuentas. Mi juez es el Señor. Por eso, para que el juicio del Señor me sea favorable, o, mejor, simplemente para no ser juzgada, quiero tener siempre pensamientos caritativos, pues Jesús nos dijo: No juzguen, y no los juzgarán.

Madre, al leer lo que acabo de escribir, usted podría pensar que la práctica de la caridad no me resulta difícil. Es cierto que, desde hace algunos meses, ya no tengo que luchar para practicar esta hermosa virtud. No quiero decir con esto que no cometa algunas faltas. No, soy demasiado imperfecta para eso. Pero cuando caigo, no me cuesta mucho levantarme, porque en un cierto combate conseguí la victoria, y desde entonces la milicia celestial viene en mi ayuda, pues no puede sufrir verme vencida después de haber salido victoriosa en la gloriosa batalla que voy a tratar de describir.

Hay en la comunidad una hermana que tiene el don de desagradarme en todo. Sus modales, sus palabras, su carácter me resultan *sumamente desagradables*. Sin embargo, es una santa religiosa, que debe de ser *sumamente agradable* a Dios.

Entonces, para no ceder a la antipatía natural que experimentaba, me dije a mí misma que la caridad no debía consistir en simples sentimientos, sino en obras, y me dediqué a portarme con esa hermana como lo hubiera hecho con la persona a quien más quiero. Cada vez que la encontraba, pedía a Dios por ella, ofreciéndole todas sus virtudes y sus méritos.

Sabía muy bien que esto le gustaba a Jesús, pues no hay artista a quien no le guste recibir alabanzas por sus obras. Y a Jesús, el Artista de las almas, tiene que gustarle enormemente que no nos detengamos en lo exterior, sino que penetremos en el santuario íntimo que él se eligió por morada y admiremos su belleza.

No me conformaba con rezar mucho por esa hermana que era para mí motivo de tanta lucha. Trataba de prestarle todos los servicios que podía; y cuando sentía la tentación de contestarle de manera desagradable, me limitaba a dirigirle la más encantadora de mis sonrisas y procuraba cambiar de conversación, pues, como dice la Imitación: Mejor es dejar a cada uno con su idea que pararse a contestar.

Con frecuencia también, fuera de la recreación (quiero decir durante las horas de trabajo), como tenía que mantener relaciones con esta hermana a causa del oficio, cuando mis combates interiores eran demasiado fuertes, huía como un desertor.

Como ella ignoraba por completo lo que yo sentía hacia su persona, nunca sospechó los motivos de mi conducta, y vive convencida de que su carácter me resultaba agradable.

Un día, en la recreación, me dijo con aire muy satisfecho más o menos estas palabras: «¿Querría decirme, hermana Teresa del Niño Jesús, qué es lo que la atrae tanto en mí? Siempre que me mira, la veo sonreír». ¡Ay!, lo que me atraía era Jesús, escondido en el fondo de su alma... Jesús, que hace dulce hasta lo más amargo... Le respondí que sonreía porque me alegraba verla (por supuesto que no añadí que era bajo un punto de vista espiritual).

Madre querida, como le he dicho, mi *último recurso* para no ser vencida en los combates es la deserción. Este recurso lo empleaba ya durante el noviciado, y siempre me dio muy buenos resultados. Quiero, Madre, citarle un ejemplo que la va a hacer sonreír.

Durante una de sus bronquitis, fui una mañana muy despacito a dejar en su celda las llaves de la reja de la comunión, pues era sacristana. En el fondo, no me disgustaba aquella ocasión que tenía de verla a usted, incluso me agradaba mucho, aunque trataba de disimularlo. Una hermana, animada de un santo celo, pero que sin embargo me quería mucho, al verme entrar en su celda, pensó, Madre, que iba a despertarla, y quiso tomarme las llaves; pero yo era demasiado lista para dárselas y *ceder de mis derechos*. Le dije, lo más educadamente que pude, que yo tenía tanto interés como ella en no despertarla, y que me tocaba a mí entregar las llaves...

Ahora comprendo que habría sido mucho más perfecto ceder ante aquella hermana, joven, es cierto, pero al fin más antigua que yo. Pero entonces no lo comprendí; y por eso, queriendo a toda costa entrar a su pesar detrás de ella, que empujaba la puerta para no dejarme pasar, pronto ocurrió la desgracia que las dos nos temíamos: el ruido que hacíamos le hizo a usted abrir los ojos...

Entonces, Madre, toda la culpa recayó sobre mí. La pobre hermana a la que yo había opuesto resistencia se puso a echar un discurso, cuyo fondo sonaba así: Ha sido sor Teresa del Niño Jesús la que ha hecho ruido... ¡Dios mío, qué hermana tan antipática...!, etc. Yo, que pensaba todo lo contrario, sentía unas ganas enormes de defenderme. Afortunadamente, me vino una idea luminosa: pensé en mi interior que, si empezaba a justificarme, no iba a poder conservar la paz en mi alma; sabía también que no tenía la suficiente virtud como para dejarme acusar sin decir nada. Así que mi única tabla de salvación era la huida. Pensado y hecho: me fui sin decir ni mus, dejando que la hermana continuase su discurso, que se parecía a las imprecaciones de Camila contra Roma.

Me latía tan fuerte el corazón, que no pude ir muy lejos, y me senté en la escalera para disfrutar en paz los frutos de mi victoria. Aquello no era valentía, ¿verdad, Madre querida? Pero creo que, cuando la derrota es segura, vale más no exponerse al combate.

¡Ay!, cuando vuelvo con el pensamiento al tiempo de mi noviciado, me doy cuenta de lo imperfecta que era... Me angustiaba por tan poca cosa, que ahora me río de ello. ¡Qué bueno es el Señor, que hizo crecer a mi alma y le dio alas...! Ahora ya ni todas las redes juntas de los cazadores me dan miedo, «pues de nada sirve tender redes a la vista de las aves» (Prov.).

Seguramente que más adelante el tiempo en que ahora vivo me parecerá también lleno de imperfecciones, pero ahora no me sorprendo ya de nada ni me aflijo al ver que soy la *debilidad* misma; al contrario, me glorío de ello y espero descubrir cada día en mí nuevas imperfecciones. Acordándome de que la caridad cubre la multitud de los pecados, exploto esta mina fecunda que Jesús ha abierto ante mí.

El Señor explica en el Evangelio en qué consiste su mandamiento nuevo. Dice en san Mateo: «Han oído que se dijo: Amarás a tu prójimo y aborrecerás a tu enemigo. Yo, en cambio, les digo: Amen a sus enemigos, y recen por los que los persiguen».

La verdad es que en el Carmelo una no encuentra enemigos, pero sí que hay simpatías. Se siente atracción por una hermana, mientras que ante otra darías un gran rodeo para evitar encontrarte con ella, y así, sin darse cuenta, se convierte en motivo de persecución. Pues bien, Jesús me dice que a esa hermana hay que amarla, que hay que rezar por ella, aun cuando su conducta me indujese a pensar que ella no me ama: «Pues si aman sólo a los que los aman, ¿qué mérito tienen? También los pecadores aman a los que los aman» (San Lucas, 6).

Y no basta con amar, hay que demostrarlo. Es natural que nos guste hacer un regalo a un amigo, y sobre todo que nos guste dar sorpresas. Pero eso no es caridad, pues también los pecadores lo hacen. Y Jesús nos dice también: «A *todo el que* te pide, dale, y *al que* se lleve lo tuyo no se lo reclames».

Dar a todas las que pidan gusta menos que ofrecer algo una misma por propia iniciativa. Más aún, cuando se nos pide algo amablemente, no nos cuesta dar. Pero si, por desgracia, no se emplean palabras bastante delicadas, enseguida el alma se rebela si no está firmemente afianzada en la caridad. Encuentra mil razones para negar lo que le piden y sólo después de haber convencido de su falta de delicadeza a la que pide acaba dándole *como un favor* lo que reclama, o le presta un ligero servicio que le habría exigido veinte veces menos tiempo del que le llevó hacer valer sus derechos imaginarios.

Si es difícil dar a todo el que nos pide, lo es todavía mucho más dejar que nos tomen lo que nos pertenece, sin reclamarlo. Digo, Madre, que es difícil, pero debería más bien decir que parece difícil, pues el yugo del Señor es suave y ligero. Cuando lo aceptamos, sentimos enseguida su suavidad y exclamamos con el salmista: *«Corrí* por el camino de tus mandatos cuando me ensanchaste el corazón».

Sólo la caridad puede ensanchar mi corazón. Y desde que esta dulce llama lo consume, Jesús, corro alegre por el camino de tu mandato *nuevo...* Y quiero correr por él hasta que llegue el día venturoso en que, uniéndome al cortejo de las vírgenes, pueda seguirte por los espacios infinitos cantando tu cántico *nuevo,* que será el cántico del amor.

Decía que Jesús no quiere que reclame lo que me pertenece. Y debería parecerme fácil y natural, pues no tengo nada mío. Por el voto de pobreza he renunciado a los bienes de la tierra. No tengo, pues, derecho a quejarme si me quitan algo que no me pertenece; al contrario, debería alegrarme cuando se me ofrece la ocasión de vivir la pobreza.

Tiempo atrás creía no estar apegada a nada. Pero desde que comprendí las palabras de Jesús, veo que, cuando llega la ocasión, soy aún muy imperfecta.

Por ejemplo, en el oficio de pintura nada es mío, lo sé muy bien. Pero si, al ponerme a trabajar, encuentro los pinceles y las pinturas en completo desorden, si ha desaparecido una regla o un cortaplumas, ya me pongo en un tris de perder la paciencia y tengo que armarme de todo mi valor para no reclamar con aspereza los objetos que me faltan.

A veces, ¿cómo no?, hay que pedir las cosas indispensables; pero si se hace con humildad, no se falta al mandamiento de Jesús, al contrario, se obra como los pobres, que tienden la mano para recibir lo que necesitan, y, si son rechazados, no se extrañan, pues nadie les debe nada.

¡Y qué paz inunda el alma cuando se eleva por encima de los sentimientos de la naturaleza...! No, no existe alegría comparable a la que saborea el verdadero pobre de espíritu. Si pide con desprendimiento algo que necesita, y no sólo se lo niegan sino que hasta intentan quitarle lo que tiene, está siguiendo el consejo de Jesús: «Al que quiera ponerte pleito para quitarte la túnica, dale también la capa...» Darle también la capa es, creo yo, renunciar una a sus últimos derechos, considerarse como la sierva y la esclava de las demás.

Cuando se ha entregado la capa, es más fácil caminar, correr. Por eso Jesús añade: «Y al que te exija caminar con él mil pasos, acompáñalo dos mil».

Así que no basta con dar a quien me pida; debo adelantarme a su deseos, mostrarme muy agradecida y muy honrada de poder prestarle un servicio; y si me toman una cosa que uso, no he de hacer ver que lo siento, sino, por el contrario, mostrarme contenta de que me hayan *quitado de en medio ese estorbo.*

Madre querida, estoy muy lejos de practicar lo que entiendo tan bien, pero el simple deseo que tengo de hacerlo me da paz.

Me doy cuenta, más aún que los días anteriores, de que me he explicado rematadamente mal. He hecho una especie de discurso sobre la caridad, cuya lectura ha tenido que cansarla.

Perdóneme, Madre querida, y piense que en este momento las enfermeras están practicando conmigo lo que acabo de escribir: no les importa caminar dos mil pasos cuando veinte bastarían. ¡He podido, pues, contemplar la caridad en acción! Sin duda que mi alma debe sentirse perfumada por ello. Pero mi mente confieso que se ha paralizado un poco ante semejante abnegación, y mi pluma ha perdido agilidad.

Para poder trasladar al papel mis pensamientos, tendría que estar como el pájaro solitario, y pocas veces tengo esa suerte. En cuanto tomo la pluma, aparece una hermana que pasa junto a mí con la horca al hombro y que cree que me distraerá dándome un poco de charla: el heno, los patos, las gallinas, la visita del médico, todo sale a relucir.

A decir verdad, la escena no dura mucho; pero hay *más de una hermana caritativa*, y de pronto otra heneadora me deja unas flores sobre las rodillas, pensando quizás inspirarme pensamientos poéticos. Y yo, que en ese momento no los busco, preferiría que las flores siguieran meciéndose en sus tallos.

Por fin, cansada de abrir y cerrar este famoso cuaderno, abro un libro (que no quiere quedarse abierto), y digo muy decidida que estoy copiando algunos pensamientos de los salmos y del Evangelio para el santo de nuestra Madre. Y es muy cierto, pues no economizo precisamente las citas...

Madre querida, creo que la divertiría mucho si le contase todas mis aventuras en los bosquecitos del Carmelo. No sé si habré podido escribir diez líneas sin verme interrumpida. Esto no debería hacerme reír, ni divertirme; pero, por amor a Dios y a mis hermanas (tan caritativas conmigo), trato de parecer contenta, y sobre todo de estarlo...

Ahora mismo acaba de irse una heneadora después de decirme con tono compasivo: –«Pobre hermanita, ¡cómo tiene que cansarte estar escribiendo así todo el día!» –«No te preocupes –le contesté–, parece que escribo mucho, pero en realidad no escribo casi nada». –«Me alegro –me dijo ya más tranquila–; de todas formas, me alegro de que estemos con la siega, pues eso no dejará de distraerte un poco».

Y, en efecto, es una distracción tan grande la que tengo (sin contar las visitas de las enfermeras), que no miento cuando digo que no escribo casi nada.

Por suerte, no me desanimo fácilmente. Para demostrárselo, Madre, voy a terminar de explicarle lo que Jesús me ha hecho comprender acerca de la caridad.

Hasta aquí sólo le he hablado de lo exterior. Ahora quisiera decirle cómo entiendo yo la caridad puramente espiritual.

Estoy segura, Madre, de que no tardaré en mezclar una con otra. Pero como es a usted a quien le hablo, sé que no le será difícil captar mi pensamiento y desenredar la madeja de su hija.

No siempre es posible en el Carmelo practicar al pie de la letra las enseñanzas del Evangelio. A veces una se ve obligada, en razón de su oficio, a negarse a hacer un favor. Pero cuando la caridad ha echado hondas raíces en el alma, se manifiesta al exterior. Hay una forma tan elegante de negar lo que no se puede dar, que la negativa agrada tanto como el mismo don. Es cierto que cuesta menos pedir un favor a una hermana que está siempre dispuesta a complacernos. Pero Jesús dijo: «Al que te pide prestado, no lo rehuyas». Así pues, no debemos huir de las hermanas que tienen la costumbre de estar siempre pidiendo favores, con el pretexto de que tendremos que negárselos. Ni debemos tampoco ser serviciales por *parecerlo*, o con la esperanza de que en otra ocasión la hermana a la que ahora ayudamos nos devolverá el favor, pues Nuestro Señor nos dice también: «Y si prestan a aquellos de los esperan recibir, ¿qué mérito tienen? También los pecadores prestan a otros pecadores con intención de cobrárselo. No, ustedes *presten sin esperar nada*, y tendrán un gran premio».

Sí, el premio es grande, incluso en esta tierra... En este camino, sólo cuesta dar el primer paso. *Prestar* sin *esperar nada* a cambio parece duro a la naturaleza; preferiríamos dar, pues lo que damos ya no nos pertenece.

Cuando alguien viene a decirnos con aire muy sincero: «Hermana, necesito tu ayuda durante unas horas; pero no te preocupes, que ya tengo permiso de nuestra Madre, y en otra ocasión te *devolveré* el tiempo que me dediques, pues sé lo ocupada que estás», como realmente sabemos muy bien que ese tiempo que *prestamos* nunca se nos devolverá, preferiríamos decir: Te lo regalo.

Esto satisfaría nuestro amor propio, pues dar es un acto más generoso que prestar, y además así hacemos saber a la hermana que no contamos con sus servicios...

¡Qué contrarias a los sentimientos de la naturaleza son las enseñanzas de Jesús! Sin la ayuda de su gracia, no sólo no podríamos ponerlas por obra, sino ni siquiera comprenderlas.

LOS QUE USTED ME CONFIÓ
(1896-1897)

Madre, Jesús ha concedido a su hija la gracia de penetrar en las profundidades misteriosas de la caridad. Si ella pudiese expresar todo lo que se la ha dado a entender, usted escucharía una melodía de cielo. Pero, ¡ay!, lo único que puedo hacerle oír son simples balbuceos infantiles... Si no vinieran en mi ayuda las propias palabras de Jesús, me sentiría tentada de pedirle disculpas y de dejar la pluma... Pero no, he de terminar por obediencia lo que comencé por obediencia.

Novicias y hermanos espirituales

Madre querida, yo escribía ayer que, al no ser míos los bienes de aquí abajo, no debería resultarme difícil no reclamarlos nunca si alguien me los quita.

Tampoco los bienes del cielo me pertenecen. Me han sido *prestados* por Dios, que puede quitármelos sin que yo tenga ningún derecho a quejarme.

Sin embargo, los bienes que vienen directamente de Dios, las intuiciones de la inteligencia y del corazón, los pensamientos profundos, todo eso constituye una riqueza a la que solemos apegarnos como a un bien propio que nadie tiene derecho a tocar...

Por ejemplo, si durante la licencia comunicamos a una hermana alguna luz recibida en la oración, y poco después esa hermana, hablando con otra, le dice lo que le habíamos confiado como si lo hubiese pensado ella misma, parece que se apropia de algo que no era suyo.

O bien, cuando en la recreación decimos por lo bajo a nuestra compañera una frase ingeniosa o que viene como anillo al dedo, si ella la repite en voz alta sin decir la fuente de donde procede, parece también un robo a la propietaria, que no reclama nada pero que tiene muchas ganas de hacerlo y que aprovechará la primera ocasión para hacer saber sutilmente que se han apropiado de sus pensamientos.

Instrumentos de Dios

Madre, yo no sabría explicarle tan bien estos tristes sentimientos de la naturaleza si yo misma no los hubiese experimentado en mi propio corazón. Y me gustaría mecerme en la dulce ilusión de que sólo han visitado el mío, si usted no me hubiese mandado escuchar las tentaciones de sus queridas novicias.

En el cumplimiento de la misión que usted me confió he aprendido mucho. Sobre todo, me he visto obligada a practicar yo misma lo que enseñaba a las demás. Y así, ahora puedo decir que Jesús me ha concedido la gracia de no estar más apegada a los bienes del espíritu y del corazón que a los de la tierra.

Si alguna vez me ocurre pensar y decir algo que les gusta a mis hermanas, me parece completamente natural que se apropien de ello como de un bien suyo propio. Ese pensamiento pertenece al Espíritu Santo y no a mí, pues san Pablo dice que, sin ese Espíritu de amor, no podemos llamar «Padre» a nuestro Padre que está en el cielo. Él es, pues, muy libre de servirse de mí para comunicar a un alma un buen pensamiento. Si yo creyera que ese pensamiento me pertenece, me parecería al «asno que llevaba las reliquias», que pensaba que los homenajes tributados a los santos iban dirigidos a él.

No desprecio los pensamientos profundos que alimentan el alma y la unen a Dios. Pero hace mucho tiempo ya que he comprendido que el alma no debe apoyarse en ellos, ni hacer consistir la perfección en recibir muchas iluminaciones. Los pensamientos más hermosos no son nada sin las obras.

Es cierto que los demás pueden sacar mucho provecho de las luces que a ella se le conceden, si se humillan y saben dar gracias a Dios por permitirles tomar parte en el festín de un alma a la que él se digna enriquecer con sus gracias. Pero si esta alma se complace en sus *grandes pensamientos* y hace la oración del fariseo, entonces viene a ser como una persona que se muere de hambre ante una mesa bien surtida mientras todos sus invitados disfrutan en ella de comida abundante y hasta dirigen de vez en cuando una mirada de envidia al personaje poseedor de tantos bienes.

¡Qué gran verdad es que sólo Dios conoce el fondo de los corazones...! ¡Y qué cortos son los pensamientos de las criaturas...! Cuando ven un alma con más luces que las otras, enseguida sacan la conclusión de que Jesús las ama a ellas menos que a esa alma y de que no las llama a la misma perfección.

¿Desde cuándo no tiene *ya derecho* el Señor a servirse de una de sus criaturas para conceder a las almas que ama el alimento que necesitan?

En tiempos del faraón el Señor aún tenía *ese derecho*, pues en la Sagrada Escritura le dice a este monarca: «Te he constituido rey para mostrar en ti mi poder y para hacer famoso mi nombre en toda la tierra». Desde que el Todopoderoso pronunció estas palabras han pasado siglos y siglos, y su forma de actuar sigue siendo la misma: siempre se ha servido de sus criaturas como de instrumentos para realizar su obra en las almas.

El pincelito

Si el lienzo que pinta un artista pudiera pensar y hablar, seguramente no se quejaría de que el *pincel* lo toque y lo retoque sin cesar; ni tampoco envidiaría la suerte de ese instrumento, pues sabría que la belleza que lo adorna no se la debe al pincel sino al artista que lo maneja.

El pincel, por su parte, no puede gloriarse de haber hecho él la obra de arte. Sabe que los artistas no se atan a un instrumento, que se ríen de las dificultades, que a veces les gusta elegir instrumentos débiles y defectuosos...

Madre querida, yo soy un pincelito que Jesús ha elegido para pintar su imagen en las almas que usted me ha confiado. Un artista no utiliza solamente un pincel, necesita al menos dos. El primero es el más útil, con él da los colores comunes, y cubre totalmente el lienzo en muy poco tiempo; del otro, del más pequeño, se sirve para los detalles.

Madre querida, usted representa el precioso pincel que la mano de Jesús toma con amor cuando quiere hacer un *gran trabajo* en el alma de sus hijas; y yo soy el *pequeñito* del que luego quiere servirse para los detalles menores.

La primera vez que Jesús se sirvió de su pincelito fue hacia el 8 de diciembre de 1892. Siempre recordaré aquella época como un tiempo de gracias. Voy a confiarle, Madre querida, aquellos dulces recuerdos.

Cuando, a los 15 años, tuve la dicha de entrar en el Carmelo, me encontré con una compañera de noviciado que había ingresado unos meses antes. Tenía ocho años más que yo; pero su temperamento infantil borraba la diferencia de los años, así que pronto usted, Madre, tuvo la alegría de ver que sus dos postulantes se entendían a las mil maravillas y se hacían inseparables.

En orden a propiciar aquel afecto naciente, que le parecía que había de dar buenos frutos, nos permitió que tuviéramos juntas, de vez en cuando, algunas charlas espirituales.

Mi querida compañera me encantaba por su inocencia y por su carácter abierto. Pero, por otro lado, me extrañaba ver cuán distinto era el afecto que ella le tenía a usted del que le tenía yo. Había también, en su comportamiento con las hermanas, muchas otras cosas que yo hubiera deseado que cambiase...

Ya en aquella época Dios me hizo comprender que hay almas a las que su misericordia no se cansa de esperar, a las que no concede su luz sino paso a paso. Por eso, yo me cuidaba muy bien de adelantar su hora y esperaba pacientemente a que Jesús tuviese a bien hacerla llegar.

Reflexionando un día sobre el permiso que usted nos había dado para hablar y así inflamarnos más en el amor de nuestro Esposo, como dicen nuestras santas Constituciones, me di cuenta con tristeza de que nuestras conversaciones no alcanzaban el fin deseado. Entonces Dios me dio a entender que había llegado el momento y que ya no tenía por qué tener miedo a hablar, o que, de lo contrario, debería poner fin a unas conversaciones que tanto se parecían a las de dos amigas del mundo.

Aquel día era sábado. Al día siguiente, durante la acción de gracias, le pedí a Dios que pusiera en mi boca palabras tiernas y convincentes, o, más bien, que hablase él mismo por mi boca. Jesús escuchó mi oración y permitió que el resultado colmase ampliamente mi esperanza, pues los que vuelvan su mirada hacia él quedarán radiantes y la luz brillará en las tinieblas para los rectos de corazón. Las primeras palabras se aplican a mí y las segundas a mi compañera, que realmente tenía un corazón recto...

Cuando llegó la hora en que habíamos quedado para encontrarnos, al poner los ojos en mí la pobre hermanita se dio cuenta enseguida de que yo no era la misma. Se sentó a mi lado, sonrojada, y yo, apoyando su cabeza en mi corazón, le dije, con llanto en la voz, *todo lo que pensaba de ella*, pero con palabras tan tiernas y manifestándole tanto cariño, que pronto sus lágrimas se mezclaron con las mías.

Reconoció con gran humildad que todo lo que le decía era verdad, me prometió comenzar una nueva vida y me pidió, como un favor, que le advirtiese siempre sus faltas.

Al final, en el momento de separarnos, nuestro afecto se había vuelto totalmente espiritual, no había ya en él nada de humano. Se hacía realidad en nosotras aquel pasaje de la Sagrada Escritura: «Hermano ayudado por su hermano es como una plaza fuerte».

Lo que Jesús hizo con su pincelito se hubiera borrado pronto si él, Madre, no hubiese echado mano de usted para consumar su obra en aquella alma que él quería toda para sí.

A mi pobre compañera la prueba le pareció muy amarga, pero la firmeza que usted usó con ella acabó por triunfar. Y entonces fue cuando yo, tratando de consolarla, pude explicarle a quien usted me había dado por hermana entre todas las demás en qué consiste el verdadero amor. Le hice ver que era *a sí misma* a quien amaba, y no a usted. Le conté cómo la amaba a usted yo, y los sacrificios que me había visto obligada a hacer en los comienzos de mi vida religiosa para no encariñarme con usted de manera puramente material, como el perro se encariña con su dueño. El amor se alimenta de sacrificios; y de cuantas más satisfacciones naturales se priva el alma, más fuerte y desinteresado se hace su cariño.

Recuerdo que, siendo postulante, me venían a veces tan fuertes tentaciones de entrar en su celda por mi satisfacción personal, por encontrar algunas gotas de alegría, que me veía obligada a pasar a toda velocidad por delante de la procura y a asirme fuertemente al pasamanos de la escalera; me venían a la cabeza un montón de permisos que pedir. En una palabra, encontraba mil razones para dar gusto a mi naturaleza...

El poder de la oración y el sacrificio

¡Cuanto me alegro ahora de todas las renuncias que me impuse desde el comienzo de mi vida religiosa! Ahora gozo ya del premio prometido a los que luchan valientemente. Siento que ya no necesito negarme todos los consuelos del corazón, pues mi alma está afianzada en el Único a quien quería amar. Veo feliz que, amándolo a él, el corazón se ensancha y que puede dar un cariño incomparablemente mayor a los que ama que si se encerrase en un amor egoísta e infructuoso.

Madre querida, le he recordado el primer trabajo que usted y Jesús quisieron llevar a cabo sirviéndose de mí. No era más que el preludio de los que iban a serme confiados.

Cuando me fue dado penetrar en el santuario de las almas, vi enseguida que la tarea era superior a mis fuerzas. Entonces me eché en los brazos de Dios como un niñito, y, escondiendo mi rostro entre sus cabellos, le dije: Señor, yo soy demasiado pequeña para dar de comer a tus hijas. Si tú quieres darle a cada una, por medio de mí, lo que necesita, llena tú mi mano; y entonces, sin separarme de tus brazos y sin volver siquiera la cabeza, yo entregaré tus tesoros al alma que venga a pedirme su alimento. Si lo encuentra de su gusto, sabré que no me lo debe a mí, sino a ti; si, por el contrario, se queja y encuentra amargo lo que le ofrezco, no perderé la paz, intentaré convencerla de que ese alimento viene de ti y me guardaré muy bien de buscarle otro.

Madre, desde que comprendí que no podía hacer nada por mí misma, la tarea que usted me encomendó dejó de parecerme difícil. Vi que la única cosa necesaria era unirme cada día más a Jesús y que todo lo demás se me daría por añadidura. Y mi esperanza nunca ha sido defraudada. Dios ha tenido a bien llenar mi manita cuantas veces ha sido necesario para que yo pudiese alimentar el alma de mis hermanas.

Le confieso, Madre querida, que si me hubiese apoyado lo más mínimo en mis propias fuerzas, pronto le hubiera entregado las armas...

De lejos, parece de color de rosa eso de hacer bien a las almas, hacerlas amar más a Dios, en una palabra modelarlas según los propios puntos de vista y los criterios personales. *De cerca* ocurre todo lo contrario: el color rosa desaparece..., y una ve por experiencia que hacer el bien es algo tan imposible sin la ayuda de Dios como hacer brillar el sol en plena noche... Se comprueba que hay que olvidarse por completo de los propios gustos y de las ideas personales, y guiar a las almas por los caminos que Jesús ha trazado para ellas, sin pretender hacerlas ir por el nuestro.

Pero esto no es todavía lo más difícil. Lo que más me cuesta de todo es tener que estar pendiente de las faltas y de las más ligeras imperfecciones y declararles una guerra a uerte. Iba a decir: por desgracia para mí; pero no, eso sería cobardía. Así que digo: por suerte para mis hermanas.

Desde que me puse en brazos de Jesús, soy como el vigía que observa al enemigo desde la torre más alta de una fortaleza. Nada escapa a mis ojos. Muchas veces yo misma me sorprendo de ver tan claro, y me parece muy digno de excusas el profeta Jonás por haber huido en vez de ir a anunciar la ruina de Nínive. Preferiría mil veces ser reprendida que reprender yo a las demás. Pero entiendo que es muy necesario que eso me resulte doloroso, pues cuando obramos por impulso natural, es imposible que el alma a quien queremos hacer ver sus faltas entienda sus errores, ya que no ve más que una cosa: la hermana encargada de guiarme está enojada, y pago los platos rotos yo, que estoy llena de la mejor voluntad. Sé muy bien que a tus corderitos les parezco severa. Si leyeran estas líneas, dirían que no parece costarme lo más mínimo correr detrás de ellos, hablarles en tono severo mostrándoles su hermoso vellón manchado, o bien traerles algún ligero mechón de lana que han dejado prendido en los espinos del camino.

Los corderitos pueden decir lo que quieran. En el fondo, saben que los amo con verdadero amor y que yo nunca imitaré al mercenario, que, al ver venir al lobo, abandona el rebaño y huye. Yo estoy dispuesta a dar mi vida por ellos. Pero mi afecto es tan puro, que no deseo que lo sepan. Nunca, por la gracia de Jesús, he tratado de granjearme sus corazones. Siempre he tenido muy claro que mi misión consistía en llevarlos a Dios y en hacerles comprender que, aquí en la tierra, usted, Madre, era el Jesús visible a quien deben amar y respetar.

Le he dicho, Madre querida, que yo misma había aprend[...]do mucho instruyendo a las demás. Lo primero que descubr[...] es que todas las almas sufren más o menos las mismas luchas, pero que, por otra parte, son tan diferentes las unas de las otras, que no me resulta difícil comprender lo que decía el P. Pichon: «Hay mucha más diferencia entre las almas que entre los rostros».

Por tanto, no se las puede tratar a todas de la misma manera. Con ciertas almas, veo que tengo que hacerme pequeña, no tener reparo en humillarme confesando mis luchas y mis derrotas. Al ver que yo tengo las mismas debilidades que ellas, mis hermanitas me confiesan a su vez las faltas que se reprochan a sí mismas y se alegran de que las comprenda *por experiencia*.

Con otras, por el contrario, he comprobado que, para ayudarlas, hay que tener una gran firmeza y no dar nunca marcha atrás de lo que se ha dicho. Abajarse no sería humildad, sino debilidad.

Dios me ha concedido la gracia de no temer el combate. Tengo que cumplir con mi deber al precio que sea. Más de una vez he oído decir esto: «Si quieres conseguir algo de mí, tendrás que ganarme por el camino de la dulzura; por el de la fuerza no conseguirás nada».

Sé que nadie es buen juez en propia causa, y que un niño al que el médico somete a una operación dolorosa no dejará de chillar y de decir que es peor el remedio que la enfermedad; sin embargo, cuando a los pocos días se encuentre curado, se sentirá feliz de poder jugar y correr.

Lo mismo ocurre con las almas. No tardan en reconocer que, en ocasiones, un poco de acíbar es preferible al azúcar, y no tienen reparo en confesarlo.

A veces no puedo dejar de sonreír en mi interior al ver qué cambio se opera de un día para otro. ¡Parece cosa de magia...! Vienen a decirme: «Tuviste razón ayer al ser tan severa. En un primer momento me sublevó lo que me dijiste, pero luego fui recordándolo todo y vi que tenías razón... Ya ves, cuando me fui de tu lado, pensé que todo había terminado, y me decía: Iré a ver a nuestra Madre y le diré que ya no volveré más con sor Teresa del Niño Jesús. Pero me di cuenta de que era el demonio quien me inspiraba esas cosas. Además, me pareció que tú estabas rezando por mí. Entonces recobré la paz y la luz empezó a brillar. Pero ahora necesito que me acabes de iluminar, y por eso he venido».

Y enseguida entablamos conversación. Y me siento feliz de seguir los dictados de mi corazón no teniendo ya que servir ningún plato amargo.

Sí, pero... no tardo en darme cuenta de que no debo precipitarme, de que una sola *palabra* podría derribar todo el edificio construido entre lágrimas. Si tengo la mala suerte de decir una palabra que pueda atenuar lo que dije la víspera, veo que mi hermanita intenta aferrarse a ella como a un clavo ardiendo; entonces rezo interiormente una oracioncita, y la verdad acaba triunfando.

Sí, toda mi fuerza se encuentra en la oración y en el sacrificio; son las armas invencibles que Jesús me ha dado, y logran mover los corazones mucho más que las palabras.

Muchas veces lo he comprobado por experiencia. Pe
hay una, entre todas ellas, que me ha dejado una grata y profunda impresión.

Fue durante la cuaresma. Yo me encargaba por entonces
de la única novicia que había en el convento, pues era su
ángel. Un mañana vino a verme toda radiante: «Si supieras
—me dijo— lo que soñé anoche... Estaba con mi hermana
e intentaba desasirla de todas las vanidades a que está tan
apegada. Para lograrlo, me puse a explicarle esta estrofa del
Vivir de amor: «¡Jesús, amarte es pérdida fecunda! / Tuyos
son mis perfumes para siempre».

Yo veía que mis palabras penetraban en su alma, y estaba
loca de alegría. Esta mañana, al despertarme, pensé que quizás Dios quería que le ofreciera esta alma. ¿Y si le escribiera
después de la cuaresma contándole mi sueño y diciéndole
que Jesús la quiere toda para sí?»

Yo, sin pensarlo demasiado, le dije que podía muy bien
intentarlo, pero que antes tenía que pedir permiso a nuestra
madre.

Como la cuaresma estaba todavía lejos de tocar a su fin,
usted, Madre querida, se quedó muy sorprendida de semejante petición, que le parecía demasiado prematura. Y, ciertamente inspirada por Dios, le contestó que las carmelitas no
tienen que salvar las almas con cartas, sino con la oración.

Al conocer su decisión, vi enseguida que era la de Jesús,
y le dije a sor María de la Trinidad: «Pongamos manos a la
obra, recemos mucho. ¡Qué alegría *si al final de la cuaresma*
hubiésemos sido escuchadas...!»

Y ¡oh, misericordia infinita del Señor, que se digna es-
uchar la oración de sus hijos...!, *al final de la cuaresma*, una
nueva alma se consagraba a Jesús. Fue un verdadero milagro
de la gracia, ¡un milagro alcanzado por el fervor de una humilde novicia!

¡Qué grande es, pues el poder de la oración! Se diría que
es como una reina que en todo momento tiene acceso libre
al rey y que puede alcanzar todo lo que pide.

Para ser escuchadas, no hace falta leer en un libro una
hermosa fórmula compuesta para esa ocasión. Si fuese así...,
¡qué digna de lástima sería yo...! Fuera del *Oficio divino*, que *tan
indigna* soy de recitar, no me siento con fuerzas para sujetarme
a buscar en los libros *hermosas* oraciones; me produce dolor de
cabeza, ¡hay tantas..., y cada cual más *hermosa*...! No podría re-
zarlas todas, y, al no saber cuál elegir, hago como los niños que
no saben leer: le digo a Dios simplemente lo que quiero decirle, sin componer frases hermosas, y él siempre me entiende...

Para mí, la oración es un impulso del corazón, una simple
mirada lanzada hacia el cielo, un grito de gratitud y de amor,
tanto en medio del sufrimiento como en medio de la alegría.
En una palabra, es algo grande, algo sobrenatural que me
dilata el alma y me une a Jesús.

No quisiera, sin embargo, Madre querida, que pensara
que rezo sin devoción las oraciones comunitarias en el coro
o en las ermitas. Al contrario, soy muy amiga de las oraciones
comunitarias, pues Jesús nos prometió estar en medio de los
que se reúnen en su nombre; siento entonces que el fervor de
mis hermanas suple al mío.

Pero rezar yo sola el rosario (me da vergüenza decirlo) m
cuesta más que ponerme un instrumento de penitencia... ¡Se
que lo rezo tan mal! Por más que me esfuerzo por meditar los
misterios del rosario, no consigo fijar la atención... Durante
mucho tiempo viví desconsolada por esta falta de atención,
que me extrañaba, pues *amo tanto* a la *Santísima Virgen*, que
debería resultarme fácil rezar en su honor unas oraciones que
tanto le agradan. Ahora me entristezco ya menos, pues pienso que, como la Reina de los cielos es mi Madre, ve mi buena
voluntad y se conforma con ella.

A veces, cuando mi espíritu está tan seco que me es imposible sacar un solo pensamiento para unirme a Dios, rezo
muy despacio un «Padrenuestro», y luego la salutación angélica.
Entonces, esas oraciones me encantan y alimentan mi alma
mucho más que si las rezase precipitadamente un centenar
de veces...

La Santísima Virgen me demuestra que no está disgustada conmigo. Nunca deja de protegerme en cuanto la
invoco. Si me sobreviene una inquietud o me encuentro
en un aprieto, me vuelvo rápidamente hacia ella, y siempre se hace cargo de mis intereses como la más tierna de
las madres. ¡Cuántas veces, hablando a las novicias, me ha
ocurrido invocarla y sentir los beneficios de su protección
maternal...!

Con frecuencia me dicen las novicias: «Tú tienes respuesta para todo. Creía que esta vez iba a ponerte en un apuro...
¿De dónde sacas lo que nos dices?» Hay incluso algunas tan
cándidas, que creen que leo en sus almas porque me ha sucedido anticiparme a decirles lo que pensaban.

Una noche, una de mis compañeras había decidido ocultarme una pena que la hacía sufrir mucho. La encuentro por la mañana, me habla con cara sonriente, y yo, sin contestar a lo que me decía, le digo muy segura: Tú tienes una pena. Creo que si hubiese hecho caer la luna a sus pies, no me habría mirado con mayor asombro. Su estupor era tan grande, que se me contagió también a mí: por un instante, se apoderó de mí una especie de pavor sobrenatural. Estaba segura de no poseer el don de leer en las almas, y por eso me sorprendía más haber dado tan en el clavo. Sentí que Dios estaba allí muy cerca y que, sin darme cuenta, había dicho, como un niño, palabras que no provenían de mí sino de él.

Madre querida, usted sabe muy bien que a las novicias todo les está permitido. Tienen que poder decir lo que piensan con total libertad, lo bueno y lo malo. Conmigo esto les resulta más fácil, pues a mí no me deben el respeto que se tiene a una maestra de novicias.

No puedo decir que Jesús me lleve *externamente* por el camino de las humillaciones. Se conforma con humillarme en lo *hondo* del alma. A los ojos de las criaturas todo me sale bien, sigo el camino de los honores, en cuanto es posible en la vida religiosa. Comprendo que si tengo que marchar por este camino que parece tan peligroso, no es por mí, sino por las demás. En efecto, si pasase por ser una religiosa llena de defectos, inepta, poco inteligente y alocada, usted, Madre, no podría dejarse ayudar por mí. Por eso Dios ha echado un velo sobre todos mis defectos, exteriores e interiores.

A veces ese velo me vale algunos cumplidos por par de las novicias. Yo sé que no me los hacen por adularme, sino que son una expresión de sus sentimientos in ocentes. Y la verdad es que no me producen la menor vanidad, pues traigo siempre presente en la memoria el recuerdo de lo que soy.

No obstante, a veces siento un gran deseo de escuchar algo que no sean alabanzas. Usted, Madre querida, sabe que prefiero la vinagreta al azúcar. También mi alma se cansa de los alimentos demasiado azucarados, y entonces Jesús permite que le sirvan una buena ensaladita, con mucho vinagre y muchas especias, y en la que nada falta excepto el aceite, lo cual le da un nuevo sabor...

Esta buena ensaladita me la sirven las novicias cuando menos lo espero. Dios levanta el velo que oculta mis imperfecciones, y entonces mis queridas hermanitas, al verme tal cual soy, ya no me encuentran totalmente de su agrado.

Con una sencillez que me encanta, me cuentan todas las luchas que les produzco y lo que no les gusta de mí. En una palabra, no se muerden más la lengua que si se tratara de cualquier otra y no de mí, sabiendo que me producen un gran placer actuando así.

Y verdaderamente es más que un placer, es un festín delicioso que me llena el alma de alegría. No puedo explicarme cómo algo que desagrada tanto a la naturaleza puede producir tanta felicidad; si no lo hubiese experimentado, no podría creerlo...

Un día en que deseaba particularmente ser humillada, una
ovicia se encargó de colmar tan bien mis deseos, que me
acordé de Semeí maldiciendo a David, y pensé: Sí, es el Señor
quien le ordena decirme todo eso... Y mi alma saboreaba con
verdadero deleite la amarga comida que le servían en tanta
abundancia.

Así es como Dios cuida de mí. No siempre puede darme
el pan reconfortante de la humillación exterior; pero de vez
en cuando me permite alimentarme de las migajas que caen
de la mesa *de los hijos*. ¡Qué grande es su misericordia! Sólo
podré cantarla en el cielo.

Madre querida, ya que trato de empezar a cantar con
usted aquí en la tierra esa misericordia infinita, debo contarle otra gran ganancia que saqué de la misión que usted me
confió.

Antes, cuando una hermana hacía algo que no me gustaba y que me parecía contrario a la ley, pensaba: ¡qué tranquila
me quedaría si pudiese decirle lo que pienso, hacerle ver que
está actuando mal!

Desde que vengo ejercitando un poco ese oficio, le aseguro, Madre, que he cambiado por completo de parecer. Cuando
me acontece ver que una hermana hace algo que me parece
imperfecto, lanzo un suspiro de alivio y me digo a mí misma:
¡Qué suerte!, no es una novicia, no estoy obligada a repren-
derla. Y luego, trato enseguida de disculpar a la hermana y de
atribuirle unas buenas intenciones, que seguramente tiene.

Madre querida, desde que estoy enferma, los cuidados
que usted me prodiga me han enseñado también mucho

sobre la caridad. Ningún remedio le parece demasiado car[...] y si no da resultado, prueba con otro sin cansarse.

Cuando yo iba todavía a la recreación, ¡cómo se preocupaba porque estuviera en un buen lugar, al abrigo de las corrientes de aire! En una palabra, si quisiera contarlo todo, no acabaría nunca.

Pensando en todo esto, me dije a mí misma que yo debía ser tan compasiva con las enfermedades espirituales de mis hermanas como usted, Madre querida, lo es cuidándome con tanto amor.

He observado (y es muy natural) que las hermanas más santas son también las más queridas. Se busca su conversación, se les hacen favores sin que los pidan. En una palabra, estas almas, tan capaces de soportar faltas de consideración o de delicadeza, se ven rodeadas del afecto de todas. A ellas puede aplicarse esta frase de nuestro Padre san Juan de la Cruz: «Cuando con propio amor no lo quise, dióseme todo sin ir tras ello».

Por el contrario, a las almas imperfectas no se las busca; se las trata, ciertamente, conforme a las reglas de la educación religiosa; pero, por miedo a decirles alguna palabra menos delicada, se evita su compañía.

Al decir almas imperfectas, no me refiero solamente a las imperfecciones espirituales, pues ni las más santas serán perfectas hasta que lleguen al cielo. Quiero decir faltas de discreción, de educación, la susceptibilidad de ciertos caracteres, cosas todas que no hacen la vida muy agradable.

Sé muy bien que estas enfermedades morales son crónicas y que no hay esperanza de curación; pero sé también

...e mi Madre no dejaría de cuidarme y de tratar de aliviarme ...unque siguiera enferma toda la vida.

Y ésta es la conclusión que yo saco: en la recreación y en la licencia, debo buscar la compañía de las hermanas que peor me caen y desempeñar con esas almas heridas el oficio de buen samaritano. Una palabra, una sonrisa amable bastan muchas veces para alegrar a un alma triste.

Pero no quiero en modo alguno practicar la caridad con este fin, pues sé muy bien que pronto cedería al desaliento: una palabra dicha con la mejor intención puede ser interpretada completamente al revés. Por eso, para no perder el tiempo, quiero ser amable con todas (y especialmente con las hermanas menos amables) por agradar a Jesús y seguir el consejo que él da en el Evangelio, poco más o menos en estos términos: «Cuando des un banquete, no invites a tus parientes ni a tus amigos, porque corresponderán invitándote y así quedarás pagado. Invita a pobres, cojos, paralíticos; dichoso tú, porque no pueden pagarte: tu Padre, que ve en lo escondido, te lo pagará».

¿Y qué banquete puede ofrecer una carmelita a sus hermanas sino un banquete espiritual compuesto de caridad atenta y gozosa? Yo no conozco ningún otro, y quiero imitar a san Pablo, que se alegraba con los que estaban alegres. Es cierto que también lloraba con los tristes, y que las lágrimas han de aparecer también algunas veces en el banquete que yo quiero servir; pero siempre intentaré que al final esas lágrimas se conviertan en alegría, pues el Señor ama a los que dan con alegría.

Sor San Pedro

Recuerdo un acto de caridad que el Señor me inspiró hacer siendo todavía novicia. No fue nada importante, pero nuestro Padre, que ve en lo escondido y que mira más a la intención que a la importancia de la obra, ya me lo ha pagado sin esperar a la otra vida.

Era en la época en que sor San Pedro iba todavía al coro y al refectorio. En la oración de la tarde se ponía delante de mí. Diez minutos antes de las seis, una hermana tenía que encargarse de llevarla al refectorio, pues las enfermeras tenían en aquel entonces demasiadas enfermas para venir a buscarla a ella.

Me costaba mucho ofrecerme para prestar ese pequeño servicio, pues sabía que no era fácil contentar a la pobre sor San Pedro, que sufría tanto que no le gustaba andar cambiando de conductora. Sin embargo, no quería perder una ocasión tan hermosa de practicar la caridad, recordando que Jesús había dicho: Lo que hagan al más pequeño de los míos, a mí me lo hacen.

Me ofrecí, pues, con mucha humildad a conducirla, ¡y no me costó poco trabajo conseguir que aceptara mis servicios! Al fin puse manos a la obra, y fue tanta mi buena voluntad, que el éxito fue completo.

Todas las tardes, cuando veía que sor San Pedro comenzaba a agitar su reloj de arena, sabía que eso quería decir: Vamos. Es increíble lo que me costaba hacer aquel esfuerzo, sobre todo al principio. Sin embargo, acudía inmediatamente, y a continuación comenzaba toda una ceremonia.

Había que mover y llevar la banqueta de una determinada manera, y, sobre todo, no ir rápido. Luego venía el paseo. Había que ir detrás de la pobre enferma, sosteniéndola por la cintura. Yo lo hacía con toda la suavidad posible; pero si, por desgracia, ella daba un paso en falso, ya le parecía que la sostenía mal y que se iba a caer. «¡Dios mío, vas demasiado rápido, voy a romperme la cabeza!» Si trataba de ir más despacio: «¡Pero sígueme, no siento tu mano, me has soltado, me voy a caer! Ya decía yo que tú eras demasiado joven para acompañarme.»

Por fin, llegábamos sin contratiempos al refectorio. Allí surgían nuevas dificultades. Había que sentar a sor San Pedro y actuar hábilmente para no lastimarla; luego, había que recogerle las mangas (también de una manera determinada); y entonces ya quedaba libre para irme.

Con sus pobres manos deformadas, echaba el pan en la escudilla como mejor podía. No tardé en darme cuenta de ello, y ya ninguna tarde me iba sin haberle prestado ese pequeño servicio. Como ella no me lo había pedido, esa atención la conmovió mucho, y gracias a esa atención, que yo no había buscado intencionadamente, me gané por completo sus simpatías, y sobre todo (lo supe más tarde) porque, después de cortarle el pan, le dirigía antes de marcharme mi más hermosa sonrisa.

Madre querida, quizás le extrañe que le haya escrito este pequeño acto de caridad que tuvo lugar hace tanto tiempo. Si lo he hecho, es porque, gracias a él, tengo que cantar las misericordias del Señor.

Dios ha querido que conserve este recuerdo como u. perfume que me mueve a practicar la caridad. A veces recuerdo ciertos detalles que son para mi alma como una brisa de primavera. He aquí uno que me viene a la memoria.

Una tarde de invierno estaba yo, como de costumbre, cumpliendo con mi tarea. Hacía frío y era de noche... De pronto, oí a lo lejos el sonido armonioso de un instrumento musical. Entonces me imaginé un salón muy iluminado, todo resplandeciente de ricos dorados; unas jóvenes elegantemente vestidas se hacían unas a otras toda suerte de cumplidos y de cortesías mundanas. Luego mi mirada se posó sobre la pobre enferma a la que estaba sosteniendo: en vez de una melodía, escuchaba de tanto en tanto sus gemidos lastimeros; en vez de ricos dorados, veía los ladrillos de nuestro austero claustro apenas alumbrado por una lucecita.

No puedo expresar lo que pasó en mi alma. Lo que sí sé es que el Señor la iluminó con los rayos de la verdad, que excedían de tal forma el brillo tenebroso de las fiestas de la tierra, que no podía creer en mi felicidad...

No, no cambiaría los diez minutos que me llevó realizar mi humilde servicio de caridad por gozar mil años de fiestas mundanas...

Si ya en el sufrimiento y en medio de la lucha es posible gozar un instante de una dicha que excede a todas las alegrías de la tierra sólo con pensar que Dios nos ha sacado del mundo, ¡qué será en el cielo cuando, abismadas en un júbilo y en un descanso eternos, veamos la gracia incomparable que el

eñor nos ha concedido al elegirnos para habitar en su casa,
verdadero pórtico del cielo...!

No siempre he practicado la caridad entre estos transportes de júbilo. Pero en los comienzos de mi vida religiosa Jesús
quiso hacerme sentir qué dulce es verlo a él en el alma de sus
esposas. Así, cuando llevaba a la hermana sor San Pedro, lo
hacía con tanto amor, que no hubiera podido hacerlo mejor
si hubiese tenido que llevar al mismo Jesús.

No, la práctica de la caridad no me ha sido siempre tan
dulce, como acabo, Madre, de decirle. Para demostrárselo,
voy a contarle algunos pequeños combates que seguramente
la harán sonreír.

Durante mucho tiempo, en la oración de la tarde, yo
me colocaba delante de una hermana que tenía una curiosa
manía, y pienso que también... muchas luces interiores,
pues rara vez se servía de algún libro. Verá cómo me di
cuenta.

En cuanto llegaba esa hermana, se ponía a hacer un extraño ruido, parecido al que se haría frotando dos conchas una
contra otra. Sólo yo lo notaba, pues tengo un oído extremadamente fino (demasiado a veces).

Imposible decirle, Madre, cómo me molestaba aquel ruidito. Sentía unas ganas enormes de volver la cabeza y mirar a
la culpable, que seguramente no se daba cuenta de su manía.
Era la única forma de hacérselo ver. Pero en el fondo del corazón sentía que era mejor sufrir aquello por amor de Dios y
no hacer sufrir a la hermana. Así que seguía quieta y trataba
de unirme a Dios y de olvidar el ruidito...

Todo inútil. Me sentía bañada de sudor, y me veía forzad. a hacer sencillamente una oración de sufrimiento.

Pero a la vez que sufría, buscaba la manera de hacerlo sin irritarme, sino con alegría y paz, al menos allá en lo íntimo del alma. Trataba de amar aquel ruidito tan desagradable: en vez de procurar no oírlo (lo cual era imposible), centraba toda mi atención en escucharlo bien, como si se tratara de un concierto maravilloso, y pasaba toda la oración (que no era precisamente de quietud) ofreciendo aquel concierto a Jesús.

En otra ocasión, en la lavandería, tenía enfrente de mí a una hermana que, cada vez que golpeaba los pañuelos en la tabla de lavar, me salpicaba la cara de agua sucia. Mi primer impulso fue echarme hacia atrás y secarme la cara, con el fin de hacer ver a la hermana que me estaba asperjando que me haría un gran favor si ponía más cuidado. Pero enseguida pensé que sería bien tonta si rechazaba unos tesoros que me ofrecían con tanta generosidad, y me guardé bien de manifestar mi lucha interior. Me esforcé todo lo que pude por desear recibir mucha agua sucia, de manera que acabé por sacarle verdadero gusto a aquel nuevo tipo de aspersión e hice el propósito de volver otra vez a aquel venturoso sitio en el que tantos tesoros se recibían.

Madre querida, ya ve que yo soy una *alma muy pequeña* que no puede ofrecer a Dios más que *cosas muy pequeñas*. Con todo, muchas veces me ocurre que dejo escapar algunos de esos pequeños sacrificios que dan al alma tanta paz. Pero no me desanimo por eso: me resigno a tener un poco menos de paz, y procuro poner más cuidado la próxima vez.

El Señor es tan bueno conmigo, que no puedo tenerle miedo. Siempre me ha dado lo que deseaba, o, mejor dicho, me ha hecho desear lo que quería darme.

Así, poco tiempo antes de que comenzase mi prueba contra la fe, yo pensaba en mi interior: Realmente, no tengo grandes pruebas exteriores, y para tenerlas interiores Dios tendría que cambiar mi camino. No creo que lo haga. De todas formas, no puedo vivir siempre así, en el sosiego... ¿Cómo se las arreglará, pues, Jesús para probarme?

La respuesta no se hizo esperar, y me hizo ver que mi Amado no es pobre en recursos. Sin cambiar mi camino, me envió una prueba que iba a mezclar una saludable amargura en todas mis alegrías.

Los misioneros

Pero Jesús no se limita a hacérmelo presentir y desear cuando quiere probarme.

Desde hacía mucho tiempo, yo venía deseando algo que me parecía totalmente irrealizable: el de tener *un hermano sacerdote*. Pensaba con frecuencia que, si mis hermanitos no hubiesen volado al cielo, yo tendría la dicha de verlos subir al altar. Pero como Dios los eligió para convertirlos en angelitos, ya no podía esperar ver mi sueño hecho realidad.

Y he aquí que Jesús no sólo me ha concedido la gracia que deseaba, sino que me ha unido con los lazos del alma a dos de sus apóstoles, que se han convertido en hermanos míos...

Quiero contarle detalladamente, Madre querida, cómo Jesús colmó mi deseo, e incluso lo superó, pues yo sólo deseaba *un* hermano sacerdote que se acordase de mí a diario en el altar santo.

Fue nuestra Madre santa Teresa quien, en 1895, me envió como ramillete de fiesta a mi primer hermanito. Estaba yo en el lavadero, muy ocupada en mi faena, cuando la madre Inés de Jesús me llamó aparte y me leyó una carta que acababa de recibir. Se trataba de un joven seminarista que, inspirado por santa Teresa –decía él–, pedía una hermana que se dedicase especialmente a la salvación de su alma y que, cuando fuese misionero, le ayudase con sus oraciones y sacrificios a salvar muchas almas.

Por su parte, él prometía tener siempre un recuerdo por la que fuese su hermana cuando pudiera ofrecer el santo sacrificio. Y la madre Inés de Jesús me dijo que quería que fuese yo la hermana de ese futuro misionero.

Imposible, Madre, decirle la dicha que sentí. El ver mi deseo colmado de manera inesperada hizo nacer en mi corazón una alegría que yo llamaría infantil, pues tengo que remontarme a los días de mi niñez para encontrarme con el recuerdo de unas alegrías tan intensas que el alma es demasiado pequeña para contenerlas.

Hacía muchos años que no saboreaba esta clase de felicidad.

Sentía que, en ese aspecto, mi alma estaba sin estrenar. Era como si alguien hubiese pulsado por primera vez en ella unas cuerdas musicales hasta entonces olvidadas.

Sabía las obligaciones que asumía, así que puse manos a ・a obra, tratando de redoblar mi fervor. Tengo que confesar que al principio no conté con ningún consuelo que estimulara mi celo. Mi hermanito, tras escribir una carta preciosa, muy emotiva y llena de nobles sentimientos, para darle las gracias a la madre Inés de Jesús, no dio más señales de vida hasta el mes de julio siguiente, excepto una tarjeta que envió en el mes de noviembre para decirnos que se incorporaba al servicio militar.

Dios le reservaba a usted, Madre querida, la consumación de la obra comenzada. Es muy cierto que a los misioneros podemos ayudarlos por medio de la oración y el sacrificio. Pero a veces, cuando Jesús quiere unir dos almas para su gloria, permite que de tanto en tanto puedan comunicarse sus pensamientos y animarse así mutuamente a amar más a Dios.

Pero para ello se requiere la *voluntad expresa* de la autoridad, pues me parece que de lo contrario esa correspondencia haría más mal que bien, si no al misionero, sí al menos a la carmelita, llamada de continuo por su género de vida a vivir replegada sobre sí misma. Y entonces esa correspondencia (incluso esporádica) pedida por ella, en vez de unirla a Dios, ocuparía su espíritu; imaginándose el oro y el moro, no haría otra cosa que buscarse, bajo color de celo, una distracción inútil.

A mi modo de ver, ocurre con esto como con todo lo demás. Creo que, para que mis cartas hagan provecho, he de escribirlas por obediencia y experimentar, al escribirlas, más repugnancia que placer.

De la misma manera, cuando hablo con una novicia, procuro hacerlo mortificándome y evito hacerle preguntas que puedan satisfacer mi curiosidad. Si ella empieza a hablar de una cosa interesante y luego, sin terminar la primera, pasa a otra que me aburre, me guardo muy bien de recordarle el tema que ha dejado a un lado, pues creo que no se puede hacer bien alguno cuando uno se busca a sí mismo.

Madre querida, veo que nunca me corregiré. Una vez más, con mis disertaciones, me he ido muy lejos del tema que estaba tratando. Le ruego que me perdone, y disculpe si a la primera ocasión vuelvo a caer otra vez, pues no lo puedo remediar...

Usted hace como Dios, que nunca se cansa de escucharme cuando le cuento con sencillez mis penas y mis alegrías como si él no las conociera ya... Usted, Madre, también conoce desde hace mucho tiempo lo que pienso y todos los acontecimientos un poco señalados de mi vida, por lo que no puede contarle nada nuevo.

Cuando pienso que le estoy escribiendo pormenorizadamente tantas cosas que usted conoce tan bien como yo, no puedo evitar la risa. En fin, Madre querida, no hago más que obedecerla. Y si ahora no le encuentra el menor interés a leer estas páginas, quizás le sirvan de distracción en los días de su vejez y la ayuden también a avivar el fuego del amor, y así no habré perdido el tiempo... Pero me divierto hablando como un niño. No crea, Madre, que me pregunto por la utilidad que pueda tener mi humilde trabajo. Lo hago por obediencia, y eso me basta. Y si usted lo quemase ante mis ojos antes de leerlo, no lo sentiría lo más mínimo.

Es hora ya de que reanude la historia de mis hermanos, que ocupan ahora un lugar tan importante en mi vida.

Recuerdo que el año pasado, un día de finales del mes de mayo, usted me mandó llamar antes de ir al refectorio. Cuando entré en su celda, Madre querida, me latía muy fuerte el corazón; me preguntaba a mí misma qué sería lo que tenía que decirme, pues era la primera vez que me mandaba llamar de esa manera. Después de decirme que me sentara, me hizo esta propuesta: «¿Quieres encargarte de los intereses espirituales de un misionero que se va a ordenar de sacerdote y que partirá dentro de poco»? Y a continuación, me leyó la carta de ese joven Padre para que supiera exactamente lo que pedía.

Mi primer sentimiento fue un sentimiento de alegría, que inmediatamente dio paso al de miedo. Yo le expliqué, Madre querida, que, al haber ofrecido ya mis pobres méritos por un futuro apóstol, no creía poder ofrecerlos también por las intenciones de otro, y que, además, había muchas hermanas mejores que yo, que podrían responder a sus deseos.

Todas mis objeciones fueron inútiles. Usted me contestó que se podían tener varios hermanos. Entonces yo le pregunté si la obediencia no podría duplicar mis méritos. Usted me respondió que sí, añadiendo varias razones que me hicieron ver que debía aceptar sin ningún escrúpulo un nuevo hermano.

En el fondo, Madre, yo pensaba igual que usted. Es más: ya que «el celo de una carmelita debe abarcar el mundo entero», espero, con la gracia de Dios, ser útil a más de dos misioneros y nunca me olvidaré de rezar por todos, sin dejar de lado a los simples sacerdotes, cuya misión es a veces tan difícil de cumplir como la de los apóstoles que predican a los infieles.

En una palabra, quiero ser hija de la Iglesia, como nuestra Madre santa Teresa, y rogar por las intenciones de nuestro Santo Padre el Papa, sabiendo que sus intenciones abarcan todo el universo.

Esta es la meta global de mi vida. Pero esto no me habría impedido rezar y unirme de una manera muy especial a la actividad de mis angelitos queridos si ellos hubiesen sido sacerdotes.

Pues bien, así es como me he unido espiritualmente a los apóstoles que Jesús me ha dado por hermanos: todo lo mío es de cada uno de ellos. Sé muy bien que Dios es demasiado bueno para andarse con repartos. Es tan rico, que me da sin medida todo lo que le pido... Pero no vaya a creer, Madre, que me pierdo en largas enumeraciones.

Atráeme, y correremos

Si desde que tengo a estos dos hermanos y a mis hermanitas, las novicias, quisiera pedir para cada alma lo que cada una necesita y detallarlo todo bien, los días se me harían demasiado cortos y temería olvidarme de alguna cosa importante.

Las almas sencillas no necesitan usar medios complicados. Y como yo soy una de ellas, una mañana, durante la acción de gracias, Jesús me inspiró un medio muy sencillo de cumplir mi misión. Me hizo comprender estas palabras del Cantar de los Cantares: «*Atráeme, y correremos* tras el olor de tus perfumes».

¡Oh, Jesús!, ni siquiera es, pues, necesario decir: Al atraerme a mí, atrae también a las almas que amo. Esta simple palabra, «Atráeme», basta.

Lo entiendo, Señor. Cuando un alma se ha dejado fascinar por el perfume embriagador de tus perfumes, ya no puede correr sola, todas las almas que ama se ven arrastradas tras de ella. Y eso se hace sin tensiones, sin esfuerzos, como una consecuencia natural de su propia atracción hacia ti.

Como un torrente que se lanza impetuosamente hacia el océano arrastrando tras de sí todo lo que encuentra a su paso, así, Jesús mío, el alma que se hunde en el océano sin riberas de tu amor atrae tras de sí todos los tesoros que posee...

Señor, tú sabes que yo no tengo más tesoros que las almas que tú has querido unir a la mía. Estos tesoros tú me los has confiado. Por eso, me atrevo a hacer mías las palabras que tú dirigiste al Padre celestial la última noche que te vio, peregrino y mortal, en nuestra tierra. Jesús, Amado mío, yo no sé cuándo acabará mi destierro... Más de una noche me verá todavía cantar en el destierro tus misericordias. Pero, finalmente, también para mí llegará la última noche, y entonces quisiera poder decirte, Dios mío: «Yo te he glorificado en la tierra, he coronado la obra que me encomendaste. He dado a conocer tu nombre a los que me diste. Tuyos eran y tú me los diste. Ahora han conocido que todo lo que me diste procede de ti, porque yo les he comunicado las palabras que tú me diste, y ellos las han recibido y han creído que tú me has enviado. Te ruego por éstos que tú me diste y que son tuyos.

Yo no voy a estar ya en el mundo, pero ellos están en el mundo mientras yo voy a ti. Padre santo, guárdalos en tu nombre a los que me has dado. Ahora voy a ti, y digo esto mientras estoy en el mundo para que ellos puedan participar plenamente de mi alegría. No te ruego que los saques del mundo, sino que los preserves del mal. No son del mundo, como tampoco yo soy del mundo. Pero no sólo por ellos ruego, sino también por los que creerán en ti gracias a su palabra.

Padre, éste es mi deseo: que los que me confiaste estén conmigo y que el mundo sepa que tú los has amado como me has amado a mí».

Sí, Señor, esto es lo que yo quisiera repetir contigo antes de volar a tus brazos. ¿Es tal vez una temeridad? No, no. Hace ya mucho tiempo que tú me has permitido ser audaz contigo. Como el padre del hijo pródigo cuando hablaba con su hijo mayor, tú me dijiste: «Todo lo mío es tuyo». Por tanto, tus palabras son mías, y yo puedo servirme de ellas para atraer sobre las almas que están unidas a mí las gracias del Padre celestial.

Pero, Señor, cuando digo que deseo que los que tú me diste están también donde yo esté, no pretendo que ellos no puedan llegar a una gloria mucho más alta de la que quieras darme a mí. Quiero simplemente pedir que un día nos veamos todos reunidos en tu hermoso cielo.

Tú sabes, Dios mío, que yo nunca he deseado otra cosa que amarte. No ambiciono otra gloria. Tu amor me ha acompañado desde la infancia, ha ido creciendo conmigo, y ahora es un abismo cuyas profundidades no puedo sondear.

El amor llama al amor. Por eso, Jesús mío, mi amor se lanza hacia ti y quisiera colmar el abismo que lo atrae. Pero, ¡ay!, no es ni siquiera una gota de rocío perdida en el océano... Para amarme como tú me amas, necesito pedirte prestado tu propio amor. Sólo entonces encontraré reposo.

Jesús mío, tal vez sea una ilusión, pero creo que no podrás colmar a un alma de más amor del que has colmado la mía. Por eso me atrevo a pedirte que ames a los que me has dado como me has amado a mí. Si un día en el cielo descubro que los amas más que a mí, me alegraré, pues desde ahora mismo reconozco que esas almas merecen mucho más amor que la mía. Pero aquí abajo no puedo concebir una mayor inmensidad de amor del que te has dignado prodigarme a mí gratuitamente y sin mérito alguno de mi parte.

Madre querida, vuelvo a estar con usted. Estoy asombrada de lo que acabo de escribir, pues no tenía intención de hacerlo. Ya que está escrito, habrá que dejarlo.

Pero antes de volver a la historia de mis hermanos, quiero decirle, Madre, que las primeras palabras que he tomado del Evangelio —«Yo les he comunicado las palabras que tú me diste», etc.–no se las aplico a ellos, sino a mis hermanitas, pues no me creo capaz de enseñar nada a un misionero. ¡Gracias a Dios, todavía no soy tan orgullosa como para eso!

Ni hubiera sido tampoco capaz de dar ningún consejo a mis hermanas si usted, madre, que representa a Dios, no me hubiese confiado esa misión.

Pero sí que pensaba en sus queridos hijos, que son ya mis hermanos, cuando escribía estas palabras de Jesús y las que van a continuación de ellas: «No te ruego que los saques del mundo... Te ruego también por los que creerán en ti gracias a su palabra». En efecto, ¿cómo podría yo dejar de rezar por las almas que ellos salvarán en sus misiones lejanas mediante el sufrimiento y la predicación?

Madre, creo necesario darle alguna explicación más sobre aquel pasaje del Cantar de los Cantares: «Atráeme y correremos», pues me parece que no quedó muy claro lo que quería decir.

«Nadie puede venir a mí –dice Jesús– si no lo trae *mi Padre* que me ha enviado». Y a continuación, con parábolas sublimes –y muchas veces incluso sin servirse de este medio, tan familiar para el pueblo–, nos enseña que basta llamar para que nos abran, buscar para encontrar, y tender humildemente la mano para recibir lo que pedimos... Dice también que todo lo que pidamos al Padre en su nombre nos lo concederá. Sin duda, por eso el Espíritu Santo, antes del nacimiento de Jesús, dictó esta oración profética: Atráeme y correremos.

¿Qué quiere decir, entonces, pedir ser atraídos, sino unirnos de una manera íntima al objeto que nos cautiva el corazón? Si el fuego y el hierro tuvieran inteligencia, y éste último dijera al otro «Atráeme», ¿no estaría demostrando que quiere identificarse con el fuego de tal manera que éste lo penetre y lo empape de su ardiente sustancia hasta parecer una sola cosa con él?

Oración

Madre querida, ésa es mi oración. Yo pido a Jesús que me atraiga a las llamas de su amor, que me una tan íntimamente a él que sea él quien viva y quien actúe en mí. Siento que cuanto más abrase mi corazón el fuego del amor, con mayor fuerza diré «Atráeme»; y que cuanto más se acerquen las almas a mí (pobre trocito de hierro, si me alejase de la hoguera divina), más ligeras correrán tras los perfumes de su Amado.

Porque un alma abrasada de amor no puede estarse inactiva. Es cierto que, como santa María Magdalena, permanece a los pies de Jesús, escuchando sus palabras dulces e inflamadas. Parece que no da nada, pero da mucho más que Marta, que anda inquieta y nerviosa con muchas cosas y quisiera que su hermana la imitase.

Lo que Jesús censura no son los trabajos de Marta. A trabajos como ésos se sometió humildemente su divina Madre durante toda su vida, pues tenía que preparar la comida de la Sagrada Familia. Lo único que Jesús quisiera corregir es la inquietud de su ardiente anfitriona.

Así lo entendieron todos los santos, y más especialmente los que han llenado el universo con la luz de la doctrina evangélica. ¿No fue en la oración donde san Pablo, san Agustín, san Juan de la Cruz, santo Tomás de Aquino, san Francisco, santo Domingo y tantos otros amigos ilustres de Dios bebieron aquella ciencia divina que cautivaba a los más grandes genios?

Un sabio decía: «Denme una palanca, un punto de apoyo, y levantaré el mundo».

Lo que Arquímedes no pudo lograr, porque su petición no se dirigía a Dios y porque la hacía desde un punto de vista material, los santos lo lograron en toda su plenitud. El Todopoderoso les dio un punto de apoyo: *Él mismo, Él solo*. Y una palanca: la oración, que abrasa con fuego de amor. Y así levantaron el mundo. Y así lo siguen levantando los santos que aún militan en la tierra. Y así lo seguirán levantando hasta el fin del mundo los santos que vendrán.

Madre querida, quisiera decirle ahora lo que yo entiendo por el olor de los perfumes del Amado.

Dado que Jesús ascendió al cielo, yo sólo puedo seguirlo siguiendo las huellas que él dejó. ¡Pero qué luminosas y perfumadas son esas huellas! Sólo tengo que poner los ojos en el santo Evangelio para respirar los perfumes de la vida de Jesús y saber hacia dónde correr... No me abalanzo al primer puesto, sino al último; en vez de adelantarme con el fariseo, repito llena de confianza la humilde oración del publicano. Pero, sobre todo, imito la conducta de la Magdalena. Su asombrosa, o, mejor dicho, su amorosa audacia, que cautiva el corazón de Jesús, seduce al mío.

Sí, estoy segura de que, aunque tuviera sobre la conciencia todos los pecados que pueden cometerse, iría, con el corazón roto de arrepentimiento, a echarme en brazos de Jesús, pues sé cómo ama al hijo pródigo que vuelve a él.

Es cierto que Dios, en su misericordia *previniente*, ha preservado mi alma del pecado mortal. Pero no es ésa la razón de que yo me eleve a él por la confianza y el amor.

Índice

Este libro se terminó de imprimir, en el mes de noviembre de 2009, en **Talleres Gráficos Color Efe,** Paso 192, Avellaneda, Provincia de Buenos Aires, República Argentina.